Collection dirigée par Glenn Tavennec

L'AUTEUR

Carina Rozenfeld est née en 1972 à Paris. Après des études de géographie et d'urbanisme, elle s'est tournée vers l'édition, puis est devenue journaliste pour Cyberpress Publishing et Panini dans des magazines jeunesse. Depuis trois ans, elle se consacre exclusivement à l'écriture de ses romans et aux rencontres organisées pour les jeunes lecteurs dans toute la France.

Auteur jeunesse reconnu et prescrit, Carina a déjà publié une dizaine de romans récompensés par de nombreux prix, dont le prestigieux prix des Incorruptibles pour *La Quête des Livres-Monde* en 2010 et *Les Clefs de Babel* en 2011.

Elle a par ailleurs appris la musique durant onze ans à l'École nationale de musique de Saint-Germain-en-Laye, ce qui lui a permis de créer avec délice l'univers musical dont *Phœnix* est imprégné.

Présente sur les réseaux sociaux **avec** un blog très visité, une page Facebook et un compte Twitter, Carina se rend à tout moment accessible à ses lecteurs.

Elle vit actuellement à Paris avec Léo, son fils, et Cannelle, son chat.

CARINA ROZENFELD

LES CENDRES DE L'OUBLI

-Phænix-

Livre 1

roman

Note de l'auteur

Vous pouvez écouter la playlist des chansons présentes dans mon roman sur les plateformes d'écoute en streaming Deezer et Spotify.

Vous pouvez y accéder directement* en flashant :

pour Deezer   *pour Spotify*

---

* Conformément aux conditions d'utilisation des plateformes d'écoute Deezer et Spotify, l'écoute des titres est gratuite sur un ordinateur (Mac ou PC), mais limitée sur les smartphones et tablettes aux seuls utilisateurs disposant d'un abonnement aux services des plateformes. L'éditeur de l'ouvrage ne pourra être tenu pour responsable de l'inaccessibilité temporaire ou définitive d'un ou plusieurs titres ou de l'incompatibilité des services de ces plateformes avec certains équipements.

© Éditions Robert Laffont, S.A., Paris, 2012

ISBN 978-2-221-12697-4
ISSN 2258-2932

Pour Léo...

PROLOGUE

Enfin.

Un signe.

Être séparé d'elle était la pire des tortures. Cela faisait quatre mois déjà qu'elle était partie, ses beaux yeux verts baignés de larmes, écarquillés sur des images qu'elle ne parvenait pas à chasser. Elle avait claqué la porte avec violence, après avoir hurlé une promesse terrible, un sort scellé à jamais. Il ne l'avait pas crue. C'était impossible. Elle ne pouvait pas faire ça... Le pouvait-elle ? Après tout, qu'en savait-il ? Cette situation ne s'était jamais présentée en plusieurs milliers d'années.

Elle ne lui avait même pas laissé le temps de se justifier. Rien n'était arrivé par hasard. Rien. Mais il n'avait pas pu le lui dire. Pourtant, il avait tenté de la calmer, de lui parler, le désespoir le dévorant au fur et à mesure qu'il comprenait qu'il l'avait déjà perdue. Anéantie, elle avait refusé de l'écouter, puis avait proféré cette malédiction d'une voix pleine de rage, de douleur, de déception. Jusqu'à ce moment-là, il n'avait pas compris qu'elle irait au bout. Pour lui, il était évident qu'elle allait revenir ; ils prendraient alors le temps de s'expliquer, enfin elle admettrait le fait qu'un ennemi les menaçait en tentant de détruire leur amour. Après tout, ensemble, ils avaient traversé des situations tellement plus dangereuses... Rien ne pouvait les séparer. Rien.

Cependant, ils étaient maintenant séparés depuis cent vingt jours qui lui avaient semblé s'étirer plus que les siècles qu'il avait déjà parcourus. Le vide avait envahi son quotidien, vide qu'il n'avait pas cherché à combler. Même la musique l'avait abandonné. Ses doigts, sur les touches du piano, restaient inanimés. Le silence s'insinuait partout. Dans chaque interstice de sa vie, dans chacun de ses souffles qu'il n'entendait plus la nuit. Son battement de cœur lui manquait, son rire, ses chants incessants. Cette absence terrible le rendait fou, contractait chacun de ses muscles à l'intérieur de lui. Un seul but le poussait à se lever le matin, depuis ce jour funeste : la retrouver, lui demander de l'écouter enfin, d'accepter sa version des faits. Il l'avait cherchée partout à la surface de la planète, espérant une trace infime, un indice.

D'habitude, il l'entendait dans sa tête ; elle lui parlait, même quand elle partait loin. C'était leur lien, leur union parfaite. Leurs voix ne se quittaient pas, leurs pensées demeuraient reliées. Ainsi, ils n'étaient jamais séparés. Toujours fusionnés, pour l'éternité. Mais depuis son départ, il ne l'entendait plus, elle avait fermé son esprit. Était-elle morte ? Non, impossible ! Elle ne pouvait pas mourir sans lui !

Et enfin, un signe.

Il l'avait finalement perçue en plein sommeil. Un cri d'agonie terrible qui s'était répercuté contre les parois de son crâne, le réveillant en sursaut. Hagard, il avait fouillé du regard les ombres de leur chambre, cherchant à comprendre. Avait-il rêvé ? Peut-être, et pourtant... Mais le cri se répéta, et cette fois il était bien conscient. Elle avait rouvert son esprit un bref instant, une brèche dans le silence, et il pouvait distinguer où elle se trouvait. Il reconnaissait le lieu qu'elle contemplait. C'était à seulement quelques kilomètres de là ! D'un geste brusque, il repoussa les couvertures, trébucha en se précipitant vers la fenêtre.

En toute hâte, il prit son envol, avalant la distance à tire-d'aile. Il l'avait retrouvée. Le soulagement balaya les mois d'angoisse. Sa raison de vivre était tout près désormais, il allait la rejoindre, la sauver, la serrer dans ses bras, lui promettre que plus jamais il ne la décevrait... Il ne pouvait plus entendre ses pensées, mais il savait où l'atteindre, et bientôt ils seraient réunis. Le soleil du matin réchauffa ses plumes, la brise le poussait en avant, comme solidaire de son effort.

Il fit un grand cercle au-dessus de la roche blanche qui reflétait les rayons de l'aube. Son regard perçant scrutait chaque détail du paysage.

Tout à coup, il la vit, et son cœur fit un bond. Quelque chose n'était pas normal. Elle était couchée au pied de la falaise, au bord de la mer. Ses longs cheveux avaient foncé à cause de l'eau qui montait puis descendait autour de sa silhouette pâle, la recouvrant en rythme d'une pellicule brillante sous la lumière naissante. Ses jambes et son cou formaient un angle bizarre avec le reste de son corps. Brisé. Elle ne respirait plus. N'était plus... Il était arrivé trop tard. Aussitôt un vertige le saisit, la bile remonta dans sa gorge. Qu'était-il arrivé ? Pourquoi ? S'il avait pu, à ce moment-là, il aurait hurlé sa détresse, son désespoir, mais les oiseaux ne hurlent pas.

Il ferma brièvement les yeux en planant au-dessus de la plage. Pourtant, le soleil annonçait une si belle journée... Le ciel s'étirait à l'infini, parfaitement bleu, uni à la mer qui scintillait joyeusement sous la lumière d'été, pailletée d'or et d'argent. Son ombre à lui, noire, immense, se reflétait sur les vagues dansantes qu'il survolait. Un parfum iodé mêlé à celui des fleurs flottait dans l'air. Du laurier-rose. Tout embaumait le laurier-rose. Non, personne ne devait mourir par une journée pareille. Le monde était tellement vivant !

Il savait qu'il ne pouvait pas vivre sans elle. Elle ne pouvait pas mourir sans lui. Alors, le cœur saignant de douleur, il replia ses ailes et se laissa tomber comme une pierre dans les flots. « À bientôt, mon amour », songea-t-il tandis que l'eau se refermait derrière lui, telle une tombe mouvante et glaciale. La lumière dorée s'atténua dans les profondeurs, ainsi que les bruits de la vie. Bientôt, il oublia tout et se perdit dans les ténèbres...

Anaïa Heche
Il y a 3 minutes
Que ceux qui sont encore debout à
4 h 21 du matin, comme moi, lèvent le
doigt !
J'aime • Commenter

1.

J'aime marcher en solitaire dans la pinède. C'est un bout de forêt qui fait partie du domaine de mes grands-parents. Il est cerclé de barrières indiquant qu'il s'agit d'une propriété privée, alors je m'y sens en sécurité. Enfants, mes cousins et moi y jouions à cache-cache, ou encore allions tremper nos pieds dans le petit cours d'eau qui la traversait, quand il n'était pas tari par les fortes chaleurs.

Aujourd'hui, j'y flâne seule, laissant les parfums de pin et de résine dégorger des troncs des arbres. Les brindilles sèches craquent sous mes pieds nus. Je me promène toujours pieds nus. J'ai besoin de sentir la terre en contact direct avec moi. Cela m'apaise.

Il fait chaud, mes longs cheveux de feu collent dans mon cou et sur mon front. Enfin, je reconnais l'arbre tordu. La vieille tour de pierres grises n'est plus très loin. Je l'avais oubliée, depuis toutes ces années. C'est une ancienne ruine couverte de lichen et de lierre étouffant ses blocs ternes et branlants. Elle est à moitié effondrée, certaines parties ont roulé sur le sol, prenant l'apparence de l'humus, recouvertes de feuilles mortes, d'aiguilles de pin et de glands moisis.

Il n'y a plus de porte pour protéger l'ouverture en arc de cercle derrière laquelle apparaît un gouffre noir, froid, exhalant des relents de terre pourrie. En plissant le nez, je pénètre quand même dans ce qui reste du bâtiment. Sous mes pieds, je sens de la poussière humide.

À tâtons, car il fait très sombre, je pose la main sur le mur de droite et je le suis à l'aveuglette. Mes orteils arrivent au bord d'une marche. Je la descends. Puis une autre, et encore une autre. Mon cœur bat la chamade. Je sais que je vais trouver quelque chose d'important en bas de cet escalier en colimaçon, dont le sol inégal et glissant est gelé.

Oui… je vais trouver… retrouver quelque chose d'essentiel, mais quoi ? Je ne me souviens plus. Pourtant, je suis sûre de l'avoir su à un moment.

Après avoir descendu je ne sais combien de degrés dans cette étroite cage qui tournicote en s'enfonçant dans les entrailles de la terre, j'aperçois une lumière, une lueur claire, chaude, rassurante. Il y a bien quelque chose en bas, je le savais !

Je descends plus vite à présent. Le rayonnement est tellement fort qu'il m'éblouit et je tends une main devant moi, afin qu'elle projette une ombre sur mes yeux. En plissant les paupières, j'aperçois juste une silhouette, indis-

tincte dans le contre-jour, entourée d'un halo de rayons qui semblent jaillir d'elle.

C'est pour cette silhouette que je suis là, je le sais.

— Tu es revenue, murmure alors une voix.

Mes yeux s'ouvrirent d'un coup dans le noir complet. Où donc étais-je ? Il me fallut quelques secondes pour me remettre l'esprit à l'endroit, et me rappeler. Dans ma chambre. Ma nouvelle chambre. Je n'y étais pas encore complètement habituée et le réveil brutal avait accentué cette impression d'étrangeté.

Un bref regard vers mon réveil m'indiqua qu'il était 4 h 21 du matin, et je soupirai. Je pouvais dormir encore deux bonnes heures, mais je savais que j'aurais du mal à retrouver le sommeil, maintenant, tout envahie des sensations qui s'agitaient encore en moi. Mon cœur battait à tout rompre, toujours sous le coup de l'émotion. Je pouvais même l'entendre, martèlement erratique qui résonnait dans ma cage thoracique et rythmait le silence de la nuit. Par la fenêtre ouverte, un léger souffle d'air chargé du parfum de terre mouillée se glissait à travers les volets de bois peints en bleu. Je passai une main sur mon front voilé d'une moiteur poisseuse, me redressai, allumai la lampe de chevet, les yeux clignant malgré la lumière terne de l'ampoule à économie d'énergie. Ce truc paraissait toujours trop faible quand il s'agissait de lire, mais trop violent au milieu de la nuit, après un songe bizarre.

La voix de mon rêve vibrait encore dans mon crâne. « Tu es revenue. » Un simple chuchotement, mais qui contenait tellement d'émotions : de la joie, du soulagement, de l'émerveillement, de la mélancolie, tout cela en trois mots à peine murmurés dans une vision évanescente.

Je me laissai retomber en arrière, un bras replié sur mon visage. Sans trop comprendre pourquoi, une grande tristesse m'envahit. C'était la quatrième fois que je faisais ce rêve, et les mêmes sensations m'étreignaient cette fois encore. « Tu es revenue »… Où ? Auprès de qui ?

Est-ce que cela avait quelque chose à voir avec le déménagement tout récent ?

J'ouvris un œil – un seul, afin de diviser par deux la réalité – et contemplai avec culpabilité la pile de cartons qui s'élevait contre le mur, me narguant. J'avais eu du temps pour les vider. Cela faisait cinq semaines que nous avions emménagé. Mais un été ici appelle à tout, sauf à ranger des cartons de vêtements et de livres.

En soupirant, je saisis mon téléphone posé près du réveil et ranimai l'écran. Évidemment, personne ne m'avait appelée ni laissé de texto. À une heure pareille, cela aurait été inquiétant ! Je reposai la méchante machine silencieuse qui me laissait seule dans la nuit.

« Tu es revenue. »

Certaine que je ne me rendormirais plus désormais, je me redressai pour de bon et frottai énergiquement mon cuir chevelu dans le vain espoir de raviver mes neurones somnolents. J'allais avoir une mine de déterrée pour la rentrée, et c'était le pire des scénarios. Arriver dans un nouvel endroit où l'on ne connaît personne avec une sale tête, ça n'aide pas à socialiser. Je soupirai et repoussai le drap. Il faisait encore chaud ici, la couverture était superflue. Si j'avais été à Paris, comme tous les mois de septembre précédents, j'aurais certainement mis une petite épaisseur de plus. Mes pieds se posèrent sur la descente de lit, puis sur les tommettes fraîches. Silencieusement, je traversai ma chambre, une grande pièce sous les combles, au plafond strié de poutres sombres et irrégulières, où flottait un parfum de cire d'abeille et de lavande, et me glissai dans le couloir. Mes parents dormaient encore, les chanceux.

D'un pas traînant, je descendis les escaliers froids pour me rendre dans la cuisine. J'ouvris le frigo, éblouie par la lumière blanche jaillissant de derrière le pot de moutarde, et en tirai une bouteille de jus d'orange que je bus à même le goulot. Pas la force de prendre un verre, de le rincer... Mes pensées demeuraient confuses, comme enveloppées de coton. C'était ce rêve, toujours ce rêve. Je ne l'avais jamais fait avant le déménagement, mais depuis que je vivais ici, il semblait m'habiter. Et chaque fois, j'avançais un peu plus dans le parcours qui me menait… tout en bas ? Dans la lumière ? La première fois, j'étais juste arrivée devant la tour. Puis j'y entrais et, enfin, osais descendre l'escalier. Cette fois, j'y avais croisé cette silhouette mystérieuse, entendu la voix sourde dans ma tête. Je ne comprenais pas la raison de cette récurrence, son sens m'échappait complètement. Peut-être n'y en avait-il aucun. Mais alors, pourquoi le refaire sans cesse ? Peut-être un truc que j'avais lu ou vu un jour et qui m'avait traumatisée ? « Pff, n'importe quoi. Tu délires, ma pauvre Anaïa. »

Dans l'immense salon où je me faufilai, les ombres devenaient familières à mesure que je m'habituais à ce nouvel environnement. Les meubles étaient ceux que nous avions à Paris. Ils étaient juste posés dans une autre pièce, plus grande, plus haute de plafond, comme le reste ici. Tout était plus vaste, plus coloré aussi. Enfin, pas maintenant, pas au milieu de la nuit, évidemment. La baie vitrée donnant sur le jardin avait été entrouverte, pour laisser passer un courant d'air. Du coin de l'œil, je vis Rody se lever du panier posé dans la cuisine et trottiner vers moi en remuant la queue. C'était un carlin beige, au museau noir enfoncé dans sa petite tête ronde. Ses yeux avaient la particularité inhérente à sa race : ils regardaient dans deux directions opposées. Je le trouvais très laid, mais aussi attachant, d'une certaine manière. On en avait hérité avec la maison, c'était le chien de mon grand-père et il lui avait vaillamment tenu compagnie après la mort de ma grand-mère. Il nous avait vite adoptés, nous faisant une fête de tous les diables chaque fois que nous rentrions à la maison après être allés faire les courses, par exemple. Il avait même réussi à se faire apprécier d'Arsène, notre chat, qui était descendu avec nous pour cette nouvelle vie dans le sud de la France. Mais ce n'était pas trop difficile : Arsène n'était jamais là. Depuis qu'il avait compris que son horizon ne se limiterait plus aux murs du trois pièces que nous occupions dans la capitale, il partait en exploration et revenait juste la nuit pour engloutir la gamelle que maman lui remplissait consciencieusement. Mais le bout de son museau, nous ne le voyions plus.

J'ouvris la vitre un peu plus largement afin de pouvoir me glisser dans l'entrebâillement et fis un pas à l'extérieur. Rody me suivit, la langue pendante, en faisant un bruit de succion bizarre. La lune s'était levée tard et brillait encore dans le ciel, disque légèrement raboté sur le côté, répandant des paillettes argentées sur la cime des arbres silencieux, la pelouse rase, la surface lisse de la piscine. Je m'assis en tailleur sur le carrelage frais de la terrasse et le chien prit place près de moi.

Je le grattouillai entre les oreilles et murmurai dans la nuit :

— Je suis revenue Rody, oui, je suis revenue, et pour de bon cette fois...

Je savais très bien que je ne parlais ni du déménagement ni de notre installation récente dans le mas de mes grands-parents où j'avais passé tous les étés de mon enfance.

Le chien me regarda alors comme s'il comprenait exactement ce que je venais de lui dire, tandis que moi, je n'en avais aucune idée.

Si seulement, à ce moment-là, j'avais réellement su...

Anaïa Heche
Il y a 25 minutes
On se redresse, on prend une grande inspiration, et on y va... Ma nouvelle vie commence pour de bon, là !
J'aime • Commenter

Juliette Couette Couette
Bonne chance ma chérie. Je suis sûre que ça va bien se passer. Pour moi, ce sera la semaine prochaine. Ça fait bizarre de ne plus être au lycée, hein ?

Anaïa Heche
Je n'arrive pas à avaler mon petit déjeuner, je suis trop angoissée. Juliette, à l'aiiiiide ! :-(

Juliette Couette Couette
Courage ! Tu vas te faire plein de nouveaux amis. Raconte-moi vite !

Simon Muller
Je pense très fort à toi, Anaïa. J'ai regardé la météo, au moins toi, tu as du soleil. Ici, il fait un temps pourri. J'attends aussi ton compte rendu. Bisous ma beauté.

Nico Heche
Allez cousine, dans la région, les gens sont sympas, tu vas voir, tout se passera bien !

2.

Dans la voiture, mon père avait mis de la musique, quelque chose de doux, d'apaisant, pour essayer de me calmer. Il voyait bien que j'étais très nerveuse.

Il posa sa main sur mon genou et le pressa, espérant certainement arrêter son battement agaçant.

— Tout va bien se passer, Anaïa. Que tu commences ta licence ici ou à Paris, ça revient au même, tu n'aurais dans tous les cas connu personne parmi les élèves...

Je soupirai et tentai un pâle sourire, en regardant le paysage par la fenêtre. Le ciel trop bleu dans lequel s'étiraient paresseusement les traînées blanches laissées par les avions, les arbres trop verts s'agitant dans la brise, des platanes énormes tachetés de gris qui encadraient notre route trop droite. Où étaient passés les bâtiments haussmanniens, les allées encombrées de voitures et de piétons, le ciel gris et bas de Paris ? Tout cela appartenait désormais à mon passé. Maintenant, je vivais dans le Sud et je faisais ma rentrée ici, au milieu des oliviers et de la lavande... Juliette, ma meilleure amie restée à Paris, était inscrite dans une fac de droit et Simon intégrait une prépa maths sup. Nous aurions été séparés de toute façon.

— Je sais, papa. Et je pense que j'aurais été aussi angoissée. Je suis sûre que dans une semaine, quand j'aurai pris mes marques, ça ira, mais là, j'ai l'impression que je vais vomir.

— Tu ne vomis pas dans la voiture, hein ? Si tu as besoin, je m'arrête sur le bas-côté !

Le ton paniqué de mon père me fit rire et détourna mes pensées de l'épreuve qui m'attendait. Il avait une passion particulière pour sa voiture, un 4 × 4 Mercedes noir brillant équipé de sièges en cuir, qu'il s'était offert pour son anniversaire. C'était son fantasme depuis des années et il en prenait tellement soin que ça frôlait l'obsession. Maman se moquait souvent de lui à ce sujet.

— Ne t'en fais pas, ça ne risque pas, je n'ai rien mangé. Je suis trop nouée.

Il me jeta un regard en coin.

— Tu es verdâtre.

Je fis une petite grimace en plissant le nez.

— Merci ! Je me sens beaucoup mieux maintenant que je sais que mes futurs camarades vont me prendre pour une extraterrestre !

Il s'esclaffa.

— Tu m'as l'air parfaitement humaine, je te rassure.

— Tu n'es pas objectif, tu es mon père.

Notre silence laissa la place à la musique feutrée. Les premières notes du prélude de la *Suite n° 1 pour violoncelle* de Bach s'élevèrent et, sans même y réfléchir, je chantonnai la partition dans ma tête.

« *Sol, ré, si, la, si, ré, si, ré, sol...* » Les doigts de ma main gauche, posés sur ma cuisse, se mirent à bouger comme si je jouais la *Suite* moi-même. J'aimais bien ce morceau. Quand j'avais eu à le travailler la première fois, il m'avait paru très difficile, mais aujourd'hui, c'était devenu quasiment un échauffement avant d'entamer des œuvres plus complexes. Je n'avais pas joué de l'été, et je savais que j'allais le regretter en reprenant les cours, mais le déménagement – et la piscine toute neuve dans le jardin – m'avait trop occupée pour que je déballe mon violoncelle. « Ce soir, me promis-je, je joue un peu, sur la terrasse, tiens, avec les dernières cigales de la saison... »

Cet interlude musical me permit de penser à autre chose et quand papa s'arrêta devant l'entrée du campus, toute la trouille que j'avais oubliée, bercée par la mélodie de Bach, me revint en force.

— Allez, Anaïa, c'est le grand moment ! Tu m'appelles dès que tu connais tes horaires ? Je viendrai te chercher.

— Merci papa, dis-je d'une voix blanche.

Il déposa un baiser léger sur ma joue, me fit un sourire encourageant et je sortis de la voiture, mon sac à dos posé sur une épaule, avant de me retourner une dernière fois. Papa, qui avait baissé la vitre teintée, levait son pouce par l'ouverture. C'était gentil, mais il allait falloir bien plus qu'un pouce dressé pour calmer les battements de mon cœur.

Ma vie se transformait donc aujourd'hui. Pas seulement parce que j'avais déménagé et que je changeais d'établissement scolaire, mais aussi parce que débutait mon cursus universitaire, une licence d'arts et de lettres, mention arts du spectacle. J'allais ainsi pouvoir m'adonner à deux de mes passions : la littérature et le théâtre. En ce qui concernait la troisième, la musique, le conservatoire du coin m'accueillerait dans quelques jours. En théorie, c'était très excitant. Dans les faits, là, tout de suite, j'avais juste envie de repartir me réfugier dans le 4 × 4 en courant.

Trop tard. Les pneus de la voiture crissèrent sur le parvis alors que papa faisait demi-tour pour retourner à ses travaux au mas et moi, le souffle rendu court par l'angoisse, je m'avançai finalement vers les bâtiments de la fac. Ce n'était pas un campus immense. Il était constitué de quatre bâtiments principaux, cubiques, de cinq étages chacun, aux murs blancs, striés de longues lattes de bois qui couraient tout le long des façades et filtraient la lumière. Sur le toit, des panneaux solaires suivaient la course de l'astre. Dans les allées poussaient en pagaille organisée des palmiers, des lauriers-roses, des bougainvilliers, des hibiscus, de la lavande qui commençait à se dessécher, des buissons de jasmin qui n'étaient plus en fleur en cette saison, une explosion de couleurs sur un fond de pelouse verte et bien tondue. J'étais au paradis. Jamais, à Paris, je n'aurais eu un cadre pareil. J'aimais déjà cet endroit. C'était un bon signe pour la suite, me convainquis-je intérieurement.

Des groupes d'élèves flânaient dans les allées d'un air tranquille, sans traumatisme apparent. Plutôt encourageant. J'avalai une grande goulée d'air, me redressai d'un air volontaire et franchis la barrière qui délimitait le territoire de la fac. Quelques pas... Voilà, j'y étais. Mes premiers instants d'étudiante universitaire... sauf que je ne savais pas du tout où me rendre ensuite. Je décidai de suivre les autres qui devaient bien aller quelque part, eux aussi.

— Anaïa, Anaïa, c'est bien toi ?

La dernière chose à laquelle je me serais attendue, alors que je me sentais parfaitement seule et perdue, c'était bien d'entendre quelqu'un m'appeler par mon prénom. Comme il n'était pas très courant, il devait forcément s'agir de moi. Je me tournai vers la gauche où une fille avançait à larges enjambées depuis une allée transversale bordée d'immenses platanes. Son visage était encore noyé dans l'ombre mouchetée projetée par un arbre.

— Heu, oui, salut...

— Je savais que c'était toi ! Je ne pouvais pas me tromper. Des cheveux comme les tiens, je n'en ai vu qu'une fois dans ma vie, et c'est sur ta tête ! Tu te souviens de moi ? Je suis Garance, on a joué ensemble quand tu venais en vacances chez ton grand-père.

Elle s'avança encore de quelques pas et la lumière tomba enfin sur ses traits que je reconnus immédiatement. Aussitôt, un film d'images de mon enfance se déroula dans mon esprit. Garance ! C'était ma meilleure amie de vacances, celle que je retrouvais tous les ans, avec qui j'avais fait les quatre cents coups. Elle avait beaucoup, beaucoup grandi. En fait, à côté de moi, elle avait l'air géante. Ses yeux pétillants, ses fossettes creusant chaque joue, ses cheveux tressés en dizaines de petites nattes serrées sur la tête, ses dents très blanches qui ressortaient sur sa peau métissée café au lait... Mon cœur se gonfla de joie en la voyant.

— Garance ! Comme je suis contente de te voir !

Spontanément, elle se précipita vers moi et me serra contre elle, puis recula d'un pas.

— Qu'est-ce que tu fais là ? demanda-t-elle en m'observant à bout de bras.

— Je passais dans le coin, j'ai vu de la lumière…, commençai-je.

Elle me tira la langue et me secoua, toujours en me tenant par les épaules.

— Non, pour de vrai !

— D'après toi ? Je fais ma rentrée ! m'écriai-je, sentant son excitation me gagner.

— Tu viens faire tes études ici ? Tu ne vis plus à Paris ?

Sa voix montait dans les aigus, sous le coup de la fébrilité.

— Nope… J'ai déménagé cet été !

En quelques mots, je lui racontai que nous avions hérité du mas de mes grands-parents et que mon père et ma mère, lassés de leur vie parisienne, avaient décidé de réaménager la grande villa et ses dépendances pour en faire des chambres d'hôte de luxe. C'est ainsi que j'avais atterri ici, mon existence elle aussi bouleversée par cette décision.

— Mais c'est génial ! s'exclama-t-elle, le visage radieux. Oh là là, j'ai plein de souvenirs qui me reviennent en tête… Quand on jouait à la Barbie, on leur avait fabriqué une cabane dans ton jardin, tu te souviens ?

— Oui, bien sûr ! Je me rappelle aussi la fois où on avait ramassé plein d'escargots dans *ton* jardin sous la pluie. On était rentrées trempées et on a fini toutes les deux avec une grosse crève, en plein été.

Garance jeta la tête en arrière et éclata de rire.

— J'ai encore les photos de nous, avec les mains pleines d'escargots qui remontaient sur nos bras, nos vêtements dégoulinants...

Nous poursuivîmes un moment notre échange de souvenirs. Avec le recul, je me rendis compte qu'on avait fait pas mal de bêtises toutes les deux. Garance habitait dans le même village que mes grands-parents... que moi, en fait, maintenant. Nous avions le même âge à quelques mois près, et nous nous étions rencontrées au cours du bal du 14 juillet quand nous avions sept ans. Faire la chenille avec les pompiers ne nous intéressait pas du tout, alors une fois notre timidité passée, nous nous étions inventé une histoire de princesse qui va danser, une sorte de variation sur le thème de Cendrillon. Ça avait été le meilleur bal du 14 juillet de toute ma vie. Depuis, nous nous étions revues tous les étés sauf les trois derniers, car elle était partie chaque fois en vacances à l'étranger.

— Tu es inscrite en quoi ? lui demandai-je.

— En arts et lettres, et toi ?

— Pareil !

Alors là, mon bonheur était tout simplement parfait. J'avais une amie sur le campus finalement et c'était Garance. Avec elle, j'étais sûre de ne pas m'ennuyer !

— Je suis contente de te trouver, lui assurai-je d'une voix réjouie. Tu sais peut-être où il faut aller, je suis complètement perdue.

— Pas de problème, petite Parisienne blafarde, suis-moi.

— Petite Parisienne blafarde ! Non mais ! Je te rappelle, mademoiselle je-suis-bronzée-toute-l'année-merci-la-génétique, que moi, je suis blanche tout le temps, même si je reste la journée entière sous le pire des soleils.

Elle passa son bras sous le mien.

— Oui, je sais, mais je te rassure, tu as pris plein de taches de rousseur, et je suis jalouse de tes cheveux !

Là-dessus, elle me tira en avant vers le premier bâtiment d'un pas entraînant.

Ah, ma chevelure, l'éternel sujet de débat avec Juliette qui la jalousait également, et ne s'en cachait pas.

Mes cheveux roux, épais, cascadant jusque dans le creux de mes reins en boucles larges et soyeuses, étaient ce que l'on voyait en premier chez moi. J'avais pensé à un moment les couper, lassée par l'entretien long et constant qu'ils exigeaient, mais Juliette m'en avait dissuadée.

— Anaïa, si tu les coupes, tu n'es plus mon amie. Toutes les filles de la terre rêvent d'avoir des cheveux aussi sublimes que les tiens, alors ne fais pas cette bêtise. On dirait une flamme qui encadre ton visage, qui étincelle sur ton dos, c'est superbe. Et puis je sais que Simon aime tes cheveux, avait-elle fini par glisser, sachant très bien ce qu'elle faisait.

Simon aimait mes cheveux… Ça changeait tout. C'était un garçon de notre classe, au lycée, sur lequel j'avais carrément craqué. On s'entendait bien, mais j'étais trop timide pour lui montrer autre chose que de l'amitié, alors il ne s'était rien passé. Mais s'il aimait mes cheveux, alors…

J'avais donc gardé mes mèches flamboyantes.

Tous les élèves de première année de licence de lettres étaient réunis dans le grand amphithéâtre afin d'être accueillis par l'équipe enseignante. Garance et moi nous nous assîmes à côté l'une de l'autre, bien évidemment, et je profitai des quelques minutes de battement où la foule prenait place dans un joyeux brouhaha pour observer mes nouveaux camarades. Nous n'étions qu'une grosse centaine, ce qui me rassurait. Il y avait plus de filles que de garçons, et tout ce beau monde avait l'air parfaitement excité par le début de cette nouvelle aventure.

Le silence mit du temps à s'installer, puis les professeurs prirent la parole l'un après l'autre pour se présenter et décrire leur matière, le programme qu'ils nous avaient mitonné.

Je prenais mes notes consciencieusement, avec l'impression d'être très importante. On nous distribua l'emploi du temps des matières du tronc commun d'enseignement, la liste des options que nous pouvions choisir, et enfin on nous libéra.

Ma rentrée était passée. Les vrais cours commenceraient le lendemain, le temps pour nous d'acheter des fournitures, de choisir nos options, de remplir une quantité impressionnante de paperasses...

— Tu rentres comment ? demanda Garance, une fois que nous fûmes de nouveau dans les allées fleuries du campus.

— Je vais appeler mon père pour qu'il vienne me chercher, je m'épargne le bus et ses horaires pourris pour le premier jour, répondis-je en dégainant mon téléphone.

Elle interrompit mon mouvement.

— Pas la peine, j'ai ma voiture, je te ramène, ça nous laissera l'occasion de discuter sur le chemin.

— Ah, d'accord ! Super ! Tu as une voiture ?

Elle haussa les épaules et prit la direction du parking.

— Ici, si tu n'en as pas, tu ne peux rien faire.

— Je suis au courant, murmurai-je. Je n'ai même pas mon permis, je n'ai pas encore dix-huit ans. À Paris, je n'en avais pas besoin de toute façon, je prenais le métro.

Garance possédait une petite Peugeot 107. Sa carrosserie noire étincelante sous le soleil m'apparaissait à cet instant comme le plus merveilleux des trésors... Une voiture, la liberté !

Nous nous glissâmes dans l'habitable, et Garance nous mena sur la nationale qui nous ramènerait au village.

Elle me raconta les dernières nouvelles de sa vie. Son grand frère était parti vivre au Canada, et elle lui avait rendu visite les derniers étés, ce qui expliquait pourquoi je ne l'avais pas croisée depuis des années. Puis elle me bombarda de questions. Je lui retraçai mes dernières années au lycée, lui parlai du violoncelle, de Juliette, de Simon. Comme j'insistais un peu lourdement sur son physique de rêve, cela attira forcément son attention.

— Tu as une photo de lui ? s'exclama-t-elle en s'engageant dans un rond-point décoré en son centre par des moulins miniatures hyper kitch.

— Évidemment, tu penses bien !

— Vas-y, montre-moi !

Je sortis mon iPhone, ouvris mon album de photos, sélectionnai celle que je préférais de lui et brandis l'appareil sous le nez de mon amie arrêtée à un feu rouge.

— Ouaaah ! Il est super mignon ! Je comprends que tu craques !

Oh que oui, Simon était super mignon. Grand, châtain, les yeux très bleus, un sourire à tomber par terre… Je l'avais repéré dès le premier jour de la rentrée. Pour attirer son attention, j'avais décidé de devenir son amie, plutôt que de jouer à la petite lycéenne énamourée comme toutes celles qui tournaient autour de lui avec un éclat concupiscent dans le regard. Et ça avait marché. Trop bien marché, même...

Je soupirai.

— Je sais, répondis-je d'une voix faible. Mais il n'a pas l'air super intéressé par moi.

Garance me jeta un regard en biais en redémarrant.

— Toi, ma puce, on va te préparer un plan d'attaque pour que Simon ne rêve que d'une chose : venir passer ses prochaines vacances avec toi, ici ! Ou alors te trouver un mec du coin.

— Mouais...

Je n'étais pas tellement convaincue que j'allais dénicher, à la fac, quelqu'un capable de me faire oublier Simon. Il était impossible de surpasser la perfection !

Garance me déposa devant la maison. Je lui proposai d'entrer avec moi, de venir voir la piscine que nous avions fait construire cet été, mais sa mère l'attendait pour faire les courses car sa propre voiture était chez le garagiste.

— Je viens te chercher demain matin, comme ça on refait la route ensemble, proposa-t-elle, guillerette. C'est plus sympa que d'être toute seule et d'écouter des émissions débiles à la radio. Je prendrai mon maillot pour piquer une tête avec toi après les cours.

— Très bonne idée ! À demain alors !

Je lui fis un dernier signe de la main avant qu'elle ne reparte et ne disparaisse dans le virage.

Je n'eus même pas besoin de sortir ma clef. Maman, qui visiblement avait entendu la voiture crisser sur le gravier, était sortie, un air étonné et interrogateur sur le visage.

— Qui t'a ramenée ? Tu t'es déjà fait une amie ? Comment ça s'est passé ? s'écria-t-elle d'une voix excitée.

Et c'était parti pour une après-midi placée sous le thème « inquisition parentale »…

Anaïa Heche
Il y a 14 minutes
Bienvenue à Garance, ma voisine, ma copine de fac, et ma nouvelle amie Facebook ! Trop fort non ? :-))
J'aime • Commenter

Garance Dambë
Merciiii pour cet accueil ! On ne se quitte plus : en vrai, dans le virtuel, c'est dingue, non ?

Juliette Couette Couette
Salut Garance, enchantée ! Tu surveilles bien notre petite Anaïa, hein ?

Garance Dambë
Pas de problème Juliette, je l'ai à l'œil, elle ne peut pas m'échapper ! ;-)

Anaïa Heche
Vous avez fini toutes les deux ? Je suis une grande fille ! Non mais !

3.

L'après-midi avait filé à toute allure : papa, qui n'avait pas beaucoup de temps à cause des travaux dans les dépendances qui ressemblaient davantage, pour l'instant, à un chantier d'après-guerre qu'à des chambres d'hôte, m'avait pressée pour m'accompagner au supermarché et à la librairie afin d'acheter les quelques fournitures nécessaires à mon année, puis je m'étais consacrée à la pile de papiers à remplir et au choix des options. Enfin, je trouvai un moment pour raconter ma journée à maman – qui avait rongé son frein tout ce temps – en l'aidant à préparer le dîner. J'étais assise à table et je posais l'une après l'autre les pommes de terre que j'avais consciencieusement épluchées dans un saladier, tout en papotant. Maman m'écoutait attentivement, posant des questions parfois, alors que des fumets alléchants flottaient dans l'air. J'aimais bien tenir compagnie à maman dans la cuisine. À Paris, nous avions une pièce étriquée, où la petite fenêtre ne suffisait pas à faire pénétrer la lumière. Ici, elle était immense, la baie vitrée s'ouvrait sur le verger, et une belle fenêtre, au-dessus de l'évier, donnait sur le jardin. Une grande table de bois poli par le temps occupait l'espace central, entourée de chaises dépareillées qui avaient appartenu à mes grands-parents. Contre les murs, des meubles massifs servaient à ranger la vaisselle, encadrant une énorme cheminée de pierre, dont l'âtre était froid depuis belle lurette, surmontée d'énormes bassines et casseroles de cuivre qui n'avaient plus d'autre utilité que la décoration.

Ma mère prévoyait de refaire toute la pièce dès que les chambres d'hôte commenceraient à rapporter de l'argent, mais j'espérais secrètement qu'elle s'habituerait au charme de la cuisine actuelle et n'y toucherait pas. Je l'adorais ainsi, avec son allure vieillotte, ses parfums anciens, ses craquements, son carrelage ébréché, ses rideaux à petites fleurs cousus par ma grand-mère.

Rody, allongé dans le panier d'Arsène, suivait de ses yeux globuleux toutes les allées et venues de maman et semblait lui aussi apprécier l'ambiance des lieux.

— Je suis contente pour toi que tu aies retrouvé une amie, déclara maman après que je lui eus raconté notre rencontre inespérée.

C'était, pour moi, l'événement le plus important de la journée. Je n'avais pas encore assez de matière pour décrire mes cours, mes profs ou mes autres camarades d'amphi.

Une fois ma corvée de patates achevée, je remontai dans ma chambre afin de tenir ma promesse faite ce matin : sortir de sa housse mon meilleur ami, mon confident, celui qui m'apportait du réconfort quand ça n'allait pas, qui me transportait de joie quand il m'offrait ses plus belles sonorités – mon violoncelle.

Bien capitonné dans sa protection, il était posé près de mon armoire. Je m'en voulus de l'avoir oublié si longtemps. Depuis le déménagement, je ne l'avais pas touché, et ce n'était pas glorieux. J'allais bientôt reprendre les cours au conservatoire, et je craignais le pire, après deux mois passés sans m'entraîner. Je le sortis précautionneusement du cocon solide qui l'abritait et le descendis dans le jardin. Jouer à l'extérieur, voilà quelque chose que je n'avais encore jamais fait, mais j'étais sûre que faire vibrer mon archet en accord avec la nature qui m'entourait serait une expérience magique.

— Tiens, tu vas jouer ? demanda mon père en me voyant passer.

Il était devant son ordinateur, en train de feuilleter des catalogues en ligne de carrelage pour les salles de bains des chambres d'hôte. J'avais, fut un temps, tenté de l'aider en lui indiquant mes préférences, mais nous n'avions pas du tout les mêmes goûts ; je n'aimais pas les motifs qu'il choisissait, alors j'avais laissé tomber. Il se débrouillait tout seul et tant pis pour ses futures salles de bains.

— Oui, je sais, ça fait longtemps.

Il hocha la tête d'un air distrait en se replongeant dans ses études comparées de pavages, tommettes, frises et autres joyeusetés.

Je m'installai sur une chaise au milieu de la terrasse, face aux pins ondulant dans la brise et au ciel qui rosissait doucement alors que le soleil disparaissait derrière la cime des arbres.

À l'aide de mon accordeur électronique, je vérifiai la tonalité – ouch ! quelques semaines sans le toucher et il sonnait terriblement faux –, le plaçai entre mes jambes, le faisant reposer contre ma poitrine, et tendis l'archet que j'avais pris soin d'enduire de colophane avant de descendre. J'étais prête... Avec délicatesse, je posai le crin sur les cordes, ma main gauche en première position, et j'attaquai, comme échauffement, le prélude de Bach entendu plus tôt dans la voiture de papa. La corde de *sol* résonna grave, chaude, et les notes jaillirent naturellement, s'élevant dans l'atmosphère tiède, enveloppant aussitôt chaque brin d'herbe, chaque branche d'arbre d'un épais manteau musical, à l'unisson du souffle d'air qui faisait danser toutes les feuilles des chênes, des peupliers, des buissons de lauriers-roses, des oliviers frissonnants.

Je me sentis, à ce moment précis, profondément en harmonie avec la nature. Jamais le prélude de Bach ne m'avait semblé aussi beau. Il n'était pas très long, et je laissai bientôt mourir la dernière note, suspendue dans les couleurs du coucher de soleil.

Un étrange sentiment de nostalgie me prit alors à la gorge ; une tristesse, un regret de quelque chose. Mais de quoi ? J'étais pourtant parfaitement heureuse, sous le ciel infini, l'étoile du berger qui venait d'apparaître à l'horizon, les grillons qui se réveillaient...

Il fallait que j'exprime ce sentiment qui m'étreignait l'âme et j'entamai aussitôt l'allemande de la *Suite n° 5* de Bach, empreinte de la même mélancolie que mon humeur. J'avais travaillé cette œuvre l'année précédente au conservatoire à Paris, elle était donc encore fraîche dans ma mémoire, je n'avais pas besoin d'aller chercher la partition. Alors je fermai les yeux et me remis à jouer, attentive à chaque vibration que l'instrument envoyait contre mon corps, chaque battement de mon cœur en rythme avec la mélodie, chaque frémissement des arbres dans la pinède, chaque parfum qui remontait de la terre après une chaude journée.

Je laissai la musique me nettoyer, les notes qui s'envolaient portant avec elles la peine et la langueur qui m'avaient envahie. C'était comme si le violoncelle pleurait à ma place, envoyait un message dans la nuit qui tombait. Quand je reposai mon archet, j'inspirai profondément et ouvris les yeux, je me sentais sereine, purifiée.

Rody quant à lui était tout le contraire de calmé ; il s'était levé sur ses quatre courtes pattes et fixait un point devant lui, les babines retroussées. Je finis par découvrir la source de son agitation : un oiseau immense et noir était posé sur la branche d'un arbre, tellement immobile, perdu dans la canopée dense de la pinède que, sans Rody, je ne l'aurais pas vu.

Je me penchai vers le petit chien et effleurai son crâne.

— Chuuuuuut, calme-toi, Bestiole. Il est beaucoup trop grand pour toi.

J'appelais souvent Rody « Bestiole », mais cela ne semblait pas le déranger.

Il me jeta un regard en coin et se rassit sagement à mes côtés.

Je restai encore un moment à observer la nature se noyer doucement dans l'obscurité. L'oiseau se tint figé longuement lui aussi, son œil rond semblant nous observer attentivement. Enfin, il déploya ses gigantesques ailes sombres, les fit battre deux ou trois fois avant de s'envoler loin au-dessus de la cime des arbres. Je fronçai les sourcils. Il ressemblait à un aigle, mais vraiment immense. J'ignorais qu'il y avait des aigles aussi gigantesques dans la région.

— Luc, Anaïa, à table ! cria ma mère depuis la cuisine où elle dressait le couvert.

— J'arrive, annonça mon père.

Je me dépêchai de remonter ranger mon instrument. Je n'aurais jamais dû l'abandonner aussi longtemps, pensai-je. Cela m'avait manqué plus que je ne l'aurais cru.

Le dîner se déroula calmement. Nous parlâmes de nos journées respectives. Une équipe d'ouvriers allait débarquer demain pour casser des murs dans les dépendances, couler la dalle des terrasses... Les cours m'apparurent comme une échappatoire bienvenue aux bruits et à l'agitation qui régneraient dans mon coin de paradis pour les jours à venir.

Après avoir aidé maman à débarrasser la table et à faire la vaisselle (notre nouveau lave-vaisselle n'était pas encore arrivé), je montai dans ma chambre pour me connecter sur MSN, espérant trouver quelqu'un avec qui parler.

Juliette était en ligne et je sautai sur son pseudo.

Moi
Juliettinouche ! Comment vas-tu ?

Juju
Anaïachou ! Je suis heureuse de te trouver ici ! Alors, raconte ta journée !

Je lui fis un résumé succinct de ma rentrée. De toute façon, il n'y avait pas encore grand-chose à dire.

Juju
Super pour Garance. J'ai vu sur Facebook que tu l'avais retrouvée. Je suis contente que tu ne sois pas toute seule.

Moi
Et moi donc ! Quel bol j'ai eu...

Juju
Et à part Garance, tu as repéré des mecs mignons ?

Moi
Tu veux dire plus mignons que Simon ? Impossible !

Juju
Évidemment, pas plus mignons que Simon. Simon est imbattable, mais au moins un peu comestibles quoi !

Je réfléchis à la question de Juliette, pour me rendre compte que je n'avais même pas fait attention à mes futurs camarades de cours. Je les avais observés de loin, comme une mer humaine de visages flous et inconnus. Aucun ne m'avait paru plus remarquable qu'un autre, ni chez les filles ni chez les garçons. Je crois que j'avais eu trop d'éléments nouveaux à appréhender pour penser même à regarder qui que ce soit.

Moi
Je ferai plus attention la prochaine fois et je te ferai un rapport dès que possible.

Juju
Tu as intérêt. Ah mon téléphone sonne, je vais te laisser. Bisous ma copinette. Tu me manques.

Moi
Tu me manques aussi. Bonne nuit et à demain.

Juju
Y'a intérêt !

En souriant, je me déconnectai et me préparai pour la nuit. Demain, ce sera ma première vraie journée de cours. J'étais à la fois impatiente et anxieuse. Je me plongeai sous les draps avec bonheur, réglai l'alarme de mon téléphone sur 7 heures et saisis mon roman, mais n'eus pas le courage d'en lire beaucoup de pages. J'étais épuisée. Aussi, je reposai mon livre rapidement et éteignis la lumière. Immédiatement, le silence de la nuit, bercé par les murmures des grillons, m'aida à trouver le calme intérieur et le sommeil me happa.

Je veux m'envoler. Le ciel est tellement bleu et infini au-dessus de la cime des arbres que le désir de m'élancer là-haut me noue la gorge. Alors je grimpe dans les branches d'un chêne. Son écorce est rugueuse sous mes pieds et j'aime cette sensation presque douloureuse. Elle me rappelle que je suis un être de la terre. Le ciel est réservé à d'autres. Aux oiseaux.

Perchée là-haut, je me rapproche de la liberté. Je sens une vague de nostalgie m'envahir. Peut-être que dans une autre vie, j'ai été un oiseau, et mes ailes me manquent, dans mon corps humain. De la main droite, je me tiens en équilibre contre le tronc. Sans réfléchir, je passe ma main gauche sur la toile de mon short ; la paume me démange.

C'est alors que je l'aperçois, la vieille tour en ruine. Seul son sommet décrépit dépasse du faîte des branches. Aussitôt, j'entreprends de redescendre. Mon T-shirt s'accroche au passage et je l'entends se déchirer.

Sans perdre de vue la direction dans laquelle j'ai repéré la ruine, je me précipite à travers les chênes, les feuilles mortes et l'humus amortissant mes pas. Elle est là. La veille tour qui tombe en morceaux, ses briques servant de refuge aux habitants minuscules de la forêt et de support au lierre qui s'enroule autour de ses pierres massives et visiblement très anciennes.

Je m'arrête pour l'observer. Elle pourrait sembler effrayante, toute grise et verte par endroits à cause de la mousse anémique qui la recouvre, abandonnée, oubliée et pourtant, je n'ai pas peur. Au contraire, je suis attirée par cette forme brisée, par l'arche de son ouverture sombre.

Sans hésiter, j'entre, pour trouver un escalier. Je l'emprunte. Il s'enfonce dans les profondeurs de la terre.

Est-ce que je vais découvrir des geôles avec des squelettes oubliés ? un trésor merveilleux ? Je frissonne par anticipation, car je sais que quelque chose m'y attend. Mes pieds nus claquent doucement sur les marches glacées.

Au bout d'un moment, la lumière du jour ne parvient plus jusqu'à moi, alors je pose une main contre le mur pour me guider et ralentis le pas. Mais très vite, une autre lueur, dorée, chaude, apparaît un peu plus bas.

Le rayonnement m'éblouit quand j'arrive à destination, m'empêchant de distinguer ce qui m'entoure.

J'entends de la musique lointaine, du piano je crois. Les notes meurent dans un accord mélancolique. Une silhouette noire s'approche de moi. Elle est en contre-jour, et la lumière qui jaillit derrière elle crée un halo presque magique, comme une couronne étincelante.

Elle est grande, beaucoup plus grande que moi, c'est un homme. Mon cœur se met à battre sans que je sache si c'est d'appréhension ou d'anticipation. Il s'arrête à quelques pas.

— Anaïa, tu es revenue, murmure une voix basse.

— Où ?

— Chez toi.

Je veux poser des questions à la forme floue dans la lumière, lui demander le sens de ce rêve qui revient sans cesse, je m'en souviens maintenant, mais ma voix se dissout dans l'espace, je ne m'entends pas moi-même. Une main chaude se pose sur ma joue et je sais que je suis, en effet, revenue chez moi. Je suis heureuse.

Je me réveillai en sursaut. L'alarme de mon téléphone s'était déclenchée, égrainant les notes de *Hakuna matata*, en totale opposition avec les sensations et les images encore présentes à mon esprit. Je me redressai tout de suite, le cœur battant, la gorge sèche.

Encore ce rêve.

« Tu es revenue.

— Où ?

— Chez toi. »

Je me laissai retomber sur mon oreiller, un bras posé en travers de mon visage pour cacher mes yeux. Je me rendis compte qu'une larme avait coulé sur ma joue. La main chaude s'était posée juste là, et elle me manquait à présent, terriblement. Où était-ce, chez moi, pour que je retrouve cette main ?

Anaïa Heche
Il y a 24 minutes
Première journée de cours. Souhaitez-moi bonne chance !
J'aime • Commenter

Juliette Couette Couette
Bonne chance miss ! Et n'oublie pas la mission dont tu es chargée ! J'attends ton compte rendu ce soir ! ;-)

Simon Muller
C'est quoi la mission ? Bonne chance, Anaïa. Ma rentrée, c'est pour après-demain, je commence à flipper aussi...

Juliette Couette Couette
Simon, la mission d'Anaïa est classée top secret. C'est bête hein ? Courage pour ta rentrée. J'imagine que rentrer en prépa à Louis-le-Grand, c'est un challenge...

Anaïa Heche
Mdr la mission top secrète. Allez, courage Simon. Même si je te comprends. Toi, tu n'auras pas de palmiers, rue Saint-Jacques. Eh ouais, on ne peut pas tout avoir !

Simon Muller
Comment elle se la joue l'autre avec ses palmiers !

Juliette Couette Couette
Ne l'écoute pas Simon, c'est de la provocation. Rien d'autre que de la provocation. Viens, allons prendre un verre rue Soufflot tous les deux, sous un ciel gris et des marronniers desséchés !

Anaïa Heche
:-p

4.

Garance arriva pile à l'heure. Je l'attendais devant la grille du mas quand elle déboula dans sa voiture noire.

La matinée était belle, toujours surplombée par ce ciel bleu immense. Je pourrais m'habituer à ce temps... Mes pensées dérivèrent vers Juliette et Simon qui allaient étudier tous les deux dans le quartier grouillant de Saint-Michel à Paris. C'est là que je serais allée, moi aussi, si j'étais restée dans la capitale. J'aurais déjeuné avec eux entre deux cours, fait du shopping sur le long boulevard bordé d'une multitude de boutiques. Nous serions allés travailler tous les trois à la bibliothèque Sainte-Geneviève, solennelle et chargée d'histoire. Oui, ça aurait été bien aussi. Et le mieux, c'est que j'aurais vu Simon tous les jours, ou presque. Peut-être qu'enfin j'aurais trouvé le courage de lui avouer mes sentiments. Quoique… j'avais eu presque deux ans pour le faire mais j'avais laissé passer ma chance. Un regret me serra le cœur à cette pensée. Pourquoi avoir tant hésité ? J'avais eu tellement d'occasions de lui envoyer un signal, de lui faire comprendre que…. Pourtant je ne l'avais pas fait. Maintenant, nous étions loin l'un de l'autre et la distance avait dépouillé notre relation de ce caractère d'évidence. Était-il trop tard pour agir ? J'espérais que non, que mon absence lui ferait prendre conscience qu'il ressentait quelque chose, que mon changement de vie me rendrait plus hardie et que j'oserais enfin, un jour, lui avouer mon trouble.

En attendant, la vie en avait décidé autrement et j'étais ici, dans le Var, sous le soleil, bercée par la brise charriant des parfums d'olivier, de bruyère…

Garance ouvrit la fenêtre de son côté, passa sa tête souriante pour me saluer.

— Hé ! miss, tu grimpes ?

Sans traîner, je montai près d'elle.

— Merci, Garance, c'est vraiment sympa de faire le taxi.

— Arrête de dire des bêtises, je vais au même endroit que toi. Autant optimiser ma voiture. Le covoiturage, c'est une façon d'être écolo, non ?

Elle referma aussitôt sa vitre pour ne pas gâcher la climatisation qui soufflait, pulsant un air frais dans le véhicule – au temps pour l'écologie ! – et monta la musique à fond.

« Roxanne », de Police, passait à la radio.

En secouant nos têtes d'avant en arrière, faisant voler nos cheveux dans tous les sens comme si nous étions des chanteuses de rock inspirées, nous nous mîmes à hurler la chanson en chœur.

Roxanne	« Roxanne
You don't have to put on	Tu n'as pas à allumer
the red light	la lumière rouge
Those days are over	Cette époque est révolue
You don't have to sell	Tu n'as pas à vendre
your body to the night	ton corps à la nuit
Roxaaaaannnne[1]	Roxanne…»

C'est le regard d'un conducteur arrêté près de nous au feu rouge qui nous interrompit. Au volant d'une décapotable, des lunettes de soleil sur le nez, le genre frimeur, il nous observait avec un petit sourire flottant sur les lèvres.

Garance l'aperçut en premier et me donna un coup de coude dans les côtes pour stopper mon chant approximatif. Du menton, elle m'obligea à regarder vers la voiture voisine.

Aussitôt, nous nous mîmes à pouffer de rire.

Elle poussa le vice jusqu'à faire un signe au jeune homme qui souleva ses verres fumés. Il avait des

1. « Roxanne », Police, 1978 (album *Outlandos d'Amour*).

yeux noirs perçants, étranges, comme s'il n'avait pas de pupilles dans ses iris ténébreux. Son teint légèrement hâlé, ses cheveux châtains et assez longs pour caresser sa nuque créaient un ensemble étonnant, inhabituel.

Il nous fit également un signe de la main en flashant un sourire maxi Colgate avant de laisser retomber ses lunettes devant ses yeux et de redémarrer sa voiture, le moteur de sa caisse de luxe grondant comme un fauve en cage.

Garance éclata de rire alors qu'il nous avait déjà semées dans un virage.

Mon gloussement ne fut pas aussi naturel que le sien. Le regard du conducteur m'avait mise mal à l'aise. Transpercée par les ténèbres de ses prunelles, mon cœur se trouvait bizarrement remonté dans ma gorge. Inconsciemment, je frottai ma paume gauche sur la toile de mon jean. Ce type était bizarre. Heureusement, il était loin maintenant.

J'oubliai vite cet incident car Garance m'avait demandé de sortir notre emploi du temps de la journée après avoir baissé le son de la musique.

Je me penchai pour récupérer mon sac à dos, farfouillai dedans à la recherche du papier sur lequel était résumé notre programme.

— Alors…, dis-je en fronçant les sourcils. Mardi… Ah voilà ! On commence avec un cours de

littérature comparée. Au premier trimestre c'est
« Les formes théâtrales de la folie ».

— Mouais…, murmura Garance.

— Non, ça peut être intéressant, déclarai-je avec
conviction, alors que je ne voyais pas du tout de
quoi ce cours allait parler.

— Ensuite ? me pressa mon amie.

— Ensuite, on a LV1. J'ai pris anglais, et toi ?

— Moi j'ai pris espagnol.

— Ah, tant pis, on ne sera pas ensemble,
marmottai-je, déçue.

— Bah, c'est juste quelques heures par semaine.

Je savais que la mère de Garance était d'origine
espagnole. Une femme à la peau mate, aux longs
cheveux raides et noirs, au sourire éclatant. Elle
était chaleureuse, drôle, et avait conservé l'accent
chantant de son pays.

Son père était africain. Arrivé très jeune en
France avec sa famille, il avait fait des études de
médecine à Marseille. Aujourd'hui seul médecin du
village, il trimait sans arrêt, toujours au service de
ses patients. Il avait eu beaucoup de mal à se faire
accepter par certains habitants du coin, qui
voyaient d'un mauvais œil un homme noir devenir
leur médecin traitant. Mais finalement, à force de
travail, de générosité, de patience, il avait rallié à
sa cause même les plus réticents. Quand j'étais
petite, il m'avait soigné une vilaine coupure que je

m'étais faite au talon car je marchais toujours pieds nus, même en forêt. Je l'avais trouvé impressionnant, immense, sa taille dépassant certainement les deux mètres. Mais il avait été tellement gentil et doux que j'avais rapidement surmonté ma timidité. C'est lui qui avait découvert que je cicatrisais très vite. Le lendemain de mon accident, il était passé au mas de mes grands-parents pour surveiller la blessure et la nettoyer. Quelle n'avait pas été sa surprise en découvrant, quelques heures après, une fine ligne rouge et boursouflée en lieu et place de la profonde entaille qu'il venait de traiter !

Interloqué, il m'avait ébouriffé les cheveux en m'expliquant que les enfants guérissaient toujours plus vite que les adultes, parce que le renouvellement cellulaire était plus rapide chez les jeunes. Mais j'avais quand même deviné qu'il n'avait jamais vu quelqu'un se remettre aussi rapidement. Suite à ce phénomène, je m'étais sentie super fière : j'étais différente des autres, et je me faisais penser à ces héroïnes dont je lisais les histoires dans les livres que j'empruntais à la bibliothèque et qui avaient des pouvoirs spéciaux.

Après cela, j'avais espéré que d'autres dons allaient apparaître, comme la possibilité de devenir invisible, ou de me téléporter. Mais ça n'était jamais arrivé. Évidemment.

Aujourd'hui, je continuais à cicatriser à toute allure, mais cela me gênait plus qu'autre chose, parce que les médecins se posaient désormais des questions à mon sujet. Je n'aimais pas me faire remarquer. En tout cas, pas pour ce genre de bizarreries.

Garance se gara sur le parking du campus. D'un pas nonchalant, nous nous dirigeâmes vers l'amphi numéro 2 où devait se tenir notre cours. Avec ce temps, et le vert tendre des pelouses alentour, il était difficile de ne pas être nonchalant. Nous avions l'impression d'être toujours en vacances, au milieu des fleurs, des palmiers, sous le soleil encore chaud du mois de septembre.

Par contraste, l'intérieur du bâtiment semblait très sombre et il me fallut un moment pour que mes yeux s'habituent.

Nous prîmes place au milieu de l'amphi qui s'emplissait doucement du flot d'étudiants venant, pour la plupart, découvrir pour la première fois ce qu'était un cours magistral. C'était mon cas et j'étais complètement attentive à tout ce que je vivais. La taille de la pièce, qui paraissait immense comparée à une simple salle de cours, les bancs légèrement incurvés qui longeaient des rangées de pupitres suivant la même courbure ; les grains de poussière qui flottaient dans les rayons de lumière filtrant à travers les stores ; le grand bureau qui attendait le professeur, surmonté d'un tableau numérique interactif, le top du modernisme, et d'un tableau à l'ancienne, flanqué de ses craies et de son éponge sale.

Enfin, l'heure sonna, me tirant de mes observations, et le professeur, un barbu vêtu d'un jean déchiré et d'une chemise à carreaux, se planta devant le tableau numérique pour commencer sa leçon. Très consciencieusement, je pris des notes. Je trouvais exaltant d'être à l'université en train d'écouter un prof plutôt cool nous parler de la façon dont il allait nous présenter la folie dans les œuvres théâtrales depuis les tragédies grecques jusqu'aux pièces récentes, en passant par Shakespeare. Je trouvais que le personnage collait parfaitement au sujet. Il avait l'air lui-même un peu allumé. Où allait-il nous mener à travers cette étude comparée ?

Au bout d'un moment, malgré moi, mon attention décrocha légèrement. Mon regard dériva sur les élèves, plus ou moins concentrés eux aussi. Certains écrivaient, d'autres rêvassaient, d'autres encore lorgnaient vers les fenêtres qui laissaient passer la lumière dorée.

D'un seul coup, je me figeai. Ces cheveux châtains qui rebiquaient dans son cou... cette chemise blanche... Il était assis devant moi, je ne voyais que son dos, mais j'aurais pu parier qu'il s'agissait du conducteur de la décapotable que nous avions vu sur la route en venant ici. Non, je devais me tromper. Après tout, je n'avais croisé ce garçon que quelques secondes, je ne pouvais pas le reconnaître comme ça.

Et pourtant...

J'avais envie qu'il tourne la tête de mon côté, afin de m'assurer qu'il s'agissait bien de lui, mais il gardait le visage obstinément fixé sur le professeur qui s'agitait dans la fosse de l'amphi.

Mince... J'étais incapable, à présent, de me concentrer sur le cours, obnubilée par ce dos blanc qui contrastait avec ces cheveux sombres. Il fallait que je sache si c'était lui ou non. Comme quand j'avais un mot sur le bout de la langue et que je n'arrivais pas à le retrouver. Ça m'obsédait.

Si j'avais osé, je lui aurais envoyé une boulette de papier dans le dos, l'air de rien, mais j'étais beaucoup trop trouillarde pour faire une chose pareille. Si le prof me voyait ?

Je me forçai à fixer mon attention moi aussi sur le tableau où venait d'apparaître un schéma compliqué.

Garance me jeta un coup d'œil de côté.

— Tu ne prends pas de notes ? chuchota-t-elle en constatant mon évident manque de concentration.

Je sautai sur l'occasion.

— Tu vois, là, le mec, cinq rangs devant ? lui demandai-je sur le même ton discret.

— Oui, et... ?

— C'est pas lui qui était dans la décapotable qu'on a croisée quand on chantait « Roxanne » ?

Garance fronça les sourcils et haussa les épaules.

— Mais j'en sais rien, moi ! Tu crois que j'ai fait gaffe ? Pourquoi ? Tu penses que c'est lui ?

— Il me semble. Les cheveux…

Garance roula des yeux et secoua la tête.

— Anaïa, tu ferais mieux de te concentrer sur le cours.

— Je sais, je sais…

À ce moment-là, le sujet de notre conversation tourna la tête vers la gauche et je pus enfin saisir son profil. Une mâchoire carrée, un teint hâlé, un nez droit, des pommettes hautes et ciselées, de très longs cils foncés, une mèche de cheveux épais qui tombait négligemment sur son front large… Aucun doute ! C'était lui. Le frimeur en voiture de riche se trouvait à la fac avec moi.

J'ignorais pourquoi ses traits m'avaient marquée à ce point, mais je gribouillai à toute allure sur une feuille, déchirai le coin où j'avais rédigé ma note et la glissai sous le nez de Garance.

« J'avais raison, c'est lui ! » avais-je écrit.

Elle souleva un sourcil, redressa la tête, l'observa quelques secondes puis me jeta un regard exaspéré.

Retournant mon bout de papier, elle griffonna à son tour quelque chose en toute hâte avant de me le rendre.

« Super. »

Je haussai les épaules, roulai la petite note en boule et la fourrai dans la poche de mon jean.

Soudain le garçon se retourna encore un petit peu et... me regarda. Comme si son mouvement de tête n'avait pas eu d'autre objectif que de m'examiner, ses yeux plongèrent aussitôt dans les miens et, encore une fois, un sentiment de profond malaise m'envahit. Était-ce le fait que je n'arrivais pas à distinguer ses pupilles de ses iris, ou la manière dont il me scrutait, comme s'il me connaissait déjà, qui me dérangeait à ce point-là ?

Nerveusement, je frottai ma main gauche sur mon jean.

Lui, de son côté, sourit. Un long sourire narquois qui étira ses lèvres sans découvrir ses dents. Puis il se tourna vers le tableau, me laissant avec la sensation d'avoir l'esprit complètement vide.

Après ces deux heures de cours, je me rendis en anglais. Je m'assis à côté d'un étudiant à la tête rasée, entièrement vêtu de noir, les yeux ourlés d'un trait de maquillage sombre, et dont le lobe de l'oreille droite était percé d'une vingtaine d'anneaux. Complètement intimidée par son look, je n'osai pas lui adresser la parole et gardai les yeux rivés sur le mur décoré de photos de l'Angleterre et des États-Unis dont les couleurs avaient pâli, à force d'être exposées au soleil.

Le reste de la salle se remplit assez rapidement. C'est alors qu'*il* entra, en dernier, pour s'asseoir juste devant moi. Il était vraiment grand. Et mince. Son jean s'accrochait à ses hanches, par-dessus les pans de sa chemise rentrée. Ses cheveux tombaient dans sa nuque où ils rebiquaient en boucles soyeuses. Il repoussa la mèche sur son front d'une main très longue et fine, une main de musicien, pensai-je. Il se retourna vers moi, mais m'ignora, cette fois.

— Yvan ! appela-t-il à mi-voix.

Son timbre était grave, rauque.

Mon voisin aux anneaux dans l'oreille se pencha vers lui.

— Eidan, comment ça va, mec ? Cool de te retrouver ici.

Ils échangèrent un salut fait d'une chorégraphie de mains frappées, poings cognés, doigts frôlés, un check, comme on disait.

— On se voit bientôt pour une répète ? demanda « mister yeux trop noirs » qui s'appelait donc Eidan.

— Carrément. Mes parents ont vidé le sous-sol de la maison cet été, et j'ai acheté de nouveaux toms et un charleston qui déchire pour la batterie, elle n'attend plus que vous.

Les pupilles sombres d'Eidan glissèrent sur moi. Il passa le bout de la langue sur sa lèvre inférieure puis reporta son attention sur Yvan. Je me sentis prise comme un insecte dans une toile d'araignée et cherchai désespérément à reprendre le contrôle de ma respiration tout en ayant l'air parfaitement naturelle. Échec total.

— Super ! Je me suis offert une nouvelle gratte. Une Gibson Les Paul Historic 1956, une folie ! continua Eidan d'une voix gourmande.

Yvan siffla entre ses dents d'un air appréciateur.

— Tu as du blé à claquer ! Ça coûte un max un bijou pareil.

Les lèvres d'Eidan s'étirèrent dans ce même sourire lent et moqueur que j'avais aperçu un peu plus tôt dans l'amphithéâtre.

— Disons que j'ai quelques économies.

Son regard revint vers moi et je baissai vivement la tête.

En répondant à son ami, j'avais eu l'impression qu'il disait en réalité autre chose, comme si une multitude de messages étaient cachés dans cette simple phrase. Je repensai à sa voiture décapotable. « Quelques économies », il pouvait le dire, oui ! Évidemment, je faisais mine de ne pas écouter. Ayant ouvert une page au hasard dans mon agenda, celle du 13 janvier, je la griffonnai copieusement de ronds, de carrés, de lettres artistiques, paraissant profondément absorbée par cette tâche passionnante.

— J'ai hâte de t'écouter la faire gémir ! ricana Yvan qui parvint à me faire rougir.

Bon, d'accord, je rougissais facilement, à cause de ma peau de rousse. Heureusement que mes cheveux dégringolaient de chaque côté de mon visage, créant un rideau opaque autour de moi. Mémo personnel : remercier Juliette ce soir de m'avoir empêchée de les couper.

La prof d'anglais finit par entrer à son tour, Eidan se tourna vers le tableau, Yvan sortit son cahier et je l'imitai.

Le cours passa à vive allure. Je ne pouvais m'empêcher de contempler le dos d'Eidan, ses épaules larges, la façon dont ses cheveux rebiquaient dans sa nuque. Il ne se retourna pas une seule fois vers nous, sembla concentré sur le cours toute l'heure, à mon plus grand soulagement. Il me désarçonnait, près de lui je me sentais idiote, très jeune et superficielle. Cela n'avait aucun sens, je sais, on n'avait même pas échangé un seul mot et pourtant il avait réussi à insuffler toutes ces sensations en moi en quelques instants.

Le cours achevé, je me dépêchai de quitter la salle pour rejoindre Garance qui se trouvait dans la classe d'à côté.

— On va manger ? demanda-t-elle comme si on reprenait notre conversation sans qu'il se soit écoulé une heure entre-temps.

Garance était quelqu'un de pragmatique.

Nous nous dirigeâmes alors vers le self du campus. Sur le chemin, Eidan nous doubla, en grande conversation avec Yvan.

Il se retourna un bref instant pour me dévisager, les traits impassibles.

Garance le remarqua et fronça les sourcils.

— Tiens, mais c'est Yvan ! s'exclama-t-elle, avant de continuer à voix plus basse. Quant à l'autre mec, tu as raison, c'est lui qui était dans la décapotable ce matin, et il te mate à mort.

Sans répondre, les yeux fixés sur le gravier de l'allée, je la suivis le long des palmiers et des lauriers-roses qui portaient leurs dernières fleurs fatiguées de la saison. Qui était cet Eidan ?

Anaïa Heche
Il y a 36 minutes
Aujourd'hui, premier cours de théâtre.
Je me demande ce que ça va donner...
J'aime • Commenter

Simon Muller
Et là, je me dis que je connais une future star... :-)

Juliette Couette Couette
Je suis sûre que tu vas assurer ! Et bientôt, tu seras en haut de l'affiche et tu nous ignoreras, parce que tu ne fréquenteras plus que des people...

Anaïa Heche
N'importe quoi ! Je vais lamentablement bredouiller et me ridiculiser devant toute la classe...

Nico Heche
Tu sais déjà quelle pièce tu vas jouer ?

Anaïa Heche
Non, pas encore, Nico. Je te tiens au courant dès que j'en sais plus...

5.

Marc me contempla en tapotant sa lèvre inférieure de son index. J'étais debout sur scène, très mal à l'aise, les joues brûlantes et le cœur cognant contre mes côtes, alors que tous avaient leurs regards braqués sur moi.

— Voyons, Anaïa, avec qui vais-je te coupler ?

Naturellement, je rougis de plus belle à ces mots. Il se sentait vraiment obligé d'utiliser le verbe « coupler » ? Je gardai les yeux fixés sur le bout de mes Converse. Marc était notre professeur de théâtre, une sorte d'ours hirsute, qui portait un sarouel et une chemise à fleurs. À croire que pour enseigner les matières principales dans cette fac, il fallait être cool ! Pour cette première séance, il voulait nous faire travailler des scènes en improvisation, deux par deux. Garance était déjà passée avec Yvan et s'était vraiment bien débrouillée. Mais c'était normal, elle avait une vraie présence sur scène, avec sa haute taille, son sourire éblouissant et sa voix chaude. Finalement, Marc se tourna vers mes « camarades » de classe. Le groupe du mercredi matin était constitué d'une vingtaine d'élèves, dont Garance et moi, Yvan et Eidan, les seules autres personnes dont je connaissais le prénom.

Marc glissa son regard sur les étudiants qui n'étaient pas encore passés et s'arrêta sur un grand blond aux cheveux mi-longs.

— Enry, c'est ça ? demanda-t-il.

Le blond en question hocha la tête.

— Enry, tu vas passer avec Anaïa.

Le dénommé Enry se leva donc, un large sourire fendant son visage. Il grimpa sur les planches en quelques foulées souples et se posta près de moi en m'adressant un clin d'œil. Je lui lançai un petit coucou de la main et une pensée saugrenue me traversa l'esprit : il me faisait penser à Thor, le super-héros inspiré du dieu scandinave. J'étais à deux doigts de lui demander s'il transportait son marteau dans son sac…

Marc nous observa un moment. Je devais paraître minuscule et certainement ridicule à côté de ce géant.

— Très bien, déclara le professeur en souriant. On va faire facile, pour commencer. Disons que vous êtes coincés dans un ascenseur. Pour le reste, je laisse libre cours à votre imagination…

Enry et moi nous écartâmes quelques instants pour préparer notre saynète.

— Enchanté, Anaïa, murmura-t-il, ses lèvres tout contre mon oreille.

Son souffle chaud chatouilla mon cou.

— Enchantée, Enry, répondis-je sur le même ton. Prêt à te retrouver coincé avec moi dans un minuscule ascenseur ?

Ses yeux très bleus s'allumèrent d'une lueur malicieuse.

— Avec grand plaisir.

Je me sentis rougir encore une fois, mais je fis comme si de rien n'était. À mi-voix, nous ébauchâmes les circonstances de notre improvisation. Enry collait presque son front au mien et me regardait dans les yeux, de très près. Je voyais des paillettes dorées dans l'azur de ses iris.

Enfin, nous fûmes au point. J'avais déjà fait de l'impro, à Paris, mais avec une petite troupe, et on répétait dans le gymnase du lycée. Ici, il y avait un vrai théâtre, avec une scène en hauteur, des rideaux, des coulisses, des éléments de décor stockés dans une arrière-salle, des spots, une poursuite... Il y avait aussi le public : la vingtaine d'élèves du groupe, tous assis dans les fauteuils profonds, qui nous observaient attentivement.

Garance me fit un signe d'encouragement et je lui rendis un petit sourire. Eidan au dernier rang me fixait d'un regard perçant, ses yeux trop noirs suivaient chacun de mes mouvements. Son visage imperturbable encadré de ses cheveux soyeux semblait être taillé dans de la pierre. Gênée, je me détournai de lui pour retrouver la lumière dégagée par Enry, plus chaude, plus rassurante.

Nous commençâmes notre sketch. Notre idée, dont nous étions très fiers, était de placer notre ascenseur dans le futur. Celui-ci montait jusqu'à la Lune et nous nous retrouvions en panne, arrêtés au milieu de l'espace, la Terre flottait sous nos pieds, dans un écrin d'étoiles et de velours noir. J'avais le vertige, et Enry devait me rassurer.

Les premiers instants de notre impro furent assez tendus pour moi. J'étais plutôt du genre réservé en public. En petit comité, je savais au contraire faire le clown et amuser la galerie, mais dans cette situation où j'étais presque mise à nu devant des spectateurs, le démarrage s'avéra plus difficile. Crispée, je bafouillai.

Enry, que je ne connaissais que depuis quelques instants, me mit pourtant parfaitement à l'aise. Il bougeait avec grâce, sa voix portait bien, et son regard chaud, bienveillant semblait me dire : « Je suis là, tout va bien. » Et il avait raison. Au fur et à mesure, je devenais de plus en plus disponible à mon partenaire, et commençais à moins me regarder en train de jouer. Enfin, j'osais. Quand ce fut terminé, je m'en trouvai presque surprise et saluai le public qui nous applaudissait avec conviction.

Les joues en feu, le cœur battant, je repris ma place près de Garance.

— C'était super, me glissa-t-elle. Tu es une sacrée veinarde. Moi aussi je veux bien me retrouver coincée dans un ascenseur avec Enry. Dans le genre Thor, il est plutôt canon.

Je réprimai un fou rire de justesse.

— C'est exactement ce que je me suis dit quand je l'ai vu monter sur scène tout à l'heure !

Pendant notre échange, Marc était déjà en train de choisir la prochaine équipe à venir sur scène. Alors que j'observais le duo suivant, un frisson remonta le long de ma colonne vertébrale. Un malaise. Instinctivement, je me retournai et croisai le regard d'Enry qui me lança un sourire éclatant. Derrière lui, les yeux obscurs d'Eidan étaient également posés sur moi. Par réflexe, je frottai ma paume gauche sur ma cuisse.

Le jour et la nuit, voilà ce qu'ils représentaient pour moi. Les yeux d'Enry évoquaient le ciel du Sud, infini et bleu. Eidan portait la nuit en lui, une nuit sombre et inquiétante.

Je tentai un sourire timide à Enry, puis soutins brièvement le regard lourd d'Eidan avant de me concentrer de nouveau sur la scène.

J'eus du mal à me focaliser sur ce qu'il se passait là-bas. Je ressentais encore le regard de l'un des deux garçons vriller ma nuque, dévoilée par mes cheveux relevés en chignon lâche. Je perçus cette attention sur moi tout le temps que dura le cours. Mais à aucun moment je n'eus le courage de vérifier qui me fixait de la sorte. J'avais l'impression que mon dos me brûlait, ainsi que mes joues.

Quand je me retrouvai enfin dehors, le soleil était voilé par un énorme nuage. Un vent plus frais souffla sur mon visage surchauffé et j'accueillis cette brise piquante comme un soulagement.

Au loin, j'entendis l'orage gronder et malgré moi je frémis...

Dans la voiture de Garance, je restai silencieuse. La pluie s'écrasait à grosses gouttes sur le pare-brise, les essuie-glaces battaient frénétiquement. La musique douce diffusée par la radio accompagnait mon humeur morose. C'était « Meaning », une chanson de Cascadeur, artiste français qui chantait en anglais. Je n'avais, jusqu'ici, jamais prêté attention aux paroles, mais cette fois elles me percutèrent de plein fouet.

I'm a strange man	« Je suis un homme étrange
Like your angel	Tel ton ange
I'm invisible	Je suis invisible
Like a monster	Tel un monstre
But someday	Mais un jour
you'll understand	tu comprendras
The meaning of my words	Le sens de mes paroles
But someday	Mais un jour
you'll understand	tu comprendras
The meaning of my life	Le sens de ma vie

I'm the speaker	Je suis le porte-parole
Of your silence	De ton silence
I'm the question now	Je suis maintenant la question
To your answer	De ta réponse
But someday	Mais un jour
you'll understand	tu comprendras
The meaning of my words	Le sens de mes paroles
But someday	Mais un jour
you'll understand	tu comprendras
The meaning of my life[1]	Le sens de ma vie »

« Tu es revenue. »

Je ne savais pas pourquoi je repensais à mon rêve d'un seul coup. Peut-être parce que je cherchais moi aussi le sens de ces mots. Du bout des doigts de la main droite je grattai ma paume gauche. Elle me démangeait de plus en plus. J'y jetai un coup d'œil distrait, en murmurant les paroles de la chanson en même temps qu'elle passait. Mais il faisait trop sombre en raison de l'orage et je ne pus voir ce qui causait cette irritation.

« *But someday you'll understand,*
The meaning of my words... »

Je soupirai en regardant les nuages noirs alourdir l'horizon, les cimes des peupliers battre furieusement dans le vent, les herbes qui se couchaient dans les champs.

— Tu vas bien ? me demanda Garance, soucieuse.

---

1. « Meaning », Cascadeur, 2011 (album *The Human Octopus*).

— Ça va, un peu perturbée par tous ces changements, le déménagement, la fac, tout ça, je crois.

Elle hocha la tête pour me montrer qu'elle comprenait et eut la délicatesse de ne rien ajouter.
Qu'aurait-elle pu dire ? « Ça ira mieux » ? Certes
ça irait mieux. Demain, après une bonne nuit de
sommeil, ou dans une semaine, ou dans un mois.
Qui pouvait le dire ? À ce moment-là, Juliette me
manquait, ainsi que Simon. Ma bande de copains.

Aucune autre parole ne fut prononcée. Garance
aussi semblait plongée dans ses pensées. Elle me
déposa devant la grille du mas et me fit une bise
en serrant doucement ma main.

— Si tu as besoin de parler...

J'acquiesçai avec un faible sourire et courus sous
la pluie pour me réfugier chez moi. Le temps d'arriver à la porte et j'étais trempée.

En saluant mes parents à la volée, je montai à
toute allure dans ma chambre pour me changer,
puis sortis mon violoncelle. Je ne savais pas ce que
j'avais envie de jouer. De toute façon, je ne savais
pas de quoi j'avais envie de manière générale.

Ma paume gauche continuait à me brûler.

Je reposai l'archet et, mon instrument toujours
posé contre moi, observai de nouveau ma main à
la lumière. Toute petite déjà, j'avais des grains de
beauté au creux de la paume. Cinq au total. Je le
savais parce j'avais pris la mauvaise habitude de
dessiner une fleur dont chaque pétale entourait

l'un d'entre eux. Ma façon de m'occuper quand je m'ennuyais en cours. Ensuite, je rajoutais des couleurs, ou des petits cœurs pour faire joli.

En fronçant les sourcils je remarquai immédiatement qu'il y en avait désormais plus que cinq. Ma fleur s'était développée.

Un, deux, trois... j'arrivai à huit !

Huit grains de beauté. J'en avais trois de plus. Comme ça, d'un coup. Interloquée, je recomptai. J'avais dû me tromper, c'était impossible !

Mais sans aucun doute, il y en avait à présent huit. Et ils me brûlaient. Peut-être faudrait-il que j'en parle à un dermatologue ?

En attendant, l'envie de jouer m'était passée. Je posai le violoncelle au sol sur le côté, avec l'archet en équilibre sur sa tranche, puis je m'allongeai en chien de fusil sur mon lit. Est-ce que j'avais envie de pleurer ? Je n'en étais même pas sûre. Il y eut un petit mouvement derrière moi, un choc léger, quelques pattes délicates grimpèrent sur mon flanc pour l'enjamber et le museau d'Arsène apparut dans mon champ de vision.

Je passai mes doigts dans son long pelage gris foncé. Il se mit à ronronner aussitôt.

— Te voilà toi, murmurai-je au matou qui se roula en boule contre mon ventre. Quelques gouttes de pluie et on fait moins le malin, hein ? Mais je suis contente de te retrouver. Tu me manquais, mon gentleman cambrioleur...

Je l'avais appelé Arsène à cause d'Arsène Lupin qui avait été mon héros favori pendant des années. Le personnage des romans de Maurice Leblanc et mon chat avaient la même faculté de se glisser en silence dans une pièce et d'en repartir de la même manière, ni vu ni connu.

Sans réfléchir, je lui présentai ma main gauche. Il la renifla avec beaucoup d'intérêt, et je me demandai ce qu'il pouvait bien sentir de si particulier. Gentiment, il se mit à lécher ma paume de sa langue râpeuse. Mon bras droit l'enveloppa, comme s'il était une peluche réconfortante. Il me réchauffa, me berça de ses ronronnements apaisants. Je crois que c'est à ce moment-là que je m'endormis.

Anaïa Heche
Il y a 29 minutes
Ouf, on est vendredi soir, j'avais bien besoin du week-end. C'est crevant, la fac !
J'aime • Commenter

Garance Dambë
Chochotte ! ;-)

Anaïa Heche
J'assume, je suis épuisée. Je me demande si je ne couve pas un truc, j'ai de la fièvre.

Garance Dambë
Viens voir mon père, il vérifiera tout ça.

Simon Muller
Ton père est médecin, Garance ?

Garance Dambë
Oui, pratique d'en avoir un à domicile.

Simon Muller
Anaïa, profite d'avoir un médecin « dans la famille », ne laisse pas traîner.

Anaïa Heche
@Simon : merci, tu es un amour. Tant que je tiens debout, ça ira. Si je suis mourante, j'aviserai (après on va encore me traiter de chochotte, suivez mon regard…).

Garance Dambë
:-D

6.

C e vendredi après la fac, je décidai, malgré ma fatigue, de m'occuper de ma chambre une bonne fois pour toutes. Garance m'avait en effet proposé une sortie entre filles le samedi soir et il me fallait la tenue adéquate pour l'occasion. Plus moyen de tergiverser : je devais venir à bout de ces cartons de vêtements. J'avais en tête une jolie robe vert amande qui allait bien avec la couleur de mes cheveux et faisait ressortir mes yeux. Oui, j'avais envie de me faire belle pour l'occasion. C'était la première fois depuis des semaines que je pouvais sortir. Entre le bac et le déménagement, je n'avais pas mis le nez dehors pour m'amuser depuis… euh… mieux valait ne pas compter, sinon j'allais déprimer.

Donc, je m'attelai à la tâche. Je vidai chacune des caisses, jusqu'à la dernière, rangeai les vêtements dans l'énorme armoire normande que j'avais toujours connue dans cette pièce, alignai mes dizaines de livres dans la bibliothèque Ikea dont le design moderne jurait atrocement avec mon antique dressing. Mais une fois noyée sous les bouquins, elle se voyait moins.

Je retrouvai aussi une enveloppe dans laquelle j'avais mis de côté des photos sélectionnées avec soin afin de constituer un pêle-mêle que je voulais accrocher au-dessus de mon bureau. Prise dans l'élan d'aménagement de ma chambre, j'étalai les visages souriants de mes amis parisiens sur mon lit, et déballai le panneau de liège qui attendait depuis des semaines que je pense à l'utiliser. Une à une, je collai les photos de mon passé : mes camarades de classe, mes amis du conservatoire, et surtout celles de ma blonde Juliette, puis, le meilleur pour la fin, Simon.

Je soupirai en admirant ses dents parfaites encadrées de lèvres pleines et sensuelles, son menton creusé d'une fossette légère, son nez droit, ses cheveux châtains qui tombaient sur son front en mèches adroitement décoiffées, ses yeux bleu-vert, qui semblaient refléter un songe… Du bout de l'index, je suivis le contour de son visage, et me pris à rêver de faire la même chose en vrai, là où la pulpe de mon doigt sentirait le piquant de sa barbe de fin de journée, la chaleur de sa peau, son souffle régulier. Afin de combler le manque intense de lui que je ressentais juste maintenant, je me promis de l'appeler bientôt afin d'entendre sa voix, d'échanger des rires, de maintenir le lien entre nous, malgré la distance...

Une fois mon pêle-mêle accroché au mur, j'eus l'impression d'être moins seule dans ma chambre. La pièce me parut plus chaleureuse, habillée, comme si ce panneau couvert de sourires était ce qui lui manquait jusqu'ici pour m'abriter vraiment. J'encadrai mon tableau presque vivant d'une guirlande de petites fleurs lumineuses roses et décidai que tout était parfait ainsi.

Après tous ces efforts, je pris quand même le temps d'essayer rapidement la fameuse robe vert amande pour voir si elle m'allait toujours aussi bien – ce qui était le cas, heureusement – et la déposai sur le dossier de ma chaise avant d'aller me coucher. J'avais déjà hâte d'être au lendemain. Ce n'était pas la première fois de ma vie que je sortais, mais là, je ressentais curieusement une sorte de trépidation intérieure. Comme si cette soirée allait être importante. Spéciale. Unique. Je me sentais super excitée.

Je dormis aussitôt d'un sommeil profond, bienfaisant. À mon réveil, le temps était encore maussade. Depuis l'orage de mercredi, le ciel restait gris, l'atmosphère moite, collante. J'occupai la journée à faire mes premiers devoirs, à jouer du violoncelle et à papoter sur Skype avec Juliette. Elle me raconta sa rentrée, la tête de ses nouveaux copains et le repas qu'elle avait pris avec Simon, ce qui me rendit verte de jalousie. Lui aussi avait commencé sa prépa en fanfare et il croulait déjà sous le travail. Elle m'avoua que je leur manquais à tous les deux. Je ne sus pas si cela me rendit encore plus nostalgique ou me fit plaisir. Un peu des deux, certainement.

En fin de journée, je fis un petit tour dans le jardin. Les pommiers commençaient à ployer sous le poids des fruits, les figues étaient mûres à point. J'en dégustai une, pourpre, mielleuse, délicieuse, en allant admirer l'avancée des travaux dans les dépendances. Des cloisons avaient été abattues, d'autres montées. Papa me prit par la main pour faire le tour du chantier en m'expliquant minutieusement où se trouveraient les chambres, les salles de bains, quelles couleurs il avait choisies. C'était un beau projet avec un décor très provençal, tout en ocre, jaune, rouge, lavande et bleu. Des piles de carrelage encore emballées attendaient d'être posées, les vasques des lavabos traînaient par terre, il y avait encore des gravats et de la poussière partout, ce qui donnait un aspect post-apocalyptique aux lieux, mais dans quelques mois on aurait les quatre plus belles chambres d'hôte de la région.

Enfin, il fut l'heure de me préparer et c'est avec une pointe d'hystérie que j'appelai Garance pour être sûre que notre sortie tenait toujours.

— Évidemment ! Il faut fêter notre première semaine de fac dignement. Comment te sens-tu ? Tu as toujours de la fièvre ?

Je posai une main sur mon front.

— Non, ça va mieux, je suis en pleine forme pour ce soir ! Tu m'emmènes où, d'ailleurs ?

— Dans une taverne super sympa. Tu vas voir.

Une heure plus tard, j'étais dans sa voiture.

— C'est quel genre de taverne ? demandai-je, poursuivant notre conversation comme si rien ne l'avait interrompue.

— Un petit coin de paradis. Un mas transformé en restaurant, au milieu d'un champ, tout fleuri au printemps, traversé par une rivière, on y croise même des lapins. On peut y boire, y manger, écouter de la musique. Parfois j'y retrouve mes amis du lycée. Je te les présenterai s'ils traînent dans le coin.

— Parfait ! déclarai-je en m'enfonçant contre le dossier du siège.

Garance nous conduisit rapidement au mas de la Clef de Sol. Rien que le nom me plut, même si le violoncelle se jouait en clef de *fa*... Dès qu'il s'agissait de musique, cela faisait mon affaire.

Nous nous glissâmes dans une salle décorée de toutes sortes d'instruments de musique anciens sur les murs, de partitions antiques encadrées sous verre, de portraits de grands compositeurs classiques : Mozart, Vivaldi, Schubert, Bach, Rachmaninov, et aussi de groupes plus récents comme les Beatles, Led Zeppelin, les Doors, les Rolling Stones...

Je me sentais parfaitement dans mon élément et adorais déjà cet endroit. Dans un coin se trouvait une scène avec une batterie, un piano, des guitares posées sur leurs trépieds. Visiblement, on allait avoir droit à un concert et j'avais hâte de découvrir le groupe.

Nous grignotâmes en papotant gaiement, surtout pour faire le point de la semaine que nous venions de passer. Franchement, pour le moment, j'aimais bien la fac, la liberté qu'elle nous offrait, le choix des cours, le programme qui nous attendait. J'allais peut-être déchanter quand la saveur de la nouveauté serait passée, mais en attendant, je profitais de ma joie.

Ma morosité s'était envolée, je me sentais légère, séduisante, tout allait bien.

Environ deux heures plus tard, la lumière baissa et les pieds des chaises raclèrent le plancher : les clients se tournaient tous vers la scène. Le concert allait commencer. Je me redressai, tout ouïe.

— Tu sais qui joue ce soir ?

Garance fit non de la tête.

— Aucune idée. Surprise totale.

— Encore mieux, j'adore les surprises !

— Si c'est nul, on se casse, annonça mon amie en faisant une petite grimace.

— Si c'est nul, on se casse, approuvai-je.

J'avalai une gorgée de mon Coca light en mordillant la paille. J'adorais l'aplatir et sentir le liquide passer dans l'ouverture minuscule. Je sais, je suis bizarre.

Enfin, un musicien grimpa sur scène, et attrapa la basse qui attendait sagement dans un coin.

— Oh, mais c'est Vincent ! s'écria Garance en se redressant d'un coup.

— Tu le connais ? C'est qui ? demandai-je, me sentant encore plus excitée.

— C'est le grand frère d'Yvan, tu sais, le gothique du groupe théâtre. Nous étions voisins quand j'étais petite, puis ils ont déménagé dans une maison plus grande, à quelques kilomètres du village.

Je me surpris soudain à frotter de nouveau ma paume contre le tissu de ma robe.

— C'est vrai que tu connaissais Yvan... Tu ne m'en as jamais parlé, en fait.

Garance haussa les épaules.

— Il n'y a pas grand-chose à dire de lui. Je préfère largement Vincent. Il est bien plus beau, tu ne trouves pas ?

Je retins un sourire. Est-ce que Garance avait un faible pour Vincent qu'elle m'aurait caché ? Il faudrait que je la cuisine à ce sujet. Puis je repensai à la brève conversation que j'avais surprise en cours d'anglais. Yvan avait parlé de batterie...

Aussitôt, il déboula à son tour sur la scène pour s'asseoir derrière les fûts rutilants sous les spots.

Quant au guitariste, j'avais déjà deviné qui c'était. Eidan grimpa d'un pas souple sur la petite estrade, saisit une magnifique guitare électrique et se planta devant le micro du chanteur. Mon cœur commença à battre furieusement dans ma poitrine quand je le vis. Encore lui. Avec ses yeux insondables, ses cheveux noirs ramenés en arrière, ce soir. Il portait un jean usé sombre et un T-shirt assorti tout simple. Vu du public, il faisait encore plus grand que d'habitude, plus ténébreux aussi. Et je frottai ma main gauche plus férocement cette fois contre le rebord de la chaise en bois.

— Bonsoir, tout le monde ! s'écria Eidan dans le micro, de sa voix basse et rauque.

Un attroupement de filles se forma instantanément au pied de la scène en poussant des cris aigus, comme si elles étaient face à des superstars. La salle applaudit chaleureusement, un type costaud assis au bar cria : « Vas-y Eidan ! »

Visiblement, les garçons avaient l'habitude de se produire ici.

— Je ne savais pas qu'ils jouaient à la Clef de Sol, me fit remarquer Garance, en écho à mes propres réflexions. C'est sympa de les écouter, non ? Je me demande ce qu'ils vont jouer.

— Moi aussi, murmurai-je, mal à l'aise.

J'avais l'impression qu'Eidan apparaissait partout où je me trouvais. Sur la route dans sa voiture, dans l'amphi, dans le groupe de théâtre et ce soir une fois de plus. J'avais bien sûr conscience que ce ne pouvait être qu'un simple hasard. C'en était un, n'est-ce pas ? Je secouai la tête pour chasser cette question idiote. Bien entendu ! Il n'avait aucun moyen de savoir où je me trouvais, il ne lisait pas dans mes pensées !

Sur un signe de tête d'Eidan à ses musiciens, ils lancèrent les premières notes. Led Zeppelin. « Whole Lotta Love », me chuchota Garance.

Au bout de quelques mesures, je me retrouvai à me dandiner sur ma chaise. Sincèrement, ils assuraient. Eidan chantait vraiment bien, avec une voix cassée très sensuelle et d'un seul coup je le trouvai moins inquiétant, dans la lumière des spots, transcendé par la musique. Ses doigts fins, agiles, montaient et descendaient avec aisance le long des frettes de la guitare. Les filles devant la scène hurlaient, sautaient, tapaient dans leurs mains et j'avais envie de les rejoindre pour me défouler, mais je n'osais pas. Et si Eidan me voyait ?

Finalement c'est Garance qui, n'y tenant plus, me fit signe qu'elle voulait aller danser. Ravalant mes complexes, je la suivis. Après tout, j'étais venue pour faire la fête, peu importait ce que pouvait bien en penser Eidan. Je n'étais même pas sûre qu'il connaisse mon prénom, qu'est-ce que son opinion pouvait bien me faire ?

Quelques instants plus tard, Garance et moi avions rejoint les autres devant la scène. Nous nous mîmes à danser comme des folles. J'avais l'impression que les tensions accumulées depuis des semaines glissaient hors de moi, se noyaient dans les notes assourdissantes de la guitare, de la basse, les martèlements sourds de la batterie qui finissaient par se calquer sur les battements de mon propre cœur.

Les lumières tournoyaient, rouges, jaunes, bleues, blanches, je fermai les yeux, me laissai porter par les trépidations, le rythme, la voix cassée et sensuelle d'Eidan, par les corps anonymes qui me frôlaient, par les vibrations du sol, qui remontaient dans mes jambes, dans mon bassin, dans mes bras et ma tête. J'étais presque en transe, ailleurs... Je rouvris les yeux à un moment pour trouver ceux d'Eidan vrillés sur moi. Il m'avait aperçue dans la foule. Et il me fixait. Sans s'arrêter de jouer ni de chanter.

Le morceau s'acheva et il se pencha alors vers le bassiste pour lui chuchoter quelques mots. Ce dernier hocha la tête et adressa un signe à Yvan à la batterie. Tandis que son regard revenait se poser sur moi, Eidan appuya, du bout de sa basket, sur une touche du pédalier posé au sol et laissa résonner des accords rugueux. Les filles devant moi se

mirent à sauter encore plus haut avec des cris surai-
gus. Le tourbillon des lumières se fit plus rapide lui
aussi. Ses yeux très noirs, éclairés par les éclats vifs
des spots multicolores, ne me lâchèrent pas un seul
instant et je m'arrêtai de danser quand Eidan prononça les premières paroles de la chanson.

Tonight I wanna give	« Ce soir, j'ai envie
it all to you	de tout te donner
In the darkness,	Dans le noir,
there's so much	il y a tant de choses
I wanna do	que je veux faire
And tonight	Et ce soir,
I wanna lay at your feet	je veux tout mettre à tes pieds
'Cause girl	Parce que chérie
I was made for you	j'étais fait pour toi
And girl	Et chérie
you were made for me	tu étais faite pour moi
I was made	Je suis fait
for lovin' you baby	pour t'aimer bébé
You were made	Tu es faite
for lovin' me	pour m'aimer
And I can't get enough	Je n'ai pas assez
of you baby	de toi bébé
Can you get enough	Peux-tu avoir assez
of me ?[1]	de moi ? »

J'étais pétrifiée. Je ne pouvais plus bouger alors
que tout tanguait autour de moi. Trop de monde,

---

1. « I Was Made for Lovin' You », Kiss, 1979 (album *Dynasty*).

de sons, de lumières, de cris, de vibrations. Et dans toute cette houle, un seul point d'ancrage : les yeux d'Eidan dans les miens. Comme s'il chantait pour moi, que j'étais seule dans la pièce. Comme s'il voulait me faire passer un message dans les paroles de la chanson de Kiss. Enfin, ils arrivèrent au bout de leur morceau et reposèrent leurs instruments, c'était l'heure de la pause. Bienvenue, en ce qui me concernait.

Les jambes flageolantes, je retournai m'asseoir à ma table. J'avais très chaud.

— Tu te sens bien ? me demanda Garance en me rejoignant à nos places. Tu es rouge.

J'avalai une gorgée du fond tiédi de mon Coca en mordillant la paille de plus belle et lui fis un pâle sourire.

— Il fait chaud, et j'ai trop dansé. Tu sais que je rougis facilement.

Je tirai sur une mèche de mes cheveux pour lui rappeler que j'étais rousse, au cas où, vraiment distraite, elle aurait pu oublier ce détail.

— C'est clair qu'on cuit, grommela-t-elle en passant une main sur son front couvert d'une pellicule brillante de sueur. Je vais commander deux autres Coca.

Elle se leva et louvoya entre les tables vers le bar. En la suivant des yeux, je vis les garçons du groupe se diriger vers nous. Mon cœur remonta dans ma gorge et je dus déglutir très fort pour l'obliger à redescendre un petit peu. Pourquoi venaient-ils par ici ? Ils voulaient s'asseoir avec nous ? D'un regard paniqué, je fis le tour de la pièce pour voir s'il était possible d'effectuer une retraite discrète. Pas de chance, ils étaient déjà là.

Vincent rejoignit Garance au comptoir, Eidan et Yvan prirent des chaises inoccupées et les apportèrent à notre table.

— Bonsoir, Anaïa, murmura Eidan à mon oreille en s'asseyant à côté de moi.

Ainsi, il connaissait mon prénom. Et il me parlait.

— Bonsoir, Eidan, soufflai-je, comme si j'allais me pâmer à l'instant.

Moi aussi je connaissais son prénom, il n'était pas le seul à pouvoir faire le malin.

— Nous n'avons pas encore eu l'occasion de discuter, alors que nous nous sommes vus tous les jours de la semaine.

— C'est vrai, répondis-je faiblement.

Je n'arrivais pas à m'arracher de ses yeux. Ils étaient comme deux gouffres mystérieux et infinis ouverts sur un univers où la lumière n'existait pas. Je me rendis compte que j'étais en train de gratter la paume de ma main gauche. Je stoppai aussitôt.

Je ne savais pas quoi dire. Je ne savais rien de ce garçon, je ne le connaissais pas. Juste son prénom, et la couleur de ses yeux.

Sa peau brillait légèrement, ses cheveux avaient fini par retomber devant son visage.

Il fallait que je trouve quelque chose à dire, sinon il allait me prendre pour une demeurée. Non pas que cela m'importait, mais si je devais le fréquenter toute l'année, je préférais faire bon effet. Un minimum en tout cas.

— Vous jouez bien, tentai-je timidement.

— Merci, répondit Eidan en me faisant un sourire immense.

Tout son visage s'anima, ses yeux perdirent leur froideur. Je m'enhardis. Finalement, il n'était pas si méchant.

— Vous jouez depuis longtemps ? continuai-je d'une voix plus assurée.

— Trois ans maintenant. Et on a déjà fait quelques concerts ici. Il y a toujours une bonne ambiance.

— Je vois ça, approuvai-je. Le public vous apprécie, c'est sympa.

Il hocha la tête.

— Et toi, tu fais de la musique ?

Je ne m'attendais pas à cette question. J'avais l'impression qu'en la posant, il connaissait déjà la réponse.

— Du violoncelle.

Il redevint sérieux et se pencha, ses lèvres frôlant presque mon oreille. Cette fois mon cœur s'affola franchement. Ce type me faisait vraiment un effet pas normal.

— L'instrument le plus sensuel de tous..., murmura-t-il.

Avant même que j'aie le temps de rougir, il attrapa mon poignet gauche. À ce contact, je sentis aussitôt une chaleur intense remonter le long de mon bras, presque une brûlure. Cette fièvre atteignit mon visage. J'avais l'impression de prendre feu.

D'un geste doux, il déplia mes doigts et les observa. Leurs extrémités étaient couvertes de corne, à force de pincer les cordes épaisses et dures de mon instrument.

— Des mains de musicienne, chuchota-t-il d'un air quasiment extatique.

Sans lâcher mon poignet, il caressa de son autre main ma paume gauche, jusqu'à la pointe des phalanges.

Aussitôt, la démangeaison de mes grains de beauté cessa. Ce fut comme s'il venait de passer un baume apaisant là où, quelques instants auparavant, ils me grattaient plus que jamais.

Je relevai la tête d'un coup et le dévisageai, les yeux écarquillés de surprise.

Il était vraiment spécial. Je n'arrivais pas à le cerner, à comprendre ce qui se cachait derrière son regard. On dit que les yeux sont les fenêtres de l'âme. Pas chez lui. Son âme s'y trouvait barricadée, secrète.

Nous restâmes un long moment à nous observer, nos doigts toujours connectés. Puis Vincent et

Garance revinrent avec les boissons, mettant fin à ce moment étrange.

Jamais un Coca glacé ne me parut aussi salutaire. Ma peau s'embrasait littéralement. Ce n'était certes pas douloureux, mais pas agréable non plus.

Le trio resta à notre table quelques instants de plus. Yvan et Eidan nous proposèrent de déjeuner ensemble au self lundi, Garance accepta avec enthousiasme. Je ne répondis rien.

Puis les musiciens reprirent le chemin de la scène pour un second round. Les groupies s'attroupèrent de nouveau, mais je ne bougeai pas. Je me sentais vidée de toute énergie. Nous écoutâmes le groupe jouer encore deux chansons avant que Garance ne remarque mon état et mon mutisme.

— Ça ne va pas ?

— Je suis fatiguée, marmottai-je en évitant de la regarder.

Je ne voulais pas qu'elle puisse lire sur mon visage que quelque chose de bizarre m'arrivait. Ma peau continuait à cuire, au point que j'avais l'impression de générer des étincelles autour de moi.

— Tu veux rentrer ? demanda-t-elle, soucieuse.

Je haussai les épaules.

— Je ne veux pas gâcher ta soirée, Garance…

— Tu ne gâches rien du tout. De toute façon, je ne comptais pas rentrer trop tard, demain j'ai entraînement de basket. Viens, on y va.

Sans protester, je me levai et la suivis. J'étais sûre qu'Eidan nous observait, mais je n'osais pas me retourner pour vérifier.

Une fois sur le parking, l'air frais de la nuit me fit du bien, mais j'avais toujours cette sensation désagréable d'avoir pris comme un coup de soleil, que toute la chaleur accumulée d'une journée sur la plage bouillonnait en moi. Vu le temps qu'il avait fait depuis quatre jours, il était certain que ce n'était pas le cas...

Le mistral venait de se lever, chassant les nuages humides. La nuit était claire, mais froide. Une myriade d'étoiles scintillantes brillaient au-dessus de nos têtes. En montant dans la voiture, j'entendais encore les notes de guitare et la voix rauque d'Eidan.

« *I'm still loving youuuu...* »

La chanson de Scorpion.

Je claquai la portière et le son se coupa net.

Mes oreilles bourdonnaient, j'étais épuisée.

— En fait, je me sens crevée aussi, lâcha Garance en mettant le contact. On fait bien de rentrer. Il est plus tard que je ne pensais et demain, il faut que j'assure sur le terrain.

Je jetai un regard à l'horloge du tableau de bord. En effet, il était presque 2 heures du matin, le groupe avait joué plus longtemps que je ne l'avais imaginé.

Garance mit la radio en fond, quelques notes lointaines me parvinrent, mais je ne pris pas la peine d'identifier la chanson. Un brouillard épais de fatigue et de tiédeur moite m'enveloppait.

Trois quarts d'heure plus tard, je me glissai enfin dans mon lit. La douche que j'avais prise n'avait pas fait baisser ma fièvre. J'avais avalé une aspirine en espérant que ça irait mieux après une bonne nuit de sommeil.

Les feuilles mortes sont humides sous mes pieds. Mais cela m'importe peu. Leur fraîcheur me fait du bien. J'avance sans bruit dans la forêt envahie par l'obscurité. C'est une nuit sans lune. Très haut, les étoiles scintillent, lointaines, froides. Mais la canopée des arbres est trop épaisse pour que leur faible lueur me parvienne. Je me dirige à l'instinct. Je sais où je dois aller. Ce chemin m'est tellement familier que je pourrais le parcourir les yeux fermés. Ma paume gauche me chatouille. Je la frotte contre ma cuisse. Je me rends compte alors que je suis nue. Pourtant cela ne me dérange pas. Personne n'est là pour me surprendre. Je n'ai pas froid. Ma peau dégage une telle chaleur que je ne frissonne pas, alors que le vent souffle. Mes cheveux s'entortillent dans les rafales violentes qui se glissent entre les troncs.

Enfin, je la vois. La vieille tour. Je lui souris. Elle m'attend, je le sais. Je pose une main sur sa pierre fraîche, ancestrale. L'arche est encore plus sombre que les ténèbres de la forêt. Mais cette fois, je n'ai pas peur. Je sais que je suis revenue. Je connais cet endroit.

Je descends les marches. La première. La deuxième. À la troisième, la chaleur de mon corps devient encore plus intense. Je m'embrase. Je descends encore. Mes cheveux se sont transformés en flammes orangées qui grondent autour de ma tête. Mon corps entier prend feu, mais je n'ai pas mal. La lumière rouge que je produis éclaire la cage d'escalier. Les marches, moisies au début, semblent de plus en plus récentes à mesure que je descends. De guingois, elles deviennent régulières, d'humides, elles s'assèchent. Les murs sont propres, uniformes. Enfin, j'arrive tout en bas.

Il est encore là, sauf que cette fois son halo lumineux a disparu. C'est moi qui éclaire tout, grâce aux flammes qui me consument sans me brûler.

Lui est entièrement noir. Comme une ombre. Son visage n'a pas de traits, je ne perçois qu'une silhouette immense.

— *Tu es revenue, murmure-t-il.*

— *Où ?*

— *Chez toi.*

Sans avoir peur le moins du monde de mon embrasement, il fait un pas vers moi et me prend dans ses bras. J'ai envie de le prévenir, de lui crier de ne pas s'approcher, mais il ne se brûle pas. Il me serre contre lui et, timidement, je pose ma joue contre sa poitrine. Son cœur bat lentement. Il m'apaise.

— *Où est-ce, chez moi ?*

— *Ici, Anaïa. Ici, précisément.*

Et alors, il prend feu lui aussi.

Je bondis assise dans mon lit, m'arrachant à ce rêve troublant. Il faisait toujours nuit. Encore une fois, j'étais trempée de sueur, désorientée, paniquée. J'avais très chaud, beaucoup trop chaud, et ma paume me brûlait encore plus, si c'était possible.

D'une main tremblante, j'allumai ma lampe de chevet, ravivai l'écran de mon portable. 4 h 56 du matin.

J'observai ma main gauche. Neuf. Neuf grains de beauté. Encore un de plus. Mais que se passait-il ?

Je retombai en arrière et fermai les yeux. Qui m'avait parlé ? Cette voix ?

« Tu es revenue chez toi. »

Oui, pendant un bref instant, quand il m'avait serrée dans ses bras, je m'étais sentie chez moi. Plus que jamais. Sans trop savoir pourquoi, je me mis à pleurer, mais mes larmes ne parvinrent pas à éteindre le brasier intérieur qui me consumait.

Anaïa Heche
Il y a 53 minutes
Je savais bien que je couvais quelque chose. Je suis malaaaaade !
J'aime • Commenter

Garance Dambë
Ta mère a appelé mon père. Il passe te voir tout à l'heure.

Juliette Couette Couette
Oh non ! Mon Anaïachou, j'espère que ça va aller...

Simon Muller
Oui, tiens-nous au courant. On s'inquiète pour toi !

Pierre Quiroule
Ahaha, je croyais que c'était ici qu'il faisait moche et c'est toi qui es malade. Pardon, je sors...

Nico Heche
Courage, cousine ! On pense à toi !

7.

— **E**lle est ici, elle n'a pas quitté son lit depuis ce matin…

La voix de ma mère semblait flotter dans la pénombre de ma chambre, encore barricadée derrière les volets.

J'avais passé une nuit épouvantable, hantée par le chuchotement qui continuait à me parler dans le creux de l'oreille. Pourtant, je ne comprenais pas un traître mot du secret qu'il me confiait. Ma peau brûlait, semblait se consumer, et cette sensation m'avait entraînée dans des rêves horribles, où je me noyais dans des flammes, mais sans jamais m'embraser réellement. Et j'avais chaud, beaucoup trop chaud, j'allais finir par devenir comme ces papiers jetés au feu, racornis et noircis. Tout ce qu'il resterait de moi serait un petit tas de cendres sur mon drap. Pourtant, je me réveillai dans mon lit, inondée de sueur, les lèvres desséchées, la peau rougie par mes accès de température, mais intacte. Maman était montée dans ma chambre un peu plus tôt parce que je n'avais pas fait mon apparition pour le petit déjeuner. Elle m'avait trouvée épuisée, déshydratée, le visage creusé, les yeux soulignés de cernes violacés, les cheveux collés dans mon cou.

— Mon Dieu, Anaïa, mais que t'arrive-t-il ?

Ma gorge était trop parcheminée pour que je puisse lui répondre. Rapidement, elle alla me chercher un verre d'eau que je vidai d'un trait. Pourtant, je ne me sentis pas mieux. Assise sur mon lit, elle m'observa, un pli inquiet barrant son front. Sa main fraîche posée sur mon visage ne faisait qu'augmenter ma sensation de fusion intérieure.

— Tu es très rouge, et brûlante, mais ça ne peut pas être la rougeole, tu es vaccinée. Une forme de grippe ? J'appelle tout de suite le docteur Dambë.

Avais-je dormi ? Cinq minutes plus tard, il était déjà là, encore plus immense que dans mon souvenir.

— Ma petite Anaïa, ça fait bien longtemps, chantonna-t-il de sa voix de contrebasse.

Rien qu'en l'entendant, des centaines de souvenirs de vacances, d'après-midi passées dans la maison de Garance me revinrent en tête.

— Bonjour docteur, croassai-je.

Je tentai de me redresser, mais n'y parvins pas.

— Non, non, ne bouge pas, murmura-t-il.

Il s'assit au bord du lit, là où maman s'était tenue un peu plus tôt, et posa une longue main sur mon front.

— Tu es bouillante.

Il sortit de sa sacoche de cuir noir un thermomètre auriculaire et l'enfonça délicatement dans mon oreille après avoir dégagé, très doucement, une longue mèche de cheveux entortillée dans mon cou. Très rapidement, le *bip bip* résonna, indiquant qu'il avait terminé de prendre ma température.

Je vis alors le docteur froncer les sourcils en observant le résultat.

— 37,3°, ce n'est pas possible !

Il secoua son appareil, avant de le glisser dans l'autre oreille.

Bip bip.

— 37,3°, encore. Je ne comprends pas. Je te trouve très chaude, Anaïa, mais tu n'as pas de fièvre. Tu te sens comment ?

— Brûlante, fatiguée.

— Mal à la tête ? À la gorge ? Des nausées ?

Je fis signe que non.

Il procéda quand même à une auscultation totale, sans rien trouver d'étrange, à part une tension un peu basse.

— Je ne sais pas quoi te dire, je n'ai jamais constaté un tel phénomène de toute ma carrière.

Mais ce n'est pas la première fois que tu me sur-
prends... Tu vas prendre de l'aspirine et te reposer.
Si jamais ton état devait se modifier ou empirer, il
faudrait me prévenir tout de suite, c'est compris ?
— Oui, compris.
— Bien. Ta mère a mon numéro. Qu'elle
n'hésite pas à m'appeler à n'importe quel moment.
— Merci, docteur.
Il m'adressa un sourire bienveillant. Garance lui
ressemblait beaucoup. Les mêmes fossettes, les
mêmes dents éclatantes, la même gentillesse.

Après cela, je ne me souvins pas très bien de mon
dimanche, juste de la lumière, derrière les volets
entrouverts, qui changeait à mesure que la journée
passait, d'Arsène qui vint me voir, puis repartit,
d'un aboiement lointain de Rody dans le jardin, de
la voix étouffée de maman qui le calmait en lui
disant que ce n'était qu'un oiseau. Une partie
embrumée de mon esprit me souffla la vision de
l'immense aigle noir aperçu quelques jours auparavant et il se percha de longues minutes dans mes
rêves flous. Finalement, vers 18 heures, j'émergeai
d'une longue sieste parfaitement reposée. Je n'avais
plus chaud, j'étais affamée.

Quand maman me vit descendre dans le salon
encore en pyjama, ébouriffée au possible, mais
debout et souriante, elle se précipita vers moi pour
me soutenir, avant de constater que je tenais tout
à fait bien sur mes jambes et que ma peau avait

repris une température parfaitement normale. Elle téléphona alors au médecin pour le prévenir que j'allais mieux, ce qui ne le surprit qu'à moitié et, de mon côté, j'appelai Garance pour lui annoncer que je serais bel et bien à la fac le lendemain.

Le soir, avant de retourner me coucher, je comptai les grains de beauté dans ma paume gauche.

Dix. Il y en avait désormais dix.

Anaïa Heche
Il y a 12 minutes
Un lundi au soleil, c'est une chose que vous ne verrez jamais. Ah ben si, grand soleil ici et plus de fièvre. Tout va bien !
J'aime • Commenter

Garance Dambë
Tant mieux, ça aurait été moins drôle sans toi. Je passe te prendre, à toute !

Simon Muller
Ouf, j'étais inquiet pour toi. Bonne journée.

Anaïa Heche
Tu es gentil de t'inquiéter ainsi, mais c'était juste un vilain virus. Je ne vais pas me laisser abattre par un truc aussi petit ! Tu me connais...

Juliette Couette Couette
Tu as fini de nous faire des frayeurs pareilles ? Garance, garde un œil sur elle, tu veux bien ? Elle part loin de nous et voilà le résultat !

8.

En ce lundi matin, l'amphi me paraissait déjà moins vaste et moins étranger qu'il ne l'avait été à peine une semaine auparavant. Comme quoi, la routine s'installait vite.

Je m'assis à côté de Garance et Enry vint se glisser à côté de moi.

— Salut, chère voisine d'ascenseur, me salua-t-il.

— Salut, Thor !

Je lui avais avoué que je trouvais qu'il ressemblait au héros de Marvel et ça l'avait fait beaucoup rire. Puis il m'avait expliqué que sa mère était danoise, ceci expliquait peut-être cela.

— Vous avez passé un bon week-end ? nous demanda-t-il.

— Très bon, répondit Garance. Au moins, je n'ai pas été malade.

Enry se tourna vers moi en fronçant les sourcils.

— Tu as été malade ?

— Oui, mais c'est passé. Certainement un sale virus, bref, mais puissant.

— J'espère que c'est terminé ! Je n'ai pas envie que tu me refiles tes microbes.

— Un grand baraqué comme toi, un dieu nordique qui plus est, tu ne devrais pas avoir peur d'une petite bébête de virus !

Je fis mine de donner un coup de poing contre son biceps.

Il se redressa de toute sa hauteur et bomba le torse, l'air vraiment impressionnant. Je ne sais pas à quoi sa mère danoise l'avait nourri, mais elle devait avoir glissé des produits dopants dans ses biberons pour aboutir à un spécimen pareil.

— Fais attention à toi, petite fille, tonna-t-il d'une voix faussement menaçante. Sinon, tu pourrais goûter aux pouvoirs de mon marteau !

— Et c'est censé cacher quel genre de message douteux ? lui demanda Garance.

J'éclatai de rire. À ce moment-là, j'aperçus Yvan et Eidan se faufiler quelques rangées devant nous. Yvan nous fit un petit signe de la main. Eidan dévisagea Enry quelques instants avant de froncer les sourcils. Il ne nous salua pas et s'assit, le dos très raide.

Quelle mouche l'avait piqué ? Pourquoi une telle réaction ? Parce que je riais ? Peu m'importait. Je faisais ce que je voulais et je trouvais Enry bien plus drôle et surtout moins intimidant que lui. Les cours de la matinée passèrent vite, avec lui comme voisin, qui me glissait régulièrement à l'oreille des remarques sur le prof, ceux qui suivaient, ceux qui dormaient. Je dus contenir plusieurs fous rires, une main plaquée devant ma bouche, prétextant avoir fait tomber un stylo pour disparaître sous la table, avant que mon teint pivoine ne me trahisse...

Finalement, l'heure du déjeuner arriva sans que je m'en rende compte. Yvan nous attendait à la sortie de l'amphi pour venir déjeuner avec nous. Il nous fit la bise en bavardant avec animation à propos du concert de samedi soir qui s'était terminé dans l'hystérie collective. Une fille avait même commencé à se déshabiller en montant sur scène et s'était jetée sur Eidan en lui hurlant qu'elle l'aimait...

Tous ensemble, nous fîmes le chemin jusqu'au self. Enry nous laissa pour rejoindre un groupe de copains qui l'appelait.

Je m'emparai d'un plateau, des couverts, et me servis distraitement en écoutant la discussion de mes amis.

Yvan et Garance parlaient de Vincent, étudiant en troisième année de licence pro en ressources humaines à Draguignan. C'était au cours de ce cursus que le bassiste avait rencontré Eidan qui, finalement, avait changé de voie cet été pour se lancer en licence de lettres modernes, alors qu'il avait déjà suivi deux ans de cours en management. Je découvris ainsi qu'Eidan était plus âgé que nous d'au moins deux ans et c'est en réfléchissant à ce détail que je louvoyai derrière eux jusqu'à une table libre. La salle était bondée, saturée du brouhaha des voix et des cliquetis de vaisselle. Des odeurs de cuisine, de javel, de plastique flottaient dans l'air trop chaud de l'immense pièce. Eidan nous rejoignit alors que nous avions déjà bien entamé notre déjeuner. Je ne savais pas comment il avait négocié son affaire, mais il avait réussi à obtenir une assiette débordante, comme si on l'avait servi deux fois plus que les autres.

— Eh ben ça va, dis-moi ? fit remarquer Garance en constatant la chose.

— J'ai très faim, expliqua Eidan en haussant les épaules.

Yvan s'esclaffa.

— Ne faites pas attention, Eidan mange toujours comme un ogre. Je ne sais pas comment il fait pour rester aussi mince.

— Tu fais du sport ?

Le sport était la passion numéro un de Garance, et dire qu'elle était beaucoup plus sportive que moi était un doux euphémisme.

— Un peu oui, marmonna l'intéressé en attaquant son assiette comme s'il n'avait pas mangé depuis un siècle.

— Quel genre de sport ?

L'inquisition garancienne avait commencé.

— Un peu de tout, je cours, je nage... J'ai besoin de me défouler.

— Ah, comme je te comprends ! Pareil pour moi !

Et mon amie se lança dans la liste des différentes activités qu'elle avait pratiquées dans sa vie, comme le basket, l'aviron et l'accro-branches. Des mots qui n'existaient pas dans mon vocabulaire. J'écoutais en mâchouillant mon poulet trop sec, gagnée par une insondable paresse alors que les mots « effort », « match », « calories brûlées » me passaient au-dessus de la tête. Pourtant, je me débrouillais plu-tôt bien en EPS, mais je préférais mille fois être assise derrière une partition à déchiffrer que de courir bêtement après un ballon.

— Et tu fais de la musique ? lui demanda Yvan.

— À part la flûte à bec qu'on nous forçait à apprendre au collège, non, grommela Garance avec une petite grimace.

— Dommage, on cherche des musiciens pour compléter notre groupe, expliqua le batteur.

— Anaïa fait du violoncelle, lâcha Eidan.

Évidemment, je rougis aussitôt. Satanée peau de rousse !

— C'est vrai ? s'exclama Yvan, ravi.

— Tu m'étonnes que c'est vrai, renchérit Garance d'un air fier, comme si j'étais sa fille. Elle joue super bien. C'est une véritable virtuose.

— Génial !

Yvan parut me trouver d'un seul coup beaucoup plus intéressante et ses yeux maquillés de noir me détaillèrent comme si c'était la première fois qu'il me voyait.

— Enfin, je ne suis pas sûre que le violoncelle soit très adapté dans un groupe de rock, parvins-je enfin à glisser au batteur.

— Au contraire, tu te trompes. C'est très beau, le violoncelle dans une formation. Tu ne connais pas le cello rock ? Le groupe Apocalyptica ? Il y a énormément de musiciens ou de chanteurs qui utilisent les instruments à cordes en plus des instruments traditionnels du rock pour donner de l'intensité à certaines chansons. Tu devrais écouter le unplugged de Nirvana. Il est accompagné d'un violoncelle sur plusieurs chansons, cita Eidan en s'animant légèrement.

Jusqu'ici, il avait eu l'air plutôt morose, semblant ne participer à la conversation qu'à contrecœur.

— La classe ! Tu pourrais venir jouer avec nous et on reprendrait du Nirvana ! Ce serait trop bon ! s'enflamma Yvan.

— Euh merci, mais non, murmurai-je.

Eidan se pencha alors vers moi et me regarda droit dans les yeux, de ses prunelles trop noires, trop profondes, infinies comme l'univers. Un bref instant, je me perdis dans cet abîme sans limites.

— Tu devrais y réfléchir. Je crois que ce serait un vrai plus pour nous, et pour toi aussi. Cela te permettrait de sortir du répertoire classique.

J'étais comme hypnotisée par ces deux cercles sombres, qui reflétaient à peine les néons froids striant le haut plafond du réfectoire.

— On verra…, parvins-je à articuler d'une voix presque inaudible.

Mais pourquoi est-ce que j'étais tellement impressionnée par ce type ? J'avais toujours l'impression de perdre mes facultés mentales quand je me trouvais près de lui. Alors jouer du violoncelle dans son groupe : jamais ! À tous les coups, j'allais oublier ma clef de *fa*, faire grincer mon archet sur les cordes, jouer comme un âne. Inutile de se ridiculiser.

Il fit un petit signe de tête, comme s'il avait pris au sérieux ma réponse. Ensuite il saisit doucement mon poignet gauche, comme samedi soir, observa la corne, symbole de mes efforts de musicienne, avant de contempler la paume de ma main. Un léger sourire effleura ses lèvres. Puis il me lâcha.

Mais là où s'étaient posés ses doigts, je sentais une brûlure intense, comme si le contact de sa peau m'avait collé un coup de soleil aux endroits où il m'avait touchée.

Le plus discrètement possible, je regardai mon poignet. Il était légèrement rouge. Pourtant, Eidan

n'avait pas serré, il avait été très doux, très délicat.
Je fronçai les sourcils.

Il remarqua ma réaction, se pencha alors très près
de moi et murmura à mon oreille.

— N'essaie pas.

Je sentis son souffle brûlant glisser dans mon cou,
derrière ma nuque. Tous les petits poils le long de
ma colonne vertébrale se hérissèrent.

— N'essaie pas quoi ? demandai-je, complètement perdue.

Son visage paraissait très sérieux. Trop sérieux. Il
avait soudain l'air très vieux. Beaucoup plus que
son âge. Et je crois que c'est cela qui m'intimidait
autant chez lui. Je me sentais mille ans plus jeune
que lui.

Ses lèvres frôlèrent de nouveau le lobe de mon
oreille, provoquant de longs frissons.

— N'essaie pas, c'est tout.

— Vu que je ne comprends rien à ce que tu dis,
je ne risque pas !

— Si, tu es en train de le faire, en ce moment.
Tu n'es pas prête.

Je levai les yeux au ciel pour lui signifier que je
n'essayais rien du tout, et certainement pas de
déchiffrer ses messages sibyllins.

Après cela, il se tut. Moi aussi, d'ailleurs. C'est
Yvan et Garance qui menèrent la discussion et je
ne fis même pas l'effort de les écouter, plongée
dans ces sensations diffuses et complexes où se

mêlaient des grains de beauté cuisants et de longs doigts caressants de musicien.

Après le déjeuner, je me retrouvai en cours d'anglais. Enry vint s'asseoir à côté de moi et ma bonne humeur revint immédiatement. Lui au moins, il ne m'inquiétait pas, ne me disait pas des trucs bizarres. Ses yeux étaient aussi clairs et lumineux qu'un ciel d'été.

Aussi, je décidai qu'à partir de cet instant, je me réchaufferais au soleil de son regard plutôt que de me noyer dans une eau noire et glacée...

Anaïa Heche
Il y a 48 minutes
Découverte du conservatoire du coin cet après-midi et surtout de mon professeur de violoncelle, monsieur Razowski. Le tout est de ne pas éclater de rire en le voyant.
J'aime • Commenter

Juliette Couette Couette
Surtout s'il n'a qu'un œil.

Simon Muller
Et s'il est vert.

Juliette Couette Couette
Et s'il a des petites cornes.

Garance Dambë
Et s'il n'a que trois doigts.

Simon Muller
Ce qui risque de poser problème pour jouer du violoncelle.

Anaïa Heche
Arrêtez avec vos délires, ça va être encore plus difficile de rester sérieuse en allant en cours.

Garance Dambë
N'empêche, c'est sympa d'avoir comme prof un personnage de *Monstres et C*ie.

Anaïa Heche
OK, ça y est, je déconnecte, parce que je ne vais pas y arriver sinon.

Juliette Couette Couette
On ne te demande pas d'être sérieuse, on te demande de jouer du violoncelle,

alors personnage de dessin animé ou non, tu joues et puis c'est tout !

Garance Dambë
Et n'oublie pas de nous faire une photo de monsieur Razowski !!

Simon Muller
Surtout de son œil ! :-))

9.

Cette première leçon de violoncelle était la dernière étape de ma routine hebdomadaire dans ma nouvelle vie. Tous les mercredis après-midi, j'allais me retrouver ici, dans ce bâtiment ultramoderne, à l'acoustique parfaite, où, de chaque pièce, s'échappaient de discrètes notes de musique. Piano, hautbois, clarinette, flûte traversière, violon, chant... Ces envolées mélodieuses habitaient l'atmosphère ouatée du conservatoire flambant neuf. La coque rigide de mon violoncelle sur le dos, le cœur battant légèrement, je frappai à la porte de la salle de cours.

— Entrez, dit une voix douce.

Avant de pousser la porte, je pris une profonde inspiration et tentai d'oublier les remarques de mes amis à propos de M. Razowski. Mais aussi, quelle idée de porter le nom d'un personnage de dessin animé !

Ma prof à Paris était une femme jeune, enthousiaste, qui vouait une passion dévorante à son art. Elle avait su maintenir mon goût pour le violoncelle malgré les difficultés de son apprentissage. J'avais accumulé les fausses notes, fait crisser mon archet, pleuré de douleur parce que je n'écartais pas assez les doigts de la main gauche afin de maintenir une première position parfaite. Et pourtant, j'étais devenue au bout de quelques années une vraie virtuose et, dans un coin de ma tête, j'envisageais une carrière professionnelle dans la musique.

Ici, pas de jeune femme chaleureuse, mais un vieux monsieur aux cheveux neigeux soigneusement lissés sur la tête, séparés par une raie très droite. Il n'avait pas qu'un œil, mais quatre, compte tenu de l'épaisseur des verres de ses lunettes. Sa peau rose était striée de rides délicates et il portait une fine moustache blanche très classe, comme les hommes du début du XXᵉ siècle. Voici donc M. Razowski... Mes amis allaient être déçus par sa description, à n'en pas douter.

— Bonjour monsieur, murmurai-je, intimidée par son costume trois pièces marron et son nœud papillon assorti.

Il me fit signe de m'installer et, en remontant ses lunettes sur son nez étroit, se pencha sur sa liste d'élèves.

— Anaïa Heche, c'est bien ça ?

— Oui, monsieur...

Je me dépêchai de déballer mon violoncelle, de vérifier s'il était bien accordé et m'assis sur le siège en face de lui. La salle était petite, équipée d'une seule fenêtre, d'un piano droit en laque noire posé contre un mur et d'une pagaille de pupitres métalliques en vrac dans un coin.

— Alors, mademoiselle, pour commencer, montrez-moi de quoi vous êtes capable…

Me doutant de sa requête, j'avais ressorti toutes mes partitions afin de choisir celle que j'interpréterais pour cette occasion. Après une longue hésitation, ma préférence se porta sur un morceau de Pablo Casals, *Song of the Birds*. C'était plutôt triste, mais je l'aimais bien et ça changeait de Bach, que l'on jouait un peu à toutes les sauces, comme s'il était le seul compositeur à avoir écrit pour violoncelle.

Une heure plus tard, je sortis de mon cours avec une bonne appréciation de M. Razowski, qui avait eu l'air de s'illuminer de l'intérieur quand il m'avait entendue jouer, et un morceau de Zoltán Kodály à travailler.

Une fois à la maison, je pris mon courage à deux mains pour appeler Simon. Bizarre. À Paris, on s'appelait souvent, pour n'importe quoi : les devoirs, prendre un verre ou se faire un ciné. Depuis que j'avais emménagé en Provence, tout était différent. Je n'osais pas composer son numéro, comme si accomplir cet acte d'une banalité affligeante risquait de lui faire deviner mes sentiments, tout ça parce qu'il y avait une plus grande distance entre nous et peut-être moins de raisons de s'appeler.

Je fus presque soulagée de tomber sur son répondeur, et m'empressai de lui laisser un message maladroit, avant de raccrocher, le cœur battant la chamade. J'étais une nouille finie. Pour apaiser la rougeur de mes joues, je me plongeai dans une dissertation compliquée, reléguant Simon au fin fond de mon crâne. Aujourd'hui, il vivait loin, plongé dans un rythme de prépa prenant, difficile, et mis à part quelques commentaires sur Facebook, j'avais l'impression que je n'occupais plus aucune place de choix dans sa vie. Peut-être n'en avais-je réellement jamais eu ?

Je ne cherchai pas à recontacter Simon tout de suite et lui ne me rappela pas. Une routine agréable s'installa peu à peu dans mon quotidien. Entre les cours, les devoirs, les nouveaux amis et le conservatoire, le temps passa plus vite que je ne l'aurais cru.

Et si j'avais su ce que me réservait mon destin, j'aurais profité avec plus d'ardeur de ces semaines de douceur et de quiétude qui nous firent tous dériver doucement, mais sûrement, vers le mois d'octobre…

Anaïa Heche
Il y a deux heures
Bulletin météo. En raison des perturbations climatologiques dues au réchauffement planétaire, le sud de la France est maintenant un pays tropical sujet à la mousson. Cinq jours de pluie non stop, j'en peux pluuuus !
J'aime • Commenter

Juliette Couette Couette
Ah bon ? Il pleut dans le Sud ? Naaaaan… Je croyais qu'il faisait toujours beau, et chaud, et tout et tout. Bon ben moi, je vais mettre une jupe aujourd'hui. On a un bel été indien à Paris. T'as les boules hein ? ;-)

Garance Dambë
Ha ha ha Juliette. Je m'étouffe de rire et je reviens. Mais bon, j'en ai marre. Mes essuie-glaces sont fatigués et moi aussi !

10.

J e regardai d'un air las les trombes d'eau qui s'écrasaient sur les vitres. Dehors, le paysage était barbouillé du gris des nuages bas et colériques. Les platanes se trouvaient maintenant tout nus, tristes, mouillés, les peupliers tourmentés par le vent se balançaient fort et leurs feuilles, arrachées des branches, tourbillonnaient furieusement. Garance roulait lentement, ce matin, sans musique, à cause du bruit assourdissant de l'averse sur le capot de la voiture.

— Je hais ce temps, je déteste conduire sous une tempête pareille, murmura-t-elle entre ses dents, le buste penché en avant pour mieux apercevoir la route brouillée derrière le pare-brise.

— Je ne pensais pas qu'on pouvait avoir autant de pluie ici, fis-je remarquer distraitement.

— Ça arrive. On a moins de jours de pluie que dans le Nord, mais on en reçoit plus en quantité.

— Je vois ça, oui…

Nous nous arrêtâmes au feu rouge, celui où nous avions vu Eidan pour la première fois. Sans réfléchir, je tournai la tête pour apercevoir justement sa voiture, toit remonté cette fois. Il ne nous remarqua pas et démarra en trombe dès que le feu passa au vert.

— Il y en a qui se croient immortels…, grommelai-je pour moi-même.

Durant le cours d'histoire des idées et de la littérature, Garance se mit à éternuer et se moucher.

— Je me sens pas bien, me souffla-t-elle à l'oreille, le nez pris. Je crois que j'ai de la fièvre.

Je posai discrètement une main sur son front qui se révéla brûlant.

— Tu es malade, décrétai-je.

— Tu ne m'en veux pas si je pars après ce cours ? Tu vas te débrouiller pour rentrer chez toi ?

— T'en fais, pas, j'appellerai mon père ou je prendrai le bus. Va vite te soigner.

Garance me fit un signe de la tête et ferma ses yeux trop brillants en grimaçant. Elle n'avait vraiment pas l'air bien, son visage avait pris une teinte grisâtre. Vu le temps qu'on avait depuis le début de la semaine, pas surprenant qu'elle ait chopé un virus. Je m'étonnais de ne pas y avoir encore eu droit moi-même.

À la fin de l'heure, Garance s'éclipsa et je me retrouvai sans mon amie pour le cours suivant. En soupirant je m'apprêtais à gagner le grand amphi quand Yvan m'intercepta. Il avait l'air encore plus maquillé que d'habitude parce que le trait de crayon noir dont il soulignait ses yeux avait coulé en raison de la pluie.

— Hé, Anaïa, le prof de littérature comparée est absent aujourd'hui. Notre journée est terminée ! s'exclama-t-il, un grand sourire fendant son visage.

— Vraiment ? Génial ! Je vais appeler mon père pour qu'il vienne me chercher, marmottai-je en cherchant mon téléphone.

— Tu veux que je te ramène ? Je suis en moto.

Rien que l'idée de monter sur son énorme machine par beau temps me terrorisait, alors sous une pluie pareille, avec la chaussée glissante et les feuilles tourbillonnantes, même pas en rêve.

— C'est gentil, Yvan, je vais me débrouiller.

— OK, comme tu veux.

On se fit la bise, puis il s'éloigna en courant sur le parking comme s'il voulait passer entre les gouttes, mais une fois sur sa moto il était déjà trempé comme une soupe.

J'appelai mon père en observant les élèves de première année s'égailler pour rentrer chez eux, satisfaits de voir leur journée de cours abrégée de deux heures. Aucun de mes parents n'était joignable : je tombai sur la boîte vocale de leurs téléphones respectifs. À la maison, ça sonnait dans le vide. En marmonnant un message sur le répondeur de chacun des appareils, je me souvins qu'ils m'avaient fait part de leur projet de se rendre chez Bricorama. Visiblement, on trouvait de tout, là-bas, mais pas de réseau téléphonique !

En attendant que l'un d'entre eux me rappelle, je décidai de me réfugier à la bibliothèque.

Elle se trouvait au dernier étage du bâtiment principal. Là-haut, sous les combles, au milieu des étagères croulant sous les livres, le bruit de la pluie sur le toit était assourdi. Il semblait même apaisant, appelant au calme et à la concentration. Je me laissai tomber sur une chaise, posai mon sac à dos sur une table d'étude libre et sortis mes affaires d'anglais. Rapidement, j'oubliai le temps qui passait, le déluge qui se déversait des cieux en colère.

C'est une voix chuchotée derrière moi qui me tira de ma traduction.

— Le dieu du Tonnerre est mécontent, alors il le fait savoir en déchaînant ses foudres sur les mortels ! gronda gentiment Enry.

J'étouffai un rire et lui fis signe de s'asseoir près de moi.

— Tu n'es pas rentré ? lui demandai-je, étonnée de le voir ici.

— Non, j'ai cours de société. Je l'ai pris en option.

— Tu aurais pu sécher.

Il me sourit.

— Difficile de sécher par ce temps-là.

— Tu as raison, gloussai-je.

— Et toi, tu n'es pas au chaud chez toi ?

— Non, mes parents ne répondent pas au téléphone et il est hors de question d'attendre le bus dehors. J'ai peur de fondre.

Il hocha la tête en signe de compréhension.

— Si tu as le courage d'attendre la fin de mon cours, je te raccompagnerai.

— Merci, c'est gentil.

Pour ne pas trop attirer l'attention sur nous, dans cette ambiance studieuse et silencieuse, je me replongeai dans mon devoir d'anglais et Enry sortit un livre de son sac, un roman dans une langue étrangère, du danois certainement vu ses racines maternelles.

— Tu sais lire le danois ? m'étonnai-je.

— Oui, j'ai vécu un moment au Danemark avec ma mère quand mes parents ont divorcé. Puis elle s'est remise avec mon père au bout de trois ans, et nous sommes retournés en France.

— Ah, OK.

Je me rendis compte que je ne savais pas grand-chose de la famille d'Enry. Nous n'en parlions jamais. Plutôt de littérature, de théâtre, de séries télé, de cinéma. Mais de nos vies privées, jamais.

Le silence retomba entre nous.

Tout en écrivant de la main droite, machinalement, je frottai la paume de ma main gauche sur mon jean. Je finis par m'en rendre compte et cessai aussitôt mon mouvement. Ça faisait longtemps que cela ne m'était pas arrivé. En fronçant les sourcils, j'observai mes grains de beauté et soupirai de soulagement : il y en avait toujours dix. Ils ne s'étaient pas multipliés depuis près d'un mois, maintenant.

— Un problème avec ta main ? demanda Enry.

— Non, ça me démange, c'est tout.

Exactement comme l'avait fait Eidan quelques semaines auparavant, il attrapa mon poignet de ses longs doigts forts. Mais là, point de brûlure ou de sensation bizarre. Il observa ma paume, mes grains de beauté un long moment.

— Il n'y a rien, je t'ai dit, le pressai-je en tentant de me dégager.

Mais il serra plus fort pour m'empêcher de m'échapper.

Son regard remonta vers mon visage. Je remarquai aussitôt sa mâchoire crispée, ses yeux assombris par quelque chose que je ne parvenais pas à comprendre.

Il me fixa un instant, qui me parut durer longtemps, car j'avais l'impression, soudain, que le lumineux, le souriant Enry que je connaissais s'était mué en un être plus sombre, plus inquiétant.

— Enry ? Qu'y a-t-il ?

D'un coup, ses traits se modifièrent et je retrouvai mon camarade de cours. Ses yeux s'éclairèrent de nouveau et un large sourire fendit son visage.

— Tu as des grains de beauté sur la paume de la main, m'annonça-t-il comme si je ne l'avais jamais remarqué.

— Merci, je suis au courant, répliquai-je en tentant encore une fois de me dégager, mais il ne me lâcha pas.

— C'est rare, continua-t-il.

— Peut-être, je n'en sais rien, je n'y ai jamais prêté attention.

Je commençai à me sentir mal à l'aise. Ma paume me démangeait de plus en plus, il fallait que je la gratte.

Je tortillai mon poignet dans tous les sens pour essayer encore une fois de lui faire lâcher prise.

— Tu devrais… faire attention, je veux dire, murmura Enry. Tu connais le jeu où l'on doit relier entre eux les points numérotés, pour faire apparaître un dessin ? enchaîna-t-il d'une voix claire et amusée.

— Mais de quoi tu parles ? Laisse-moi, s'il te plaît, tu me fais mal.

— Mais si, le jeu… Attends, je te montre.

Et, sans lâcher mon bras, de sa main libre, il farfouilla dans son sac pour en tirer un marqueur noir.

— Regarde.

Il coinça le bouchon entre ses dents et se mit à dessiner sur ma main. À cet instant, la démangeaison se transforma en brûlure. Ma paume se changeait en un feu incandescent, exactement comme ce fameux dimanche où le père de Garance était venu me voir. Il devenait urgent que j'arrache ma peau, que j'ôte cette sensation d'être calcinée de l'intérieur.

Malgré tout, je demeurai complètement immobile, pétrifiée, le cœur battant la chamade, sans trop savoir pourquoi.

— Voilà..., souffla Enry en libérant enfin mon poignet.

Il avait relié mes grains de beauté entre eux par un trait de marqueur. Et le dessin formé représentait une sorte de symbole : « æ ».

— Qu'est-ce que c'est ?

Je savais exactement ce que c'était, j'avais déjà écrit « curriculum vitæ » dans ma vie, mais je n'avais pu m'empêcher de poser la question.

— Un graphème qu'on utilise souvent en danois. C'est un « e dans l'a », ou encore « a e liés ».

— A e liés, répétai-je bêtement.

— C'est joli, hein ?

Il avait l'air très content de lui.

— Euh, oui, on peut dire ça. Tu as une certaine imagination, lui fis-je remarquer.

— Voir le merveilleux dans l'ordinaire, Anaïa, c'est ce qui nous permet de comprendre le sens de nos rêves...

Je sursautai à ces mots. Que savait-il de mes rêves ? J'allais lui poser la question, mais il se leva d'un coup en fourrant son roman dans son sac à dos.

— Mon cours va commencer. Si tu es encore là tout à l'heure, je te ramène, OK ?

— D'accord, c'est gentil, répondis-je d'un air absent, encore perturbée par ses paroles.

Là-dessus, il s'éclipsa entre deux rangées d'étagères.

Ma main me démangeait toujours autant, mais je n'osais plus la gratter. Je contemplai le « æ » qu'Enry avait dessiné dans le creux de ma paume.

En soupirant je m'emparai de mon téléphone pour vérifier que personne ne m'avait appelée. J'avais pris soin de le mettre en mode silencieux en pénétrant dans la bibliothèque. Toujours rien. Mes parents s'étaient perdus dans les allées du Brico-rama ou quoi ?

Je tentai de me concentrer sur la fin de mon devoir d'anglais, sans succès. Au final, je me retrouvai à griffonner des centaines de « æ » dans la marge de ma feuille, la tête vide.

— Anaïa ? Tu n'es pas encore partie ?

Je sursautai. Perdue dans mes pensées, je ne l'avais pas entendu arriver.

— Eidan ? Qu'est-ce que tu fais là ?

— Yvan m'a appelé pour me parler de notre prochaine répétition. Il m'a raconté que Garance était malade et avait dû partir plus tôt. Je me suis demandé si tu avais trouvé un moyen de rentrer chez toi.

— Tu... tu es revenu exprès pour ça ? demandai-je d'une voix stupéfaite.

Il haussa les épaules avant de s'asseoir près de moi, là où se trouvait Enry quelques minutes avant.

— J'ai bien fait, non ?

Je baissai la tête et rougis.

— C'est gentil, mais il ne fallait pas.

En fait, si, il fallait. Après l'attitude étrange d'Enry, j'étais plutôt soulagée de ne pas m'enfermer avec lui dans sa voiture. Ce devait être la première fois que je me retrouvais sincèrement contente de voir Eidan.

— On rentre, alors ? demanda-t-il.

— On rentre.

Je me dépêchai de remettre toutes mes affaires dans mon sac. À un moment, Eidan remarqua ma main, couverte de noir.

À son tour, il saisit mon poignet. Décidément, c'était la mode aujourd'hui. Dès que ses doigts se posèrent sur ma peau, je ressentis cette chaleur remonter le long de mon bras, envahir mon cou, mon visage, mon ventre. C'était toutefois moins violent que la dernière fois.

— Qu'est-ce que c'est que ça ?

Il déplia mon poing et ses yeux s'élargirent quand il découvrit le dessin fait par Enry.

D'une voix devenue blanche, il répéta :

— Qu'est-ce que c'est que ça ?

— C'est... c'est Enry qui s'est amusé à jouer à « relie les points entre eux », murmurai-je, très intimidée par sa réaction.

— « Relie les points entre eux » ? Comment a-t-il osé...

Les yeux d'Eidan se plissèrent, jusqu'à devenir deux fentes semblant aspirer toute la lumière qui nous entourait. Je le sentis trembler, il serra plus fort mon poignet.

Il marmonna des paroles que je ne parvins pas à saisir.

— Eidan, que se passe-t-il ? C'était juste un jeu ! C'est un « e dans l'a », rien de plus !

De la pointe de son index, il repassa sur le « æ », suivant ses contours très lentement, et aussitôt la démangeaison cessa. Je relevai mon visage vers lui en un geste sec. Il me fixait avec intensité, comme s'il tentait de lire dans mes pensées, de deviner ce que j'avais dans la tête, puis, d'un seul coup, la tension retomba, sans que je comprenne ce qui avait entraîné ce changement d'humeur brutal.

— Il ne se passe rien, Anaïa. Rien du tout. Excuse-moi si j'ai pu te faire peur. Viens, je te raccompagne.

Sans me lâcher, il se leva et je fus entraînée derrière lui. En silence, nous traversâmes la bibliothèque pour gagner le parking sur lequel se déversaient des litres d'eau glacée. Je m'arrêtai et obligeai Eidan à faire de même pour mettre ma capuche, puis nous repartîmes côte à côte sous la pluie battante. Lui ne portait pas de manteau, juste une veste légère. Ses cheveux furent rapidement trempés, dégoulinant sur son front, dans son cou. Son T-shirt commençait à coller à son torse. Toujours silencieux, il déverrouilla sa voiture, le coupé cabriolet, et m'ouvrit galamment la portière.

Je grimpai à bord, effrayée d'abîmer le cuir des sièges avec mes vêtements humides, plutôt intimidée par ce bolide de luxe. Mais je me rassurai en le voyant monter à son tour du côté du conducteur, encore plus trempé que moi. Il ôta sa veste gorgée d'eau, la jeta sur la banquette arrière, repoussa ses cheveux de ses deux mains et mit le contact.

Aussitôt, la musique s'écoula des enceintes réparties dans l'habitacle. Du piano, doux, mélancolique, envahit l'espace sec, rassurant, de la voiture.

— Chopin, *Nocturne n° 20*, annonça Eidan en sortant du parking.

— Tu écoutes du classique aussi ?

— Beaucoup, beaucoup de classique. C'est par là que j'ai commencé.

— Tu joues du piano ?

Il fit oui de la tête.

Nous écoutâmes le morceau dans un silence confortable. Je ne voyais pas le paysage, l'eau cognait sur la vitre près de moi, dessinant des rigoles troubles qui capturaient et diffractaient les lumières blanches et rouges des phares des autres véhicules. Il faisait maintenant chaud à l'intérieur, et Eidan conduisait bien, avec souplesse, calme.

Je sentis mon téléphone vibrer dans ma poche.

Papa. Il était temps !

— Anaïa, je suis désolé ! Je viens de trouver ton message ! s'exclama-t-il.

J'entendais bien qu'il était dans sa voiture, branché sur le kit mains libres.

— C'est pas grave, papa, j'ai trouvé quelqu'un pour me ramener, je suis en route pour la maison.

— Ah, tant mieux, tu me rassures. On est restés plus longtemps que prévu là-bas. Ta mère et moi n'arrivions pas à nous mettre d'accord sur le choix du parquet des chambres.

Je me mordillai la lèvre inférieure pour m'empêcher de rire. Depuis qu'ils s'étaient mis en tête de faire ces chambres d'hôte, ils n'étaient jamais d'accord sur rien.

— Et c'est bon, pas de divorce en vue ? Vous avez trouvé un compromis ?

— Oui, j'ai décidé de faire plaisir à ta mère.

— Tu es un mari admirable !

— Vas-y, moque-toi de moi.

— Et vous n'avez pas eu l'idée d'installer un jacuzzi dans ma salle de bains, par hasard ? le taquinai-je encore.

— Si tu montres un peu plus de respect envers ton père, j'y réfléchirai. Allez, ma puce, je te laisse, on se retrouve à la maison.

— Bisous, papa.

Je raccrochai.

— Tu aimes les jacuzzis ? demanda aussitôt Eidan qui, visiblement, ne s'était pas gêné pour écouter ma conversation.

Je soupirai en m'enfonçant contre le dossier moelleux.

— Un grand fantasme. À Paris on n'avait pas la place, mais je me dis qu'ici, on a des mètres carrés à revendre, alors je tente de convaincre mon père.

— J'en ai un chez moi, si ça te tente, un jour. Quand il fera vraiment froid, et que tu auras besoin de te réchauffer.

Pas besoin de jacuzzi pour faire monter la chaleur dans mon cou et sur mes joues aux paroles d'Eidan. Je me trompais peut-être, mais il me sembla qu'il ne me parlait pas seulement d'eau bouillonnante, là…

Je baissai la tête en laissant mes cheveux humides retomber sur le côté, afin de lui cacher ma gêne. Mais il dut comprendre car il enchaîna aussitôt.

— Tu habites où ?

En relevant mon visage vers la route, je me demandai pourquoi il m'avait posé la question, nous étions presque arrivés et, visiblement, il avait su quel chemin prendre jusqu'ici. Je lui donnai toutefois mon adresse.

Il contourna le dernier rond-point, remonta la petite route de cailloux détrempée, les nids-de-poule tout inondés de profondes flaques boueuses. Les arbres, pins, chênes, sycomores, peupliers, continuaient à se balancer furieusement dans le vent.

Nous étions parvenus devant la grille du mas.

— Merci, dis-je en me tournant enfin vers lui.

— Pas de quoi, je ne voulais pas te laisser seule avec ce temps.

Je rougis encore.

Il se pencha vers moi, son visage passa tout près du mien, mon cœur eut un raté dans ma poitrine parce que je crus qu'il allait m'embrasser, comme ça, mais il se concentra sur la boîte à gants et en sortit un paquet de feuilles.

— Tiens, c'est pour toi.

— Qu'est-ce que c'est ?

Il attendit que je les prenne en main pour me répondre.

— Les partitions de violoncelle de « Breathe Me » de Sia, et de « Dumb » de Nirvana, pour commencer. On répète ce week-end chez Vince et Yvan. Tu viendras ?

Je soupirai d'embarras.

— Eidan… Je n'ai jamais dit que je viendrais jouer avec vous.

— Tu as dit que tu y réfléchirais, me rappela-t-il d'une voix persuasive.

— Ça ne veut pas dire oui.

— Disons que j'ai réfléchi pour toi. Écoute les chansons, travaille les morceaux. Si tu acceptes, je viendrai te chercher et je te raccompagnerai, tu n'as rien à craindre.

Je me tournai vers l'arrière de son coupé.

— Il n'y aura pas de place pour caser mon violoncelle dans ta voiture.

Il se pencha encore, mais cette fois ses lèvres effleurèrent ma joue, tout près de mon oreille. Un long frisson parcourut ma peau, hérissant tous les petits poils dans mon dos, sur ma nuque.

— J'en ai une autre. Une grosse. Je suis certain qu'elle te satisfera.

Il se recula, un sourire narquois aux lèvres.

Mon ventre s'était noué à ces mots et je me sentis devenir encore plus pivoine que tout à l'heure, si c'était possible. Je détestais ce type. D'un geste rageur, je fourrai les partitions dans ma poche et ouvris la portière. Une bourrasque de vent souleva mes cheveux, les entortilla, ils claquèrent sur le visage d'Eidan qui en attrapa une mèche et la caressa entre ses longs doigts fins. Pendant un dixième de seconde, ses yeux parurent devenir tout noirs. Pas de blanc, de l'obscurité partout.

— Cette couleur…, murmura-t-il.

L'instant d'après, ses prunelles étaient normales, j'avais dû rêver.

Je ramassai mon sac, sortis de la voiture, laissant les trombes d'eau couler sur ma tête, dans mon cou, me tremper de nouveau en quelques secondes.

— Merci d'avoir réfléchi pour moi, Eidan, déclamai-je d'une voix que j'espérais sèche et détachée. Je vais tâcher de penser un peu par moi-même, et je te dirai si mes réflexions m'ont menée quelque part.

Sans un mot de plus, je claquai la portière et tournai le dos à la voiture pour rentrer chez moi.

Une fois dans ma chambre, je me permis de crier tout haut ce que je pensais.

— Abruti !

Arsène, qui dormait roulé en boule sur mon lit, sursauta. Je lui tirai la langue et entrepris de me changer avant d'exploser une dernière fois.

— Abruti à jacuzzi !

Anaïa Heche > Garance Dambë
Il y a 10 minutes
Tu vas mieux ma bichette ? Je pense à toi.
J'aime • Commenter • Voir les liens d'amitié

Garance Dambë
Ça va, je te remercie. J'ai une bonne rhino-pharyngite, rien de grave. Je m'en suis voulu de t'avoir laissée rentrer toute seule. Tu n'as pas attendu le bus trop longtemps, sous la pluie ?

Anaïa Heche
Non, ne t'en fais pas. Eidan m'a raccompagnée.

Garance Dambë
Ah, tant mieux ! Tu es montée dans sa belle caisse de beau gosse ?

Anaïa Heche
Oui, dans sa voiture de frimeur, tu veux dire !

Juliette Couette Couette
C'est qui Eidan ?

11.

Maintenant que je savais que Garance ne dormait pas, je l'appelai aussitôt.

— Alors, c'était comment, le voyage, miss ? Tu ne vas plus vouloir monter dans mon pot de yaourt ! me dit-elle d'emblée en décrochant.

— N'importe quoi. C'était un trajet tout ce qu'il y a de plus banal. Il pleuvait, il écoutait du Chopin, il m'a redemandé de jouer du violoncelle dans son groupe et m'a mis les partitions de force dans les mains.

Moi-même, j'entendais l'exaspération dans ma voix.

— Et alors, tu vas dire oui ?

Elle éternua.

— Excuse-moi, ajouta-t-elle.

— À tes souhaits. Non, je ne vais pas jouer ! Je ne lui avais jamais dit que je comptais le faire.

— Dommage. J'aurais bien aimé t'écouter comme ça, dans un groupe.

Ah non, elle n'allait pas s'y mettre, elle aussi. Mais je ne répliquai pas ; après tout, elle était malade.

— Ça ne me dit rien. Je n'ai joué que du classique. C'est pour ça que je fais du violoncelle. Pas pour faire mon intéressante dans un groupe de rock.

— Justement, tu devrais tenter autre chose. Je pense qu'Eidan est très sincère.

— Et alors ?

— Et alors ? Anaïa, tu es aveugle ou quoi ? Tu as vu comme il est canon ? Comme il te regarde tout le temps ? Il ne te lâche pas des yeux, on dirait qu'il te surveille, prêt à intervenir au moindre problème. Il a craqué pour toi.

Je ne répondis pas tout de suite. Eidan, canon ? Je tentai de le considérer un moment sous cet angle. Rien à faire, je n'y arrivais pas. Oui, il avait de beaux traits, mais… Quand je tentais de me le figurer, c'était comme si son visage m'échappait. Alors que j'arrivais encore très bien à faire surgir de ma mémoire, dans le moindre détail, ceux de Simon et de Juliette que je n'avais pas vus depuis trois mois, je ne parvenais pas à me souvenir de celui d'Eidan que j'avais quitté quarante minutes plus tôt. Voilà qui était curieux !

— Tu es là ? demanda Garance entre deux reniflements.

— Oui, oui. Tu ne le trouves pas bizarre, toi ?

— Non. Il est renfermé, et mélancolique, mais pas bizarre.

Je me tus encore un moment. Pourquoi est-ce que moi je le trouvais vraiment étrange ? Puis je rebondis sur un détail que j'avais du mal à accepter.

— Tu crois réellement qu'Eidan a craqué pour moi ?

Garance s'esclaffa en toussant.

— Ma poule, il n'y a que toi qui ne t'en es pas rendu compte. Écoute, je ne veux te forcer à rien, c'est toi qui décides, mais tu devrais écouter les chansons qu'il t'a proposées. Si ça se trouve, ça va te plaire. Détends-toi un peu ! Il est peut-être temps d'être moins... classique ?

Moins classique. Je ne savais pas être moins classique ! En soupirant je capitulai, juste un peu.

— Bon, d'accord, je vais étudier la question. Je te laisse, Garance. Repose-toi bien. Et ne t'en fais pas pour demain, mon père m'accompagnera, d'accord ? Tu te reposes et tu me reviens en forme.

— Merci. Je vais aller dormir un peu. Fais attention à toi aussi et ne te prends pas la tête.

Après avoir raccroché, j'allumai mon ordinateur et me connectai tout de suite sur YouTube. Garance avait peut-être raison, je me stressais pour rien. Mais Eidan avait le don de me faire perdre tous mes moyens, et c'est le genre de situation que j'avais tendance à fuir. Dans le moteur de recherche, je tapai le titre de la chanson de Sia, « Breathe me ». Je l'écoutai d'abord en version album. Du piano, un soupir… Et une voix de femme suave, envoûtante, à la fois pure et rauque… Très vite, je me laissai porter par la mélodie, qui glissait autour de moi comme une couverture chaude, douce. Je ne sais pas pourquoi, mais au bout de quelques mesures, des larmes commencèrent à piquer mes paupières. Il y avait une telle intensité dans le chant… Puis les cordes vinrent se joindre au piano, à la batterie. C'était tout simplement bouleversant. Et malgré moi, je remerciai Eidan de m'avoir fait découvrir ce morceau, cette artiste inconnue dans mon répertoire jusqu'ici. Comment avais-je pu passer à côté d'un tel bijou ? La raison était toutefois très simple : j'étais très classique. Trop, certainement. J'écoutais Mozart, Schubert, Rachmaninov, et le reste, quasiment pas.

La toute fin de la chanson était une partie instrumentale, vibrante dans la pénombre de ma chambre. J'entendais très distinctement le violoncelle soutenir les autres musiciens.

Encore sous le choc de cette révélation, je m'empressai d'écouter la même chanson en live. Sia avait donné un concert au Bataclan à Paris et je regrettai de ne pas avoir entendu parler d'elle plus tôt. Je serai allée la voir, sans aucun doute. Elle était seule devant son micro, accompagnée par le piano et le violoncelle, puis la batterie venait se mêler à la mélodie après le silence tendu d'un frisson du public. Sa voix, même sur scène, avait la même chaleur, la même douleur, la même charge émotionnelle, soutenue ainsi par mon instrument fétiche. Je sentis qu'une larme roulait sur ma joue.

Ouch	« Aïe,
I have lost myself again	je me suis encore perdue
Lost myself	Perdue moi-même
and I am nowhere,	et je ne suis nulle part
to be found,	où me trouver
Yeah I think that	Oui, je pense que
I might break	je vais me briser
Lost myself again and	Perdue de nouveau et
I feel unsafe	je ne me sens pas en sécurité
Be my friend	Sois mon ami
Hold me, wrap me up	Serre-moi, enveloppe-moi
Unfold me	Déplie-moi
I am small	Je suis petite
And needy	Et j'en ai besoin
Warm me up	Réchauffe-moi
And breathe me[1]	Et respire-moi »

« *Be my friend.* »

Est-ce que je devais lire des messages cachés dans les paroles des chansons qu'Eidan choisissait ? « Sois mon amie. » Je chassai cette pensée. Seul le temps serait capable de faire de nous des amis. Mais

---

1. « Breathe Me », Sia, 2004 (album *Color the Small One*).

pour cela, il faudrait que je me sente plus à l'aise avec lui. Beaucoup plus à l'aise. Pour le moment, il me pétrifiait.

Je mordillai ma lèvre inférieure en écoutant les dernières notes mourir dans mes enceintes. Cette chanson était un véritable coup de foudre. Fébrilement, je dépliai les partitions qu'Eidan m'avait confiées et les lissai du plat de la main. Je déchiffrai rapidement la ligne de violoncelle. Cela ne semblait pas très difficile. Alors, prise de frénésie, je sortis mon instrument de sa housse, posai les feuilles sur le pupitre et, après avoir tendu le crin de mon archet, je me mis à jouer les notes langoureuses de la mélodie.

C'était joli, mais sans le piano, la batterie et le chant, cela perdait de son sens.

Je remis la vidéo du live en route et tentai cette fois de jouer par-dessus l'enregistrement. Sur ses partitions, Eidan avait transposé le morceau une tierce plus bas, certainement pour s'accorder à sa voix. Je remontai le tout de trois tons mentalement afin de coller à l'original. Tout de suite, je me sentis envahie par un sentiment de joie. C'était magnifique. Je sus alors qu'Eidan avait raison. J'avais envie de jouer cette chanson avec le groupe, j'avais envie de ressentir une unité, une communion d'émotions avec les autres musiciens.

Est-ce que je devais lui être reconnaissante, ou lui en vouloir d'avoir su avant moi ce que j'aimerais ? Cela n'avait guère d'importance.

Je reposai mon archet et étouffai un rire en découvrant qu'il avait noté son numéro de téléphone en bas de la page. Il ne doutait de rien !

Battue à plate couture, je saisis mon iPhone et l'appelai tout de suite. Ce n'était pas la peine de tergiverser...

Après cinq sonneries, je tombai sur sa boîte vocale – il était peut-être dans son jacuzzi – et laissai un message.

— Salut Eidan, c'est Anaïa. Je suis désolée d'être partie comme ça tout à l'heure, c'était très puéril de ma part. Je te remercie encore d'être revenu à la fac uniquement pour me ramener chez moi, tu es trop gentil. Je viens d'écouter la chanson de Sia et j'avoue que j'ai adoré. Je suis d'accord pour la jouer avec vous, donc tu peux compter sur moi pour la répétition de samedi. Rappelle-moi pour me donner l'heure... Bonne soirée.

Quand je raccrochai, le silence me parut assourdissant. Immobile au milieu de ma chambre, je tentai de définir ce qui avait changé et trouvai la réponse : la pluie avait cessé, son staccato interminable ne frappait plus ni le toit ni les vitres. Je dévalai les escaliers pour gagner la terrasse. Rody me suivit en haletant et nous sortîmes dans l'air froid de la nuit tombante. Il ne pleuvait plus du tout. Seules quelques gouttes encore accrochées aux arbres scintillaient dans la lumière du soir.

Les nuages se dispersaient, poussés par le vent. Par endroits on pouvait voir de rares étoiles clignoter très loin. J'inspirai à pleins poumons l'air piquant saturé d'humidité.

Rody aboya, me tirant de ma rêverie.

— Qu'y a-t-il, Bestiole ? Papa et maman arrivent ?

Je guettai le bruit du moteur de la voiture de mon père, mais le silence régnait autour du mas. Pourtant, Rody grondait toujours. Une de ses pattes avant grattait la pierre furieusement.

Je fis quelques pas, cherchant l'origine de l'énervement du chien miniature qui s'avança près de moi.

Soudain, je le vis, l'oiseau noir perché sur un pin, éclairé seulement par la lumière dorée du salon qui parvenait faiblement jusqu'à lui. La branche prisonnière de ses serres ployait sous son poids. Il était vraiment magnifique, majestueux, avec son bec recourbé, son cou gracieux, ses plumes aussi ténébreuses que ses yeux ronds qui me fixaient. Rody se mit à courir vers l'arbre en jappant comme un fou furieux. Dérangé, l'aigle immense écarta ses ailes puissantes, poussa un cri qui résonna loin dans la nuit et s'envola presque silencieusement. Le rameau sur lequel il se trouvait remonta, libéré de sa masse, et projeta les gouttes de pluie jusque-là retenues par les aiguilles, arrosant Rody qui revint vers moi en couinant.

Je m'accroupis et tapotai sa tête trempée pour le rassurer.

— Ça t'apprendra à t'attaquer à plus grand que toi, microchien ! Quand tu sauras voler, on en reparlera !

Je le saisis sous le ventre pour le faire rentrer dans la maison, refermai la porte-fenêtre derrière moi, le séchai avec un torchon et le reposai dans son panier.

— Mais tu as raison, Rody, c'est la deuxième fois qu'on voit un aigle aussi immense près de la maison. J'ai oublié de regarder, la première fois, si c'était une espèce fréquente dans la région.

Je remontai alors dans ma chambre, retrouvai mon ordinateur et entamai mes recherches sur les familles d'oiseaux peuplant le Var. Pour accompagner mon enquête, j'écoutai d'autres chansons de Sia.

Après de longues et minutieuses explorations sur tout un tas de sites traitant du sujet, j'en arrivai à la conclusion qu'il existait bien des espèces d'aigles et de faucons dans les parages, mais aucune aussi gigantesque… Que pouvait bien faire un oiseau pareil dans le coin ? S'était-il perdu ?

Et pourquoi traînait-il autour du mas, semblant nous observer ?

Enry Thor > Anaïa Heche
Il y a 30 minutes
Merci de m'avoir accepté comme ami !
Maintenant, comme le dieu du Ton-
nerre est content, l'orage est passé, le
soleil est revenu ! ;-)
J'aime • Commenter • Voir les liens
d'amitié

Anaïa Heche
Ha ha ha ! Coucou Thor, bienvenue sur
ma page. Et merci pour le beau temps,
je commençais à moisir, avec toute
cette humidité !

Garance Dambë
Coucou Enry ! Je t'ai envoyé une
demande aussi, tu veux bien être mon
ami ?

Enry Thor
Mais oui, Garance, je vais pas te laisser
toute seule comme ça !

Garance Dambë
Super ! Bon, je suis encore malade,
alors je sèche le théâtre aujourd'hui.
Vous penserez à moi ?

Juliette Couette Couette
OMG ! Les filles, vous connaissez Chris
Hemsworth ! Je suis jalouse !

Anaïa Heche
@Juliette, c'est pas pour rien qu'Enry m'a
fait penser à Thor, je t'avais dit que
c'était son sosie ! @Garance repose-toi
encore, je te raconterai ce qu'on a fait
aujourd'hui.

Enry Thor
@Juliette merci miss pour la compa-
raison, elle est très flatteuse. Je ne
vais plus me sentir, sur les planches,
tout à l'heure !

12.

— Aujourd'hui, nous allons commencer à travailler des scènes qui sont en rapport avec les cours que vous suivez avec mon collègue, c'est-à-dire les différentes formes de folie au théâtre. Je veux vous voir devenir folles ou fous. Fous d'amour, de douleur, de joie...

Je jetai un coup d'œil désespéré à Maha, assise à côté de moi aujourd'hui. Il n'y avait qu'au théâtre qu'elle n'était pas avec son copain – qui l'accaparait tout le temps – car il se trouvait dans un autre groupe. Ce cours était le seul moment où je pouvais profiter un peu de sa présence. Sous une épaisse couche de timidité, j'avais découvert une personnalité drôle, chaleureuse, et on était devenues amies au fil des semaines.

— Je sens que ça va être chaud, murmura-t-elle en faisant de gros yeux.

J'acquiesçai silencieusement. Si l'étude théorique de la folie s'avérait un sujet passionnant assise sur un banc de l'amphithéâtre, j'étais moins enthousiaste à l'idée de devoir l'incarner devant un public. Heureusement que Marc avait attendu qu'on se connaisse un peu plus avant de nous imposer un tel exercice.

Silencieusement, je priai pour ne pas passer aujourd'hui. Je l'espérais vraiment très fort. Jusqu'à ce que j'entende mon prénom. Je fermai les yeux en suppliant le destin pour que Marc change d'avis – ça lui arrivait parfois quand une autre idée lui traversait l'esprit – mais hélas, il le répéta.

— Anaïa, on ne t'a pas vue sur scène la semaine dernière, tu nous manques, ajouta-t-il.

Le sourire crispé que je lui rendis devait ressembler à une grimace tandis que je me levai de mon fauteuil.

— Bonne chance, me souffla Maha.

Je montai sur les planches, les épaules affaissées. Marc se tourna vers le public afin de déterminer la matinée de quel autre élève il allait gâcher.

— Tiens, Eidan, tu n'as jamais joué avec Anaïa, n'est-ce pas ? Je suis curieux de vous voir ensemble.

Cela se confirmait, ce n'était décidément pas ma journée. Monter sur scène pour incarner la folie quelle qu'elle soit, avec Eidan en prime, c'était juste mon pire cauchemar qui se réalisait.

Eidan grimpa les quelques marches qui menaient à l'estrade et m'adressa un sourire rassurant. Je tentai, tant bien que mal, de le lui rendre.

— Très bien, voici un texte que j'ai écrit, c'est le passage de l'une de mes pièces, qui correspond exactement au thème de la jalousie que je voudrais vous voir aborder. Je vous laisse quelques minutes pour le lire. En attendant, je voudrais revoir le sketch joué la semaine dernière par Laurent et Maha, qui était intéressant à plusieurs titres.

Marc nous donna quelques pages imprimées et photocopiées, puis Eidan et moi nous éclipsâmes dans les coulisses.

— J'ai eu ton message, hier soir, dit-il, alors que nous entrions dans une loge où se trouvait un canapé. Je suis content que tu aies changé d'avis.

— On dirait que tu savais déjà que la chanson de Sia allait me faire fondre.

Il me fit un clin d'œil.

— Je te connais...

— Ça m'étonnerait !

Il redevint sérieux.

— Crois-moi, je te connais... mieux que tu ne le penses.

Non, il ne me connaissait pas, mais comme je n'avais pas envie de polémiquer plus que nécessaire, je laissai tomber le sujet pour lire le dialogue que nous avions à préparer et je blêmis. Nous devions jouer des amants, Eva et Christian. Je découvrais qu'il m'avait trompée, je hurlais, il tentait de se défendre. Ma journée était de plus en plus pourrie, j'aurais dû faire comme Garance et me faire porter pâle. Enfin... Trop tard maintenant pour reculer.

— Bon..., commença Eidan, après avoir lui aussi découvert notre mission. J'aurais préféré étudier la folie de l'amour, ou de l'avarice, plutôt que celle de la jalousie et de la douleur...

— Moi aussi, murmurai-je.

Sa mâchoire paraissait crispée et il avait également perdu ses couleurs. Cela me rassura de voir que le thème le mettait autant mal à l'aise que moi. D'un seul coup, je le trouvai vulnérable, dépouillé de ce côté intimidant qui me faisait perdre tous mes moyens près de lui.

— Ça va aller, ajoutai-je, désireuse soudainement de le rassurer.

Il ne répondit rien.

Nous lûmes nos tirades en silence, le temps pour nous de nous imprégner de la situation que nous allions jouer. Puis, après avoir échangé quelques idées de mise en scène, l'heure vint d'affronter notre public.

Eidan récupéra une chaise qu'il posa au milieu de la scène et s'y assit, en tenant son texte de manière à faire croire qu'il lisait le journal. Les chuchotements du public moururent alors que je me cachais derrière le rideau des coulisses, la veste d'Eidan en main.

Enfin, une fois prête, j'entrai sur scène en brandissant le vêtement à bout de bras.

EVA, *furieuse.* – Que suis-je censée penser ? Tu l'as fait exprès ? Tu cherches à m'humilier, c'est ça ?

CHRISTIAN, *étonné.* – Je ne comprends pas un mot de ce que tu me dis. Tu pourrais être plus claire et cesser de hurler comme une folle ?

EVA. – Arrête de me prendre pour une idiote, Christian. Je retrouve, posée sur notre lit, ta veste avec une marque de rouge à lèvres sur le col. Dans le genre pas discret, et surtout pas original, on ne peut pas mieux faire !

CHRISTIAN. – Mais de quoi parles-tu ?

EVA, *montrant la veste à Christian.* – De ça !

CHRISTIAN. – Eva, je t'assure que je ne sais pas d'où vient cette trace !

Nous continuâmes notre échange ainsi. Je devais devenir folle de rage, de jalousie. Maintenant que j'étais en situation, ma voix se faisait plus forte, grimpait dans les aigus et se mettait à trembler. Je devenais une vraie furie, ce qui ne me ressemblait pas du tout. Eidan, quant à lui, jouait son personnage à la perfection : stupéfaction, incompréhension, tristesse, les émotions qui le traversaient étaient plus vraies que nature. Et c'est là que tout commença à déraper.

CHRISTIAN. – Eva, tu dois me faire confiance, je ne t'ai pas trompée, à aucun moment ! Je ne sais pas d'où vient cette trace.

Eidan lâcha son texte et son visage se déforma, comme submergé par la douleur. Ses yeux s'élargirent, trop noirs, baignés de larmes.

— Je t'aime, tu le sais, je n'aurais jamais fait une chose pareille, tu dois me croire !

Je me figeai, indécise. Ce n'était pas dans le texte. Mais Eidan continuait à parler, il semblait en transe, comme s'il voyait autre chose, une situation qui n'était pas celle de notre scène, mais qui se superposait à la réalité.

— Comment pourrais-je te trahir ? Comment pourrais-je même ressentir du désir pour une autre femme ? Nous sommes prédestinés, nous sommes faits l'un pour l'autre, mon amour, nous ne pouvons pas vivre l'un sans l'autre ! Pourquoi irais-je chercher ce que je ne veux pas ? C'est un piège, tu vois bien que quelqu'un tente de nous séparer ! Ce n'est pas la première fois que cela se produit !

Gênée, je me tournai vers Marc, lui demandant du regard ce que je devais faire. Mais ce dernier observait Eidan avec ravissement. Visiblement, cette digression allait exactement dans le sens de sa quête intérieure : la folie de l'amour, du désespoir.

Je refis face à mon camarade et mon cœur se serra. Ses poings crispés, les bras tendus le long de son corps, la tête baissée, une larme unique roulant sur sa joue. Il était l'image même de la souffrance.

— Eidan..., murmurai-je, espérant l'arracher à ce qui lui faisait si mal.

Il se redressa, me regarda comme si j'étais une apparition, et fit un pas en arrière, telle une bête prise dans la nasse d'un prédateur. Se rendant compte de ce qui venait de se produire, il essuya son visage du revers de sa manche et regarda le public, épouvanté.

— Je... je suis désolé, je ne sais pas ce qui m'a pris...

— Non, Eidan, c'était très bien ! Magnifique ! s'exclama Marc, transporté de délectation.

J'eus envie de lui mettre une claque. Il ne voyait pas qu'Eidan était vraiment bouleversé ? Que ce qui se déroulait allait bien au-delà de la représentation, du jeu et de l'exercice ?

— Je dois prendre l'air, je dois..., bégaya encore Eidan.

Il sauta de la scène et, sans se retourner, courut vers la sortie. La porte claqua derrière lui et l'on entendit les pas de sa course décroître dans le couloir. Immobile, je tenais toujours sa veste dans ma main. J'étais complètement secouée par l'intensité de ce que je venais de vivre.

Marc ne parut pas perturbé par la fuite de son élève et se tourna vers moi, un immense sourire illuminant son visage.

— Bravo, tous les deux, c'était très bien. Vous avez su puiser en vous des sentiments très forts, probablement inconnus pour des personnes aussi jeunes que vous. Mais toi, Anaïa, tu aurais pu utiliser l'émotion de ton partenaire, il ne faut pas hésiter à improviser, à lâcher le texte. Mais c'est déjà très bien. La réaction d'Eidan prouve qu'il est allé chercher des émotions dans sa psyché. Il va se calmer, ne t'en fais pas...

Si, je m'en faisais, justement. Il venait de se dérouler quelque chose de grave, j'en étais sûre. Le cœur battant la chamade, une légère nausée au bord des lèvres, je retournai m'asseoir près de Maha.

— Ça va ? me demanda-t-elle en prenant ma main.

Elle était glacée.

— Je ne sais pas trop. Je...

Encore sous le choc, je demeurai incapable d'en dire davantage. J'éprouvais de la tristesse pour Eidan, de façon inexplicable. Une infinie tristesse.

Marc invita Enry et Sophie à monter sur scène à leur tour. Malgré mes efforts, je ne parvins pas à me concentrer sur ce qu'il leur demandait de faire. En moi grandissait le besoin indicible de partir à la recherche d'Eidan. Comme il n'était toujours pas revenu au bout de dix minutes, je n'y tins plus.

— Maha, je vais voir comment va Eidan. S'il y a des notes à prendre, tu voudras bien m'en faire une copie ?

— Pas de problème, tu peux compter sur moi.

Je hochai la tête en signe de remerciement, rassemblai mes affaires, la veste et le sac d'Eidan et sortis discrètement du théâtre. Je crois que Marc le remarqua, mais il ne dit rien.

Le couloir était désert. Toutefois, j'entendis des notes étouffées de piano qui venaient de plus loin, une mélodie douce et triste. En suivant l'origine du son, j'arrivai en salle de musique. Elle était vide, en dehors d'Eidan, en partie caché derrière un immense piano à queue.

Sans dire un mot, j'allai m'asseoir près de lui, sur le tabouret tapissé de velours pourpre.

Il ne bougea pas, mais ne me demanda pas non plus de le laisser seul, alors je restai là. J'observai ses longs doigts fins, parfaits, caresser les touches noires et blanches, brillantes.

Soudain, je reconnus la série d'accords qu'il jouait. Une chanson que j'avais écoutée en boucle la veille.

— « I'm in Here », de Sia, chuchotai-je.

Il acquiesça avec un léger sourire grave, puis il ôta la pédale de sourdine et les notes éclatèrent dans la salle.

Son épaule effleurait la mienne, en suivant le mouvement de ses bras. J'étais fascinée. Peut-être parce que musicienne moi aussi, j'adorais regarder quelqu'un jouer d'un instrument que je ne maîtrisais pas. Et quand Eidan jouait, on avait l'impression que c'était facile, une telle virtuosité semblait à la portée de n'importe qui. Pour moi, c'était ça, le signe du vrai don.

Soudain, il se mit à fredonner.

I'm in here,
can anybody see me?
Can anybody help?
I'm in here,
a prisoner of History,
Can anybody help?

Can't you hear my call?
Are you coming
to get me now?
I've been waiting for
You to come rescue me.
I need you to hold
All of the sadness
I cannot
Live with inside of me.[1]

« Je suis là,
quelqu'un peut-il me voir ?
Quelqu'un peut-il m'aider ?
Je suis là,
un prisonnier de l'Histoire,
Quelqu'un peut-il m'aider ?

N'entends-tu pas mon appel ?
Viens-tu
me chercher maintenant ?
J'ai tant attendu que
Tu viennes me sauver.
J'ai besoin que tu supportes
Toute la tristesse
que je ne peux contenir
Et qui vit en moi. »

Sa voix rauque allait parfaitement bien avec la tristesse de la chanson et je découvris alors une facette de la personnalité d'Eidan que je n'aurais

------

1. « I'm in Here », Sia, 2010 (album *We Are Born*).

jamais devinée, certainement parce qu'il avait tout fait, jusqu'ici, pour la dissimuler.

Eidan était triste. Immensément mélancolique.

J'attendis qu'il finisse l'appel au secours crié dans la chanson, me demandant s'il avait choisi celle-là par hasard, ou s'il se passait vraiment quelque chose de sérieux dans sa vie, qu'il camouflait derrière une façade de froideur et de distance.

— Tu vas bien ? finis-je par demander.

Il haussa les épaules.

— Ça ira, ne t'en fais pas.

Je savais que c'était faux, mais je n'insistai pas. Nous n'étions pas (pas encore ?) amis, je n'avais aucun droit de lui réclamer des confidences.

— Je n'ai pas compris ce qui s'est passé, tout à l'heure. Tu m'as... tu m'as fait mal au cœur..., murmurai-je en frissonnant encore.

— Alors j'ai réussi à faire passer correctement mes sentiments, Marc devait être content, dit-il d'un ton ironique.

— Il l'était, oui.

Le silence retomba. Eidan fit triller quelques notes aiguës sur le clavier et se tourna vers moi.

— Je suis désolé de t'avoir fait peur. Cette... scène... Cette scène a fait remonter des souvenirs douloureux, certainement les pires de mon existence. Je n'ai pas réussi à me maîtriser.

— Tu as vécu quelque chose de similaire ?

— Oui, il y a longtemps.

— Tu n'es pas si vieux que ça...

Il eut un éclat de rire, teinté de tristesse.

— Oh, Anaïa, si tu savais...

— Je ne sais pas, justement. Tu es tout le temps tellement mystérieux... Hier la chanson disait « Sois mon amie », je veux bien être ton amie Eidan, mais il faut que tu me laisses l'occasion de le devenir.

Doucement, il prit ma main gauche et regarda d'un air songeur la trace laissée par le marqueur d'Enry. Elle s'était estompée sous la douche, mais on voyait encore, grisâtre, le « æ » qui l'avait tant perturbé la veille.

Il se pencha vers moi pour déposer un baiser léger sur ma joue. Mon cœur fit un bond dans ma poitrine et j'eus soudainement envie de pleurer, pour une raison inconnue.

— Merci, Anaïa. J'avais besoin d'aide, j'avais besoin de partager ma tristesse et tu es là, tu n'imagines pas ce que ça représente pour moi. Bientôt... Tu verras, bientôt.

Sans m'expliquer le sens de ses propos, il se leva, récupéra sa veste que j'avais posée entre nous, son sac, puis il quitta la salle sans se retourner. Je restai seule, interdite, un long moment, devant l'instrument de laque noire abandonné.

Finalement, pour briser le silence trop lourd, je posai mes doigts sur les touches et exécutai les premières notes de la *Lettre à Élise,* le seul morceau que je savais jouer au piano. Puis, saisie d'une impulsion, je ramassai également mes affaires et me mis à courir vers la sortie du bâtiment. Mais j'arrivai trop tard. Le coupé d'Eidan filait déjà hors du parking et s'engageait sur la route à grande vitesse.

De retour dans la salle de théâtre, je repris ma place près de Maha.

— Tu l'as retrouvé ? Il va bien ?

Je fis non de la tête, sans lui préciser à quelle question s'appliquait ma réponse.

Une grosse boule de mélancolie m'étouffait et menaçait de me faire fondre en larmes, sans que je comprenne à quoi était due toute cette tristesse.

Anaïa Heche
Il y a 24 minutes
Première répétition de ma vie dans un groupe de rock. J'ai à la fois la trouille et très hâte. On verra ce que ça donne.
J'aime • Commenter

Juliette Couette Couette
J'ai bien lu ? Toi, Anaïa, tu vas jouer du rock ? C'est dément !

Simon Muller
Ouah ! J'adorerais voir ça ! Tu vas faire un concert ?

Anaïa Heche
Si je ne me ridiculise pas, oui, j'imagine qu'il y aura un concert.

Garance Dambë
J'ai hâte de découvrir cette nouvelle facette de ton jeu ! Fais la bise à Eidan, Yvan et Vince pour moi.

Anaïa Heche
Sans faute.

Enry Thor
Tu vas jouer avec Eidan et Yvan ? Tu ne me l'as jamais dit !

Anaïa Heche
Ça ne s'est pas présenté dans la conversation. Allez, je file !

13.

En début d'après-midi, je préparai mon violoncelle et mes partitions avec une fébrilité mêlée de crainte. Et si je me plantais ? Je n'avais fait partie d'aucune formation comme celle-là. J'avais joué seule avec un piano en accompagnement, et aussi dans un orchestre (où je n'avais qu'à me noyer dans la masse des autres instruments), dans un quatuor, mais c'était du classique, une partition écrite, définitive, inchangeable. Dans un groupe de rock, il y avait une grande place réservée à l'improvisation, en fonction de l'ambiance de la salle, de l'humeur du leader du groupe, par exemple. C'est ce qui en faisait toute la beauté, d'ailleurs. Je n'avais jamais eu à improviser, jamais.

Mais je décidai que je n'avais qu'à aller voir sur place comment je m'en sortirais. Et puis, il fallait bien l'avouer, j'avais hâte de retrouver Eidan.

Depuis la séance de théâtre de mercredi, il n'était pas revenu en cours. J'avais tenté de l'appeler plusieurs fois, mais j'étais tombée systématiquement sur sa boîte vocale. Est-ce qu'il allait bien ?

Il m'avait simplement envoyé un texto ce matin pour me dire qu'il viendrait me chercher à 14 heures.

Je descendis avec mon équipement. Maman était en train de peindre ses toiles – l'aquarelle était son hobby et je savais déjà que les clients des chambres d'hôte auraient droit à ses œuvres accrochées au-dessus de leurs lits.

— Tu pars à ta répétition ? me demanda-t-elle en écartant une mèche de cheveux de son front.

— Oui, je ne sais pas à quelle heure je rentrerai, je vous appellerai.

— Pas de problème. Je suis heureuse de voir que tu t'es fait des amis aussi vite, des musiciens qui plus est. Amuse-toi bien.

— Merci, à plus tard.

Je me retrouvai devant la grille du mas, guettant la voiture de mon chauffeur. Elle finit par arriver, mais pas telle que je m'y attendais. Eidan ne m'avait pas menti. Il avait bien un autre véhicule. Un énorme 4 × 4 Lexus, à faire pâlir de jalousie mon père et sa « petite » Mercedes.

Eidan sortit de son monstre pour m'aider à charger mon violoncelle sur les sièges arrière.

— Alors, elle est assez grosse, celle-là ? demanda-t-il avec ce même sourire narquois qui m'agaçait prodigieusement.

Visiblement, il s'était remis de ses émotions, depuis mercredi. Je n'aurais pas dû m'inquiéter autant.

— Ha, ha, ha..., répondis-je sarcastiquement.

Encore une fois, galant, il m'ouvrit la portière et je grimpai, je dis bien « grimpai », du côté passager. J'avais l'impression d'être à bord d'un camion, tant cette voiture était haute.

Cette fois, il écoutait du Rachmaninov, et je trouvai cela curieux, juste avant une répétition de rock.

Après plusieurs minutes de silence, je me décidai enfin à parler.

— Tu as été malade ?

— Non, pourquoi ?

— On ne t'a pas vu, depuis mercredi.

— J'avais des choses à régler.

— Ah.

Silence. Piano.

— On a un concert programmé le week-end de la Toussaint. Si tu te sens de jouer sur scène avec nous..., déclara-t-il, m'arrachant à la contemplation de la route.

— Oh ! Je ne sais pas... J'attends de voir comment ça se passe.

— Je suis sûr que ça ira sans problème. Tu es une virtuose, Anaïa.

— Tu ne m'as jamais entendue jouer.

Un sourire mystérieux étira ses lèvres, comme s'il pensait à une bonne blague qu'il ne voulait pas me faire partager.

Nous arrivâmes rapidement chez Vince et Yvan qui vivaient, en effet, en dehors du village. Eidan s'occupa à la fois de mon violoncelle et de sa guitare, et me conduisit au sous-sol de la maison d'où nous parvenaient déjà des sons de batterie et les notes sourdes d'une basse.

— Hello ! salua Eidan en arrivant, regardez qui j'amène avec moi !

Les frères levèrent la tête dans un mouvement parfaitement synchronisé.

— Oooh ! Anaïa ! Super ! Enfin de la meuf dans ce groupe ! Ça nous manquait.

Je rougis en leur faisant un timide signe de la main.

— Salut les gars.

D'un coup d'œil discret, j'observai la salle de répétition des frères. Une sorte de mousse tapissait les murs, certainement pour insonoriser légèrement les lieux. Par-dessus étaient accrochées des affiches de concert, des photos de chanteurs, de guitaristes.

La batterie d'Yvan était casée dans un angle. En avant, sur le côté, se trouvaient un clavier électronique, des guitares et des basses posées sur leurs trépieds. À l'arrière se devinaient des amplis. Cette ambiance saturée de musique me plut aussitôt, avant même que la moindre note ne soit émise.

Eidan posa mon violoncelle délicatement à côté du clavier, tira une chaise, un pupitre et me fit signe que tout était prêt pour moi. Je le remerciai et déballai mon instrument. J'étais très fière de mon violoncelle. Il n'était pas exceptionnel, mais j'avais économisé des années pour me l'offrir pendant que mes parents payaient la location de l'instrument de mes premiers coups d'archet. Il avait une sonorité magnifique, la table d'harmonie était faite d'épicéa d'une couleur sombre et chaude qui me ravissait.

Les garçons s'installèrent également derrière leurs instruments. Yvan à la batterie, Vincent à la basse, Eidan prit place au clavier.

— On commence par jouer les nouveaux morceaux avec Anaïa, OK ? proposa-t-il.

Les frères acquiescèrent. Mon rythme cardiaque s'accéléra. Très concentrés, nous nous accordâmes avant de laisser régner un temps de silence. J'étais assise presque face à Eidan, en biais par rapport à l'endroit où se situerait le public, car en tant que leader, il donnerait le rythme, indiquerait les pauses, nous mènerait par de simples signes de tête. Je l'observai tandis qu'il gardait les yeux baissés sur son clavier...

Enfin, il posa ses doigts sur les touches et les premières notes de « Breathe Me », sûres, fluides, pareilles à celles de l'album, résonnèrent dans le

sous-sol. Je posai l'archet sur les cordes du violoncelle, positionnai les doigts de ma main gauche sur
le manche, concentrée. Tout mon être était tendu
sur la première note que j'étais prête à faire jaillir.

L'introduction s'acheva, Eidan me fit un signe de
tête, mais je savais déjà que c'était à moi, et je laissai
vibrer mon instrument, accompagnant enfin le pia-
niste sur l'ouverture qui se répétait. Au début, les
notes s'alanguissaient, glissaient sur celles du piano,
plus rapides...

Eidan se rapprocha du micro et se mit à chanter.
Sia était une femme et pourtant la voix basse
d'Eidan cadrait idéalement avec la mélodie, douce,
rauque, vibrante de mélancolie. Il incarnait la chanson à la perfection. À la fin du premier refrain, la
basse et la batterie nous rejoignirent, ajoutant une
dose d'intensité au morceau. Je crois que c'est à ce
moment-là que je sentis les larmes déborder de mes
paupières. C'était un instant parfait, de ceux où
tout s'ajustait, où je me sentais à ma place, même
si, quelques minutes avant, je n'aurais jamais cru
que ma place pût être ici, dans ce sous-sol avec ces
garçons qui n'appartenaient pas au même univers
que le mien. Notre interprétation était simple, sans
fioritures, exactement comme les versions live que
j'avais écoutées sur YouTube, et c'est ce qui donnait
toute la force au morceau.

Je regardais Eidan pris dans son chant, les yeux
baissés sur ses mains, et quand il prononça « Be my

friend », il me regarda lui aussi. Je fus aussitôt happée par les prunelles sombres. Ma gorge s'enfla d'un sanglot. Son visage, empreint de tristesse, la même que celle qui avait déformé ses traits mercredi, me bouleversa de nouveau. C'est à ce moment que je compris ce que Garance voulait dire, quand elle déclarait qu'il était beau, mais d'une beauté différente, singulière, pas le genre qui m'attirait habituellement.

Alors que nous arrivions à la partie instrumentale de la fin, sa voix mourut dans un soupir sur les paroles « *and breathe me* ». Je sentis une larme couler sur ma joue. Je me concentrai du mieux possible sur ma partie, qui s'accélérait, les notes devenaient plus brèves, l'archet rebondissait sur les cordes, je suivais le rythme du piano.

D'un signe de tête, Eidan nous indiqua que ce serait la dernière mesure. Quand les notes laissèrent finalement place au silence, j'étais complètement chamboulée par cette expérience. Les yeux d'Eidan n'avaient plus lâché les miens, et j'avais eu la sensation que son chant avait été comme une caresse, provoquant des frissons sur ma peau, des nœuds dans mon ventre, accélérant mon cœur et mon souffle.

Maintenant que c'était terminé, il me semblait que j'avais couru un deux cents mètres, j'avais la respiration courte, le visage brûlant, et j'étais en nage.

Notre contact se rompit quand Eidan se tourna vers ses amis.

— Pas mal pour une première fois, non ? s'exclama-t-il, la mine réjouie.

Envolées la tristesse, la douleur. Comme si la musique l'avait nettoyé, d'une certaine manière, avait écarté, pour un temps, ce qui rongeait son âme.

— Carrément ! approuva Yvan en donnant un coup de baguette sur une cymbale. C'était dément. Anaïa, le violoncelle, ça change tout. C'est magnifique.

— Ça donne de la profondeur, de l'amplitude à la mélodie, ajouta son frère. On dirait qu'il pleure avec le chant, il accompagne la nostalgie de la chanson.

— Merci, parvins-je à répondre, encore sous le choc de cet échange. J'ai adoré jouer avec vous...

Eidan me fit un sourire radieux. Certainement le plus franc et le plus heureux de tous ceux que je lui avais vus jusqu'ici.

— J'en suis bien content, dit-il. On la refait ? Je pense que maintenant que l'on sait ce que ça peut donner, on a la possibilité de faire encore plus fort. Il faut sonner le public, il faut lui faire vivre un moment de transe, une expérience mystique.

Intérieurement, je me dis que si le public finissait dans le même état que moi, on aurait réussi notre pari.

Le silence retomba, Eidan baissa de nouveau les yeux sur son piano, mon archet était prêt, les notes reprirent...

Nous jouâmes également « Dumb ». Cette fois, Eidan était à la guitare, plus léger, il s'amusait avec les paroles de Kurt Cobain. Sa voix cassée allait parfaitement bien avec le style grunge. Ce garçon était un vrai caméléon. Selon la chanson, le style, l'interprète, il devenait quelqu'un d'autre. Il faisait corps avec la musique, la vivait vraiment, intensément. C'était un spectacle fascinant. Je le buvais du regard, des oreilles, je jouais avec délice, avec un bonheur que je n'aurais pas cru possible après toutes ces années de solfège, de pratique, de formation classique. J'avais l'impression de redécouvrir le violoncelle, la musique et ses émotions.

Dire que, en raison de mes peurs de gamine, j'avais failli passer à côté d'un tel plaisir !

Au moment de la pause, je planais complètement. Comme droguée aux notes, aux accords, au rythme sourd de la basse et à la batterie, j'avais envie qu'on continue à jouer pour toujours.

Mais les garçons voulaient travailler quelques morceaux sans violoncelle, alors je ravalai mon impatience et m'installai dans un vieux fauteuil de tissu marron déglingué, face à eux, pour les écouter.

Ils jouèrent du Téléphone, « La Bombe humaine », du Led Zeppelin, « Heartbreaker », et je me laissai bercer par leur virtuosité. Ils jouaient bien, juste, avec la bonne émotion au bon moment, et ce concert privé fut un véritable régal.

En fin de journée, nous reprîmes les chansons sur lesquelles j'intervenais, puis Eidan me raccompagna à la maison.

— Alors, tu as trouvé ça comment ? me demanda-t-il d'emblée, quand nous fûmes seuls dans la voiture.

Je soupirai et le regardai en biais, en tortillant une mèche de mes cheveux entre mes doigts.

— J'avoue... j'avoue. Tu as eu raison. Et je ne sais pas si je dois te remercier ou te détester pour ça, mais j'ai adoré jouer avec vous. Tu es satisfait ?

D'un mouvement souple du volant, il fit tourner son énorme 4 × 4 sur un petit chemin de terre qui s'enfonçait à travers un champ, perpendiculairement à la nationale. Il s'arrêta là, sous les premières étoiles qui scintillaient dans le lointain, alors qu'un dernier liséré rose frangeait l'horizon nimbé d'un brouillard léger, nous rappelant que la journée avait été radieuse. Mais nous n'en avions rien vu, enfermés dans le studio de répétition.

— Anaïa, il n'y a qu'une seule chose qui me satisfait : ton plaisir. As-tu pris du plaisir à jouer ?

Je hochai la tête, incapable de parler et de le regarder dans les yeux. Mon cœur cognait contre mes côtes, et je me sentais de nouveau toute petite à côté de lui.

— Alors, c'est l'essentiel. Après, déteste-moi si tu veux. Je ne te dirai pas que ça me ferait plaisir, mais je ne suis pas là pour te forcer, ou te mettre mal à l'aise. Bien au contraire, crois-moi...

Malgré moi, mes yeux glissèrent sur son visage. Il me regardait avec attention, dans la pénombre. Encore une fois, il me sembla que ses pupilles trop noires m'aspiraient dans un gouffre effrayant. Si je me laissais tomber, où cela me mènerait-il ? Je n'étais pas sûre de vouloir le découvrir.

Aussi discrètement que possible, je m'autorisai à le détailler autant que la lumière ténue me le permettait. Ses cheveux avaient encore poussé, et une mèche barrait son front, couvrait en partie un œil, reposait sur une pommette saillante, ciselée. Son nez droit, fin, ses joues un peu trop creuses, son menton carré, qu'un soupçon de barbe de fin de journée ombrait légèrement... Il vit que je le scrutais et il me sourit. Un sourire franc qui dévoila des dents très blanches, parfaites, et qui éclaira son visage, apportant même un peu de lumière dans ses iris de nuit.

— Qu'est-ce que tu regardes ? chuchota-t-il, comme s'il ne voulait pas polluer le silence qui berçait l'habitacle de la voiture, à peine troublé par le ronronnement du moteur.

Je rougis et détournai le regard.

— Désolée, ce n'était pas très poli, mais parfois, j'ai l'impression de ne pas réussir à te voir. Tu dois me prendre pour une folle, murmurai-je en tripotant le bas de ma veste.

Il se pencha vers moi, et me dit, très bas, si bas que je ne fus pas sûre d'avoir bien entendu :

— Non, Anaïa, tu n'es pas folle. J'espère qu'un jour tu arriveras à me voir, à me revoir, tel que je suis vraiment...

Il prit ma main gauche et déplia mes doigts afin de dévoiler ma paume.

De la pulpe de son pouce, il caressa le motif qu'Enry avait dessiné. On ne le distinguait quasiment plus, pâle ligne grisâtre qui tardait à s'effacer complètement.

Comme chaque fois, j'eus l'impression qu'une langue de feu remontait dans mon bras, dans mon cou, mes joues, ma poitrine. Cette sensation palpitait un peu plus et ce soir, les flammèches intérieures atteignirent presque mon ventre.

— Comment tu fais ça ? soufflai-je malgré moi.

Il lâcha ma main comme si elle le brûlait aussi et passa la marche arrière avant de saisir le volant fermement, ses articulations presque blanches.

— Je ne fais rien, Anaïa, affirma-t-il les mâchoires contractées.

Il tourna la tête vers l'arrière afin de faire sa manœuvre et de regagner la nationale. En voyant son expression, je sus qu'il ne disait pas la vérité. Toutefois, je savais aussi qu'il ne m'expliquerait rien de plus, alors je m'enfonçai dans mon siège en cuir et n'ajoutai pas un mot.

Eidan alluma son lecteur MP3 pour que la musique meuble l'espace que nos mots occupaient un peu plus tôt.

Je ne connaissais pas la chanson, alors je l'écoutai attentivement, toujours curieuse d'en découvrir plus et toujours étonnée de l'étendue de la culture musicale d'Eidan. Il faudrait peut-être que j'écoute moins de classique et que j'allume MTV de temps en temps...

Everyone	« Chacun
has their obsession	a son obsession
Consuming thoughts,	Pensées ravageuses,
consuming time	temps consumant
They hold high	Ils s'accrochent fort
their prized possession	à ce qu'ils possèdent de cher
It defines the meaning	Cela donne un sens
of their lives	à leur vie
You are mine	Tu es à moi,
You are mine	Tu es à moi
You are mine, all mine	Tu es à moi, tout à moi
You are mine[1]	Tu es à moi »

Encore une fois, je me demandai si le choix des chansons d'Eidan était purement fortuit, mais je décidai que pour celle-ci, la réponse était oui. Je ne

---

1. « You are Mine », Mute Math, 2006 (album *Mutemath*).

voyais même pas comment les paroles que j'entendais pouvaient contenir un message me concernant. Enfin, j'espérais qu'il n'y en avait pas.

Aucun autre mot ne fut prononcé entre nous.

Devant le mas, Eidan coupa le moteur de son monstre et se tourna vers moi.

— Tu voudras faire une autre répétition avec nous ? Participer au concert ?

Cette fois, je n'avais pas besoin de réfléchir, j'avais déjà mis de côté mes réserves quant au caractère mystérieux et dérangeant de mon chauffeur car je mourais d'envie de ressentir de nouveau les émotions qui m'avaient étreinte dans l'après-midi.

— Oui, avec plaisir, affirmai-je.

Son visage s'éclaira. C'était comme si je venais de lui faire le plus beau des cadeaux.

— Super. On joue samedi prochain. La Toussaint va vite arriver, et si on veut être prêts…

— On jouera où ?

— À la Clef de Sol, comme la dernière fois. Ils organisent une contre-soirée d'Halloween. Interdiction de se déguiser et de demander des bonbons.

J'éclatai de rire.

— Très bonne idée. Et puis j'avoue que je ne me voyais pas jouer du violoncelle grimée en Morticia Addams !

— Ce n'est pas le costume que je t'aurais choisi, pas avec les cheveux que tu as.

Et, sans que je m'y attende, il passa une main dans la masse de mes boucles. Son geste était tellement naturel que j'eus l'impression qu'il l'avait fait des centaines de fois, et je me demandai sur la tête de quelle autre fille il s'était entraîné. Quoi qu'il en soit, ce mouvement provoqua un frisson intense qui picota mon cuir chevelu.

— Je dois y aller, dis-je précipitamment en débouclant ma ceinture de sécurité.

Il ôta aussitôt sa main et je ressentis presque un regret à la perte de son contact. Mais je n'étais pas du tout à l'aise. Pas ici, dans le noir, dans la voiture, seule avec lui, avec ses longs doigts de musicien sur ma tête.

— Oui, bien sûr, s'empressa-t-il de répondre.

Il sortit de son 4 × 4 avec souplesse, fit le tour du véhicule et ouvrit la portière de mon côté.

Je sautai avec moins de classe que lui sur les cailloux et la poussière, pendant qu'il récupérait mon violoncelle à l'arrière et me le tendait.

— Merci.

— De rien, Anaïa, merci à toi. C'était vraiment extraordinaire de jouer en ta compagnie, de pouvoir ajouter une dimension émotionnelle à notre musique grâce à la tienne.

— Vous vous débrouillez très bien sans moi, je peux te l'assurer. Vous êtes très bons.

— C'est gentil.

Il se pencha, déposa encore un léger baiser sur ma joue.

— Bonne nuit, Anaïa.

— Bonne nuit, Eidan.

J'ajustai les lanières de la housse de mon instrument sur mes épaules et le saluai d'un petit signe de la main avant de rentrer chez moi.

Une fois la porte de la maison refermée, j'entendis le moteur de sa voiture vrombir dans la nuit et restai immobile jusqu'à ce que je ne perçoive plus rien, à part le son de la télé que mes parents regardaient dans le salon.

Maintenant, je connais le chemin de la tour par cœur. Les feuilles mortes de la forêt sont fraîches sous mes pieds nus, mais cela ne me dérange pas. Je n'ai pas froid.

La tour est là, dans la lumière dorée du soir. Elle a l'air encore plus moussue que la dernière fois, peut-être à cause des journées de pluie.

Du bout des doigts, je caresse la vieille pierre rugueuse. J'ai l'impression qu'elle a un message pour moi, qu'elle pourrait me raconter des milliers de souvenirs.

J'ai besoin de ce contact. Ces briques ancestrales m'apportent du réconfort. Et d'un seul coup, je la vois. La marque. Je ne l'avais jamais distinguée avant, mais ce soir elle me saute aux yeux. Elle est gravée près de l'entrée en arche qui exhale toujours ses parfums d'humus moisi. Un mince trait blanc, peut-être fait au couteau, je ne sais pas.

Un « œ ». C'est impossible !

Mon cœur fait un bond, ma gorge se serre. Je ne veux pas regarder, mais c'est plus fort que moi. J'ouvre la paume de ma main. Mais il fait trop noir, je ne vois rien.

Il faut que je comprenne ! Je me fonds dans les ténèbres encore plus denses, de l'autre côté de la voûte, et descends les escaliers. Peut-être sera-t-il là, peut-être pourra-t-il m'expliquer. La lumière m'accueille, m'entoure, caresse ma peau, apaise les battements dans ma poitrine. Il n'est pas là. Mais, posé contre un mur invisible, il y a un violoncelle. Mon violoncelle. Je sais que c'est le mien, pourtant ce n'est pas le même que celui qui se trouve dans ma chambre. Celui-là est plus ancien, son bois a une couleur extraordinaire, d'un ambré riche, chaleureux. Il est sublime, et je n'ose imaginer la profondeur de ses notes. Pourtant, je l'ai connue, un jour. C'est certain. Je m'approche de l'instrument, j'ai envie de pincer une corde pour l'entendre vibrer.

Mais le voilà qui arrive, sa haute silhouette toujours noyée dans l'éclat aveuglant de la lumière.

— Tu es revenue, chuchote-t-il.

Je fais un pas vers lui.

— Où ?

— Chez toi.

Il pose sa main sur ma joue et j'incline mon visage pour accentuer le contact. Elle est chaude, douce. Je ferme les yeux.

— C'est où, chez moi ?

— Ici, Anaïa, ici.

Alors sa main quitte ma joue, ses bras m'entourent, il me serre contre lui. Je connais son parfum, je connais le battement de ce cœur. Je les connais depuis toujours.

— C'est ici chez toi, Anaïa.

Et d'un seul coup, il n'est plus là, je suis seule dans la clarté, avec le violoncelle.

— Je t'attends, tu sais ? chuchote encore la voix, venant de nulle part et partout à la fois.

Elle résonne dans ma tête.

Je me sens terriblement seule, abandonnée. Mon chez-moi n'est plus là et j'ai envie, non, besoin, terriblement besoin de le retrouver, pour ne plus le quitter.

Je me réveillai encore une fois en sursaut au cœur de la nuit. Il était 3 h 43 m'apprirent les chiffres lumineux de mon réveil. Ma respiration était saccadée, comme si j'avais manqué d'air, j'étais brûlante, et ma main gauche me démangeait de plus belle. J'allumai la lumière et approchai ma paume de la lueur rosée de la lampe à économie d'électricité. La trace d'Enry était presque effacée, je la distinguais à peine, mais plus que tout, je voyais parfaitement bien le onzième grain de beauté qui était apparu exactement sur la faible ligne.

Complétant ainsi le dessin.

J'eus un hoquet de surprise, et de peur aussi. Qui était Enry ? Comment savait-il ? Pourquoi le même motif était-il inscrit sur une pierre de la tour, dans mon rêve ?

En repensant aux images chimériques que je venais de quitter, je portai la main à mon visage pour découvrir que mes joues étaient inondées de larmes. Refoulant des sanglots prêts à remonter dans ma gorge, je les essuyai du bord de la manche de mon pyjama, me levai, farfouillai dans un tiroir de mon bureau pour trouver la pochette de feutres. Fébrilement, je tirai le noir et, avec application, je dessinai de nouveau le « æ » qui s'était complété cette nuit. Je le contemplai un long moment, me demandant pourquoi il était là, ce qu'il voulait dire. Était-ce la clef qui me ramènerait chez moi ?

— Où es-tu, mon chez-moi ? demandai-je à la nuit.

Anaïa Heche
Il y a 48 minutes
Première répétition géniaaaale ! Rendez-vous le 31 octobre à la Clef de Sol pour notre concert. Qui sera là ?
J'aime • Commenter

Garance Dambë
Moiiiiii ! Pas question de louper ça !

Simon Muller
J'adorerais voir ça, Anaïa. Dommage que ce soit aussi loin. J'aurais donné beaucoup pour te voir sur scène.

Enry Thor
Je viendrai aussi, sans faute.

Yvan Renaud
Pas le choix, je serai à la batterie ! ;-)

Nico Heche
Ah mais ça veut dire que tu vas sécher la soirée d'Halloween organisée à la maison ? :-(((

14.

En plus des commentaires de mes amis, un message privé m'attendait sur Facebook. Il venait d'Enry. Qu'avait-il à me dire qui ne pouvait pas attendre que nous nous retrouvions en cours ?

Anaïa,
Je suis soulagé de lire que la répétition s'est bien passée. Je sais que la suite va te paraître étrange, mais s'il te plaît, fais attention. Je n'aime pas Eidan. Ce mec n'est pas net. Tu as vu dans quel état il était au théâtre, mercredi dernier ? Je ne sais pas quel est son problème, mais il ne m'inspire pas du tout confiance et je te conseille de l'éviter. Et après le concert, tu devrais quitter le groupe. Tu es super douée, apparemment, tu trouveras d'autres personnes avec qui jouer. S'il te plaît, crois-moi, Anaïa. Si tu veux, on en reparlera lundi à la fac.

Enry

Il me fallut relire le message trois fois avant d'être certaine d'avoir bien saisi ce que m'écrivait Enry et, surtout, avant de comprendre que ce n'était pas une blague. Il n'y avait aucun smiley, aucun clin d'œil pour atténuer la dureté du ton.

Mon sang ne fit qu'un tour. D'accord, Eidan était bizarre, torturé, et je ne me sentais pas complètement à l'aise avec lui, mais à aucun moment il ne s'était montré incorrect avec moi. S'il y avait bien une chose que je détestais, c'était que quelqu'un me dicte ma conduite. Je ne le tolérais, et encore, que de la part de mes parents, parce qu'ils étaient... mes parents et que cela faisait partie de leur rôle de me prévenir quand quelqu'un leur paraissait infréquentable, mais Enry n'était personne, juste un copain de fac. Il n'avait aucun droit sur moi. Je ne l'avais jamais vu adresser la parole à Eidan, je n'avais jamais vu ce dernier avoir une attitude menaçante envers Enry. Furieuse, je tapai une réponse.

Enry,
Je ne crois pas qu'il soit de ton droit de décider pour moi si je veux continuer à jouer dans le groupe ou pas. Eidan est un peu à côté de ses pompes, je te l'accorde, mais je ne pense pas qu'il soit méchant. Je compte bien en parler avec toi lundi. Je n'aime pas que l'on porte de tels jugements sur les gens, sans se justifier.

Anaïa

Le lundi, quand Garance nous déposa sur le parking du campus, j'étais déjà dehors avant même que le moteur soit coupé. D'un pas décidé, je me dirigeai vers la voiture d'Enry, arrivé quelques secondes après nous. Il eut à peine le temps de mettre un pied sur le bitume craquelé que je me plantais face à lui, mes poings sur les hanches. J'avais l'impression de dégager des étincelles de rage.

— Tu as intérêt à m'expliquer de quel droit tu te prends pour mon père, Enry, crachai-je sans prévenir.

— Oh, salut Anaïa, ça me fait plaisir de te voir aussi, chantonna-t-il avec une pointe d'ironie dans la voix.

— Évite-moi la partie « je suis trop drôle », raillai-je. Je vis ses yeux bleus s'assombrir, sa mâchoire se serrer.

Il verrouilla sa voiture, me prit par le bras et me tira derrière lui, presque brutalement.

— Hé ! protestai-je.

Du coin de l'œil je découvris Garance qui nous observait, une moue déconcertée sur le visage. Je lui fis un signe rassurant, mais je n'en menais pas large. Quelle mouche l'avait piqué ? C'était à moi d'être énervée, pas à lui !

Il me mena ainsi jusqu'à un coin isolé, sous l'escalier de secours du bâtiment principal, sans un mot. Là, il me lâcha enfin et pivota vers moi, les traits figés, sa bouche habituellement souriante changée en un rictus mauvais. Vaguement, j'enregistrai notre environnement : il faisait sombre ici et le sol était jonché de mégots de cigarettes. On pouvait faire mieux dans le genre cosy. Enry commença sans préambule.

— Anaïa, je ne plaisantais pas. Je ne sens pas Eidan. Si j'avais su que tu allais répéter avec lui, je t'en aurais dissuadée dès ce moment-là.

Les yeux plissés, je me retins de l'insulter pour son culot. Il se prenait pour qui, exactement ? Toutefois, j'inspirai longuement, ravalai les mots fleuris qui montaient à mes lèvres, les gardant en stock pour plus tard, le cas échéant.

— Mais pourquoi ? Je ne comprends pas – ouah ! J'avais réussi à conserver une voix calme ! – Eidan n'est pas méchant. Il est juste... euh... super bizarre. Tu sais, Enry, je n'ai aucun conseil ou ordre à recevoir de toi. Je n'aime pas qu'on me dise ce que je dois faire et encore moins de la part de quelqu'un qui est juste un bon copain. Donc je vais continuer à voir Eidan, à jouer dans son groupe si je veux et si tu n'es pas content, eh bien... je n'en ai strictement rien à faire.

Je ne savais pas pourquoi j'avais besoin de défendre Eidan subitement, alors que jusqu'ici j'avais toujours été très impressionnée par lui, et que j'avais presque tout fait pour l'éviter pendant des semaines. Depuis samedi, quelque chose avait changé. Je n'arrivais pas encore à nommer ce lien qui venait juste de se nouer timidement entre nous, mais il était là. Eidan avait dévoilé sa fragilité, sa douceur, sa passion ; autant de facettes de sa personnalité qui l'avaient rendu plus humain, plus « normal ». Troublée, je repensais à sa main dans mes cheveux et à Garance qui affirmait qu'il s'intéressait à moi. D'un seul coup, la lumière se fit dans mon esprit. Est-ce que, par hasard, Enry serait jaloux ? Est-ce que lui aussi était amoureux de moi ? Cela pourrait expliquer son attitude envers Eidan... Ah, les garçons et leurs histoires de territoires ! J'eus envie de rire, de demander à Enry si c'était la raison de sa mise en garde, mais je n'en eus pas l'occasion. Il saisit ma main gauche et eut un sourire sinistre en constatant que j'avais redessiné la ligne du « æ » sur ma paume.

— Tu ne sais rien, n'est-ce pas ?

— Que suis-je censée savoir ?

Ils m'énervaient tous, à prendre mon poignet et à regarder mes grains de beauté comme si j'étais une créature bizarre venue d'un autre monde.

— Tu n'as pas le début d'une idée ?

Je soupirai, profondément agacée maintenant.

— Non, et ce n'est pas avec tes questions cryptiques que je vais comprendre quoi que ce soit. Que tentes-tu de me dire ?

Il plongea son regard très bleu dans le mien, et je me retrouvai comme hypnotisée, incapable de me dégager de ses pupilles rétractées, alors qu'il faisait sombre, dans le coin. Un début de malaise m'envahit. J'eus, l'espace de quelques secondes, l'impression de me souvenir de quelque chose. Mais l'image s'échappa au moment même où elle apparaissait. Je tentai de me raccrocher, en vain, aux lambeaux de sensations. Un parfum de fleurs, peut-être... comment en être sûre ? Au bout d'un moment qui me sembla très long, il détourna ses yeux et haussa les épaules.

— Rien, Anaïa, rien du tout. Je n'ai rien à te dire. C'est à toi de comprendre. En attendant, je te répète mon conseil : tiens-toi éloignée d'Eidan.

— Tu le connais si bien que ça ? Vas-y, raconte-moi, c'est quoi son problème ? Et le tien ? Si tu arrives à me convaincre, je resterai à distance. Mais en attendant...

— Tu ne veux pas me croire, grinça Enry entre ses dents.

— Tant que tu ne m'expliqueras rien, je ne te croirai pas, Enry. Tout ce que tu me dis n'a aucun sens. Alors aussi longtemps que ce sera le cas, je fais ce que je veux, avec qui je veux, compris ? Tu n'es ni mon mec, ni mon père, ni ma conscience. Je te remercie de te soucier de moi, mais je suis certaine que tout va aller très bien.

— Tu ne veux pas me croire, répéta-t-il.

Il commençait sérieusement à me porter sur les nerfs.

Agacé, il passa une main dans ses cheveux blonds pour les ramener en arrière.

— Je trouverai un autre moyen, murmura-t-il tellement bas que je n'étais pas sûre d'avoir bien compris.

— Quoi ? demandai-je.

— Rien, rien.

D'un coup, tous ses traits se détendirent, il me fit un sourire radieux.

— Tu as un sacré caractère, toi, non ?

J'écarquillai les yeux. Il était bipolaire ou quoi ? Ses changements d'humeur me faisaient presque peur. C'était peut-être de lui que je devais me méfier, finalement.

— Oui ? Et ? répondis-je d'une voix lente.

— Rien... juste... rien, oublie...

Il éclata de rire. Un rire qui me mit de nouveau mal à l'aise.

— Allez, c'est l'heure d'aller en cours, annonça-t-il en regardant sa montre.

C'est en silence que nous nous rendîmes dans le grand amphi et je retrouvai avec bonheur Garance qui m'attendait devant l'entrée, réclamant visiblement une explication.

Enry ne s'assit pas à côté de moi, à mon grand soulagement. J'avais besoin de prendre un peu de recul par rapport à ses étranges déclarations. Par contre, Eidan se glissa sur le banc juste devant nous.

— Salut les filles, nous lança-t-il avec un geste de la main gauche.

— Salut Eidan, répondit Garance. Il paraît que c'était bien, la répétition ?

— Si c'est ce que l'on t'a rapporté, je ne peux que m'en réjouir et confirmer.

Il se tourna vers moi et me fit un clin d'œil. Je lui rendis un large sourire. Non, décidément, Eidan n'avait rien de dangereux et je le trouvais presque charmant, depuis quelques jours. Sentant qu'on m'observait, je jetai un coup d'œil sur le côté et remarquai Enry, un peu plus loin, qui nous fixait, la mine sombre.

Avant que le cours ne démarre, j'eus droit à l'inquisition garancienne.

— Que se passe-t-il avec Enry ? demanda-t-elle à voix basse, soudain sérieuse.

Je perçus le mouvement d'Eidan, devant, son dos se raidit, sa tête se tourna légèrement comme pour tendre l'oreille vers nous.

— Plus tard, OK ? Dans la voiture, tout à l'heure.

Elle hocha la tête en me scrutant, espérant certainement voir apparaître sur mon visage, comme par magie, la réponse à ses questions.

— Bon, alors explique-moi, déclara mon amie au moment même où elle démarrait son moteur.

En soupirant, je lui relatai les derniers événements, le message d'Enry sur Facebook, le dialogue bizarre que nous avions échangé un peu plus tôt. Toutefois, j'omis les détails concernant le « æ » sur ma paume, qui semblait perturber tant de monde. Je n'étais pas encore bien sûre d'avoir envie de parler de ce phénomène.

Elle m'écouta sans dire un mot, mais ses yeux s'élargirent au fur et à mesure que j'avançais dans mon récit.

— Il est jaloux, finit-elle par affirmer, rejoignant la conclusion à laquelle j'étais parvenue un peu plus tôt.

— C'est ce que je me suis dit aussi, approuvai-je, mais quand même, c'est trop bizarre, non ? S'il s'intéresse vraiment à moi, il peut m'inviter à prendre un verre, il peut être un peu plus entreprenant. Pour le moment, il s'est toujours comporté comme un bon copain.

— Il n'ose peut-être pas ? Ou alors il croit que tu t'intéresses à Eidan ?

Je réfléchis quelques instants.

— Et ses phrases sibyllines ? Je dois comprendre quoi ?

— Ce qu'il ressent pour toi ? suggéra Garance après un silence concentré.

Je m'esclaffai malgré moi.

— Je ne sais pas pourquoi, mais Enry ne m'apparaît pas très clairement comme un Roméo énamouré.

— Va savoir... En tout cas, tu fais des ravages, Eidan qui est à fond sur toi, Enry qui te drague à sa drôle de manière...

— Mouais... Tout ça, ce ne sont que tes interprétations personnelles, conclus-je toujours pas convaincue par l'intérêt étrange des deux garçons pour moi.

Je me plongeai dans mes pensées, cherchant à démêler le vrai du faux, sans succès.

Le reste de la semaine se déroula à peu près dans la même ambiance. Enry se fit plus discret, il ne vint plus s'asseoir près de moi dans l'amphi, se contentant de me saluer de loin. Cela m'arrangeait bien à vrai dire, parce que je ne me sentais plus tout à fait à l'aise avec lui. Je remarquai toutefois qu'il était devenu l'ami de Juliette sur Facebook et je me demandai si c'était lui qui l'avait invitée ou elle qui avait fait cette démarche.

Eidan, de son côté, semblait un peu plus ouvert, moins triste, et imperceptiblement je me sentais de plus en plus naturelle en sa compagnie. Cela confirmait ce que j'avais ressenti après la répétition. Rien ne paraissait donc devoir bouleverser ma petite vie quotidienne. Jusqu'au vendredi soir.

Après un dîner avec mes parents, je montai dans ma chambre pour commencer un devoir à rendre en littérature comparée, mais avant, je vérifiai mes messages sur mon Gmail. Je souris en constatant que Simon m'avait écrit. Cela faisait longtemps que nous n'avions pas pris la peine de vraiment parler. Je n'avais jamais tenté de le rappeler, toujours saisie par cette curieuse timidité que je mettais sur le compte de la distance. Lui non plus n'avait fait aucun effort pour prendre de mes nouvelles en direct. Notre communication se limitait à nos commentaires sur Facebook, mais je savais qu'avec sa prépa, il n'avait presque pas de temps pour lui. C'est pourquoi j'ouvris son message avec impatience. Qu'allait-il me raconter ? Est-ce que ses mots permettraient de renouer notre lien distendu, de retrouver cette complicité qui me manquait ?

De : Simon
À : Anaïa
Sujet : I miss you
21 h 14

Ma douce Anaïa,
Comment vas-tu dans ton lointain pays d'oliviers et de lavande ? Je suis désolé de ne pas avoir été très présent, ces derniers jours, mais je pense que tu as deviné que mon travail me prenait tout mon temps. Sache que cela ne m'empêche pas de penser à toi. Et depuis quelques jours, je pense de plus en plus à toi. Je crois que c'est quand tu as parlé du concert que tu allais donner, j'ai alors réalisé que j'aurais fait n'importe quoi pour y assister, que j'avais envie... besoin de te revoir. Tu me

manques, Anaïa. Tu vois, c'est bête, pendant des mois je t'ai vue tous les jours ou presque, et je n'ai pas réalisé à quel point...

Et maintenant que tu es loin, que je ne peux pas profiter de ton sourire... je me rends compte combien je t'aime.

J'imagine que tu dois halluciner en lisant ces mots, mais je ne peux pas les garder pour moi plus longtemps. Cela fait une semaine que je me demande si je vais te le dire ou pas. Ce soir, je craque et je me décide enfin. Voilà, Anaïa, je t'aime. J'ai envie de te serrer contre moi, de sentir tes lèvres contre les miennes, de passer du temps en ta compagnie, de te voir sur scène à ton concert...

S'il te plaît, ne m'en veux pas de t'envoyer cette déclaration. Tu n'es pas obligée de répondre... J'avais juste besoin de poser par écrit ce que j'avais sur le cœur...

Je t'embrasse très fort,

Simon

Je ne sais pas exactement combien de temps je restai hébétée devant mon écran, les yeux dans le vague. Simon m'écrivait qu'il m'aimait ! Simon, si magnifique, si brillant, si... parfait ! Mon fantasme, celui dont j'avais rêvé deux ans de suite, celui qui me motivait pour me lever le matin, parce que je savais que j'allais le voir au lycée. Simon...

Après avoir fermé et ouvert ma bouche plusieurs fois comme un poisson dans un bocal, je me décidai à relire le message pour m'assurer que ce n'était pas une plaisanterie. L'alcool ? On était vendredi soir, il était peut-être sorti faire la bringue avec ses

copains. Mais non, son style était limpide, posé...
Pas du tout les mots d'un type bourré.

Je tendis les mains vers le clavier pour rédiger une
réponse... et les laissai retomber sur le bureau,
l'esprit vide. Que lui écrire ?

Il y a quelques semaines à peine, j'aurais hurlé
de joie, je l'aurais appelé pour lui dire que je
l'aimais aussi, que je prenais tout de suite un billet
de train pour Paris, afin de me jeter dans ses bras
dès demain. Mais là, ce soir, à la mi-octobre, alors
que ma nouvelle vie s'installait, je ne savais plus
quoi répondre. Comment expliquer cette réti-
cence ? Cette hésitation ?

Pour me convaincre que Simon était bel et bien
l'homme de ma vie, j'ouvris, sur l'ordinateur, l'album
de photos de mes derniers jours à Paris. J'avais
immortalisé les ultimes heures passées avec mes
amis. Juliette et Simon, bien sûr, et tous les autres
qui avaient marqué mon départ par une merveilleuse soirée où l'on s'était amusés comme des
fous. En souriant au souvenir de ces moments, face
aux visages hilares de mes amis, je ressentis une
petite pointe de manque.

J'avais réussi à faire un portrait en gros plan de
Simon, qui figurait sur mon pêle-mêle, mais sur un
écran, il existait la fonction zoom, bien pratique
pour la mission qui m'animait. Une fois la photo
agrandie au maximum, son visage envahit tout
l'espace de mon ordi et je retrouvai aussitôt ses

yeux bleus pailletés d'éclats dorés, son sourire éclatant, son visage aux traits si parfaits que c'en était douloureux. Oui, il était beau, divinement beau. Mais là, en détaillant la forme de son visage, la façon dont ses cheveux châtains retombaient sur son front, je n'avais pas de pincement au cœur, pas de vague de désir dans le creux des entrailles. Il était... beau, et cela ne me suffisait pas. Ou ne me suffisait plus ? Est-ce que c'était pour ça que je n'avais pas réellement tenté de renouer notre lien ?

Mes doigts se mirent à tambouriner nerveusement sur mon bureau. Que m'arrivait-il ? J'avais rêvé d'une telle déclaration pendant si longtemps et maintenant qu'elle arrivait, je ne savais pas quoi faire. Peut-être étais-je tout bêtement sous le choc.

Ma première réaction normale fut d'appeler Juliette. Je tombai directement sur sa boîte vocale. Elle était peut-être au cinéma...

Je lui laissai un message.

— Juliette, je viens de recevoir un mail de Simon, il faut *ab-so-lu-ment* que je te parle. Rappelle-moi vite ! Bisous.

Comme je ne pouvais pas travailler sur ma dissertation ou aller me coucher sans parler à quelqu'un après une telle soirée, ma deuxième réaction normale fut d'appeler Garance qui, heureusement, décrocha tout de suite.

Je lui débitai mon histoire d'une traite et elle m'écouta sans m'interrompre.

Elle demeura silencieuse un moment, puis finit par répondre :

— Eidan, Enry, Simon, eh ben, Anaïa...

Je levai les yeux au ciel tout en sachant qu'elle ne pouvait pas me voir. J'allais lui répondre vertement, mais elle enchaîna :

— Tu n'as pas l'air si heureuse que ça de recevoir ce mail.

Je me laissai tomber sur mon lit (je lui avais tout raconté en arpentant ma chambre comme un fauve en cage).

— Non, et c'est ça qui me fait peur ! Garance, je l'aime tellement... Enfin, je l'ai tellement aimé... Je ne sais plus... Tu crois qu'on peut arrêter d'aimer quelqu'un comme ça, en quelques semaines ?

Au moment où je prononçais ces mots, j'eus l'impression qu'un gouffre s'ouvrait sous mes pieds. J'avais passé les deux dernières années à vivre au rythme de ces sentiments : analyser ses paroles, ses regards, décortiquer nos conversations avec Juliette pour savoir s'il y aurait, un jour, la moindre chance qu'il me considère autrement que comme une amie. Toute ma vie tournait autour de lui, de ses yeux, son sourire, sa voix. Et d'un seul coup, j'avais l'impression qu'il n'était plus là, ni dans ma tête ni dans mon cœur. Même en l'y cherchant, je ne le trouvais plus, et cela créait un vide étourdissant. Garance continua son analyse.

— Je ne pense pas que la question soit : est-ce qu'on peut arrêter d'aimer quelqu'un aussi vite, mais : est-ce que tu l'as vraiment aimé ? Je veux dire... Est-ce que ce n'était pas juste une image ? Si tu étais si folle de lui, pourquoi n'as-tu rien fait pour qu'il le sache avant, quand tu le voyais tous les jours ?

Incapable de répondre à sa question, je restai silencieuse, le regard perdu dans le vague.

Au bout d'un moment, Garance s'inquiéta.

— Anaïa, tu es là ?

— Oui, oui, je réfléchis à ce que tu m'as dit.

— Et alors ?

— Je ne peux pas te répondre, Garance, je suis complètement larguée là. J'étais persuadée de l'aimer sincèrement, tu sais. Je ne crois pas m'être leurrée à ce point-là mais...

— Mais quoi ?

— Tu vas me prendre pour une folle.

Ma gorge se serra à ce moment-là. Je ressentis de nouveau cette tristesse, ce manque. Est-ce que je pouvais lui raconter ce qui rongeait mon âme depuis des semaines ? Allait-elle se moquer de moi ? Je décidai de lui faire confiance. Ce soir, alors que dans ma chambre le froid s'insinuait, j'avais besoin de partager cette obsession avec quelqu'un, je ne pouvais plus en porter le poids toute seule.

— Dis toujours, me pressa-t-elle.

— Garance, depuis plusieurs nuits, je rêve que je rencontre quelqu'un. Je descends dans les tréfonds d'une tour en ruine. Là, il y a un homme dont je ne distingue pas le visage, parce qu'il n'est qu'une ombre dans la lumière. Il me serre contre lui, il est heureux de me retrouver, il me dit que je suis revenue. Et quand je suis dans ses bras...

Je laissai flotter mes paroles, incapable de continuer. L'émotion me submergea et j'inspirai à pleins poumons pour empêcher les larmes de déborder de mes paupières.

— Quand tu es dans ses bras ? demanda Garance très doucement.

D'une voix tremblante, je répondis dans un souffle.

— Je l'aime, Garance. Je sais que je l'aime de toutes mes forces. Et quand je me réveille, il me manque, horriblement, comme si je n'étais pas complète.

Un sanglot m'interrompit. Je le ravalai et conclus d'une voix hachée.

— Tu te rends compte ? Je suis amoureuse d'un mec imaginaire, d'un battement de cœur contre ma joue, d'une voix qui a l'air de m'adorer, qui caresse tous mes sens...

Je laissai échapper un rire mêlé de larmes et d'ironie. Garance devait s'esclaffer intérieurement en m'écoutant divaguer ainsi. Mais elle ne rit pas ; au contraire, elle insista.

— Comment est sa voix ? C'est celle de Simon ?

Bonne question. Je ne me l'étais jamais posée. Je réfléchis quelques instants, tentant de me rappeler le timbre de l'homme qui me serrait contre lui et qui arrivait, par ce simple geste, à m'attacher à lui plus sûrement qu'à aucun autre.

— Non, je ne crois pas. Je ne la reconnais pas. Il murmure dans ma tête, il ne me parle pas directement. La voix est douce, basse, mais ce n'est qu'un chuchotement. Et puis, je crois que d'une certaine manière, je l'oublie quand je me réveille.

— Bon, il ne te reste plus qu'à retrouver à qui appartient cette voix et tu sauras.

Toujours pragmatique, Garance.

— Si c'était aussi simple... S'il n'existait pas ? Si j'étais amoureuse d'une sorte de... d'ami imaginaire ? Une création de mon esprit ?

— Et cette tour où vous vous retrouvez, tu la connais ? Elle existe, elle ?

Encore une question que je ne m'étais jamais posée. Je retournai en arrière dans mon rêve, visualisai la vieille ruine... Mes poumons se vidèrent d'un coup, alors que mes yeux s'écarquillaient. La tour... Je n'avais pas fait attention à elle, trop bouleversée chaque fois par la silhouette qui m'enveloppait et me parlait. La tour !

— Garance, elle existe, la tour ! Elle est tout au bout de la propriété de mes grands-parents ! Enfin, de chez moi, quoi. J'y suis allée une fois, quand j'étais petite, avec mes cousins, mais elle nous avait fait peur, parce qu'on croyait qu'elle était hantée, alors on était partis en courant ! Je l'avais complètement oubliée ! Comment ai-je pu l'oublier ?

— Alors voilà ! Tu as un début de piste. Il faut que tu retrouves cette tour. Elle te donnera peut-être une indication sur l'identité de ton amoureux chimérique.

Je m'étais relevée pour recommencer à arpenter ma chambre. J'avais bien fait de parler à Garance. Son côté terre à terre, sa logique implacable m'avaient permis d'avancer sur le mystère de mes rêves bien plus que je ne l'avais fait toute seule depuis mes premières visions.

— Demain matin, je vais la visiter, assénai-je d'une voix ferme, un peu trop forte. Avant qu'Eidan vienne me chercher.

— Tu répètes encore demain ?

Je souris dans le vide.

— Oui. J'ai hâte d'y être. J'espère que ce sera aussi intense que la semaine dernière.

— Je suis certaine que oui. Tu me raconteras.

— Ça marche, je t'appellerai pour te dire si j'ai retrouvé la tour et si quelqu'un m'attendait à l'intérieur !

Quand je raccrochai, je me sentais un tout petit plus sereine et je décidai de ne pas répondre tout de suite à Simon. Il fallait que je mette mes idées au clair, que je fasse le tri dans mes émotions.

Je tentai de rappeler Juliette, sans succès. Comme je savais que je serais incapable de travailler après la valse des sentiments que je venais de traverser, je décidai plutôt de sortir mon violoncelle.

Dès que la corde de *do*, la plus grave, résonna contre ma poitrine, je me sentis apaisée. Alors, pour me vider la tête, je laissai courir mon archet, et fis jaillir les premières notes d'un morceau tout à fait à propos : *Après un rêve*, de Fauré. La mélodie douce et nostalgique enveloppa le silence de ma chambre et finit de diluer mes pensées troublées.

Anaïa Heche
Il y a 12 minutes
Bonne journée tout le monde ! Je vais
faire une balade en forêt !
J'aime • Commenter

Juliette Couette Couette
Bonne journée Anaïa ! Pas de balade
pour moi, mais manucure et coiffeur.

Anaïa Heche
Ouais et tu pourrais me rappeler aussi,
je t'ai laissé un message !

Juliette Couette Couette
Miiiiince ! J'ai perdu mon chargeur,
Anaïa, et mon téléphone est à plat. Tu
voulais me dire quoi ?

Anaïa Heche
Pas par écrit, ce serait trop long. Quand
tu auras récupéré ton chargeur, appelle-
moi.

Juliette Couette Couette
Sans faute !

15.

La pinède était pleine de fantômes, les ombres de souvenirs de mon passé, de moi, courant, riant, jouant, seule ou avec mes cousins. Les arbres sur lesquels j'avais grimpé, la rivière et ses têtards, ses grenouilles, qui nous échappaient malgré nos tactiques de chasseurs. Les buissons dans lesquels demeuraient des restes de cabanes qui avaient abrité nos confidences ou nos histoires de princesses et de chevaliers.

Je m'étais à peine enfoncée dans la forêt que tout me revenait en mémoire. Je souris seule, alors que j'arpentais les sentes à peine visibles, que je connaissais pourtant par cœur. Les feuilles mortes et les aiguilles de pin desséchées craquaient sous les semelles de mes baskets. Plus jeune, je marchais pieds nus, mais là, il faisait trop froid. Avant de se dégager, le ciel matinal restait longuement étouffé par un brouillard givrant qui recouvrait le paysage d'une chape glacée que même le soleil de la journée ne parvenait pas à atténuer. L'automne arrivait, maintenant. Je n'avais jamais passé d'automne ici. Je ne connaissais la pinède qu'en été, avec ses parfums et sa lumière.

Mes pas me guidèrent en avant malgré moi. Si j'avais cru oublier le chemin, il était en réalité demeuré gravé dans mon inconscient et bientôt j'arrivai à l'arbre tordu que je devais contourner pour parvenir à la tour. Je ne savais pas ce qui avait pu provoquer une telle distorsion de ses branches noueuses, qui semblaient vouloir s'enchevêtrer totalement les unes dans les autres. On pouvait tout aussi bien y voir une forme cauchemardesque qu'un symbole d'amour fusionnel. Cela dépendait de votre état d'esprit... Plus je m'enfonçais dans l'intrication des troncs, des fourrés, des ombres, plus mon cœur s'accélérait dans ma poitrine. Je sentais mon sang battre contre mes tempes et l'anxiété faisait courir dans le bout de mes doigts des milliers de picotements. Qu'allai-je découvrir là-bas ? Y avait-il même seulement quelque chose à découvrir ?

Mes interrogations furent de courte durée car, au détour d'une clairière, elle apparut, fidèle en tous points à mes rêves.

Les pierres ancestrales usées par le temps, irrégulières, étaient couvertes de lichen et de mousse. Des insectes y avaient installé leurs refuges, ainsi que les racines d'un lierre dont les crochets se rivaient aux parois en ruine. L'ouverture en arc de cercle me faisait face, noire, intimidante. Mais je devais ignorer ses exhalaisons froides, moisies. Car tout en bas m'attendait peut-être la lumière et le « chez-moi » que je désirais tant retrouver.

Avant d'oser passer sous la voûte, j'inspectai la brique de mon rêve, celle qui se trouvait sur le côté de la porte. Elle était recouverte de racines de lierre et de quelques feuilles mortes encore attachées aux filaments grimpants. Je les écartai, la main tremblante.

Et je me figeai.

Tout mon sang semblait avoir migré vers mes pieds, et coulé dans la terre fraîche, alors que ma tête bourdonnait.

Elle était là.

L'inscription.

Le « æ ».

Gravée dans la pierre.

Du bout du doigt, je traçai le contour de l'inscription, très précautionneusement, comme si un phénomène étrange était susceptible de se déclencher à ce simple contact. Rien ne se produisit. Je sentis juste la rainure arrondie sous la pulpe de mon index. Enfin, en ouvrant lentement ma main gauche, serrée nerveusement en un poing, j'osai regarder dans ma paume. Je savais bien évidemment que mes grains de beauté n'auraient pas disparu depuis la veille, ni le trait de feutre noir qui était encore visible, bien que délavé. Le même « æ » que celui de la pierre. Pourquoi ? Que voulait dire ce symbole ? Quel était son secret ? Pourquoi est-ce que j'avais ces grains de beauté sur ma peau, et pourquoi y en avait-il de plus en plus, traçant lentement, semaine, après semaine, ce dessin ?

Enry. Enry savait, c'était lui qui, en premier, l'avait fait apparaître dans le creux de ma main. Fébrilement, je sortis mon téléphone de la poche de mon blouson et le ranimai. Il y avait tout juste une barre de réseau. Je composai son numéro, la gorge nouée. Au bout de cinq sonneries, je tombai sur son répondeur.

Je décidai de laisser un message, la respiration saccadée, comme si je venais de courir un marathon.

— Enry, c'est Anaïa. Il faut absolument qu'on se parle, il faut que tu me dises comment tu savais que mes grains de beauté forment un « e dans l'a ». C'est important, Enry. Tu me caches quelque chose, j'ai besoin de savoir.

Et je raccrochai. Ma tête tournait, le sol se dérobait sous mes pieds. Je fermai les yeux et tentai de respirer lentement, profondément, le dos appuyé contre les pierres fraîches de la tour. L'espace de quelques secondes, je me demandai si je n'allais pas rentrer à la maison, pour essayer d'oublier tout cela. Au moins pour un temps. Je n'étais pas prête, Eidan avait raison. Je n'étais pas prête. À quoi exactement ? Je n'en avais aucune idée. Finalement, le tangage se calma suffisamment pour que je rouvre mes paupières et que je décide que non, je n'abandonnerais pas, que j'irais au bout de ma mission : pénétrer dans la tour, découvrir ce qui m'attendait dans ses entrailles. Me détachant du mur d'un coup d'épaule, je fis face de nouveau à son ouverture arquée. Inspirant une grande et longue goulée d'air, j'osai un pas en avant. Puis un second, et enfin, je me retrouvai dans l'antre de mon inconscient.

Il faisait aussi noir que dans mes rêves, mais dans la réalité j'avais tout prévu et je sortis fébrilement une lampe torche de mon sac à dos. Son faisceau blanc éclaira aussitôt le début d'un escalier... qui ne descendait pas. Il montait.

Curieusement, j'en fus presque déçue. Pourquoi est-ce que je rêvais que je m'enfonçais dans le ventre de la ruine ?

Du pinceau de lumière, je parcourus la paroi, à la recherche d'autres marches, mais en vain. Bon, il allait donc falloir que je monte. Rassemblant mon courage, j'entamai mon ascension, précautionneusement. Les marches étaient usées et glissantes, aussi, de la main qui ne tenait pas la lampe, je m'appuyai contre le mur.

Je n'eus pas à monter très haut pour en atteindre le sommet. Une porte moisie se dressait devant moi et il me fallut seulement la pousser pour qu'elle s'effondre quasiment à mes pieds, à peine soutenue par un dernier gond. La lumière du jour m'éblouit aussitôt. Le ciel, d'un bleu intense, s'étalait dans toutes les directions. Je fis quelques pas sur le faîte du donjon. Son parapet avait dû être crénelé jadis, mais ce n'était plus le cas aujourd'hui. La tour surplombait à peine la ramure de la forêt et je pouvais apercevoir le panache de fumée blanche s'échappant de la cheminée du mas à quelques centaines de mètres de là.

Désappointée, je restai immobile un instant. Rien de tout cela ne ressemblait à mon rêve. Certes, la ruine existait, le symbole « æ » était bien gravé dans la pierre à l'entrée, mais c'étaient les seuls points communs avec mes songes. Point de descente, de lumière blanche, de silhouette qui m'attendait, de voix qui parlait dans ma tête. Je fis un tour rapide du cercle de pierres pourries, soulevant du bout du pied quelques cailloux, espérant trouver quelque chose caché dessous. Rien. Ce n'était qu'une antiquité sans intérêt.

Je soupirai, ne sachant plus quoi faire à présent, et tirai mon téléphone de ma poche pour appeler Garance, lui faire part de ma vaine exploration. Mais là, il n'y avait plus du tout de réseau.

Alors que j'allais repartir vers les escaliers, je perçus une ombre au-dessus de moi, qui cacha la lumière en quelques secondes. Elle était venue trop rapidement pour être un nuage. Je levai la tête ; le ciel était

presque entièrement voilé par une silhouette gigantesque tournoyant au-dessus de la tour. Mes yeux
s'écarquillèrent quand je compris ce qui avait provoqué cette semi-obscurité subite. C'était un oiseau
gigantesque. Le genre de créature improbable qui ne
pouvait pas exister. Ma respiration se suspendit, la
bouche béante. Alors que mon cerveau me hurlait
de décamper, mes jambes restèrent paralysées,
comme enfoncées dans la pierre. Mon regard, quant
à lui, ne pouvait se détacher de l'oiseau qui m'apparaissait en contre-jour. Tentant de rationaliser, de
comprendre ce qu'il percevait, mon esprit échafau-
dait, en toile de fond, des scénarios défilant à toute
allure. Évidemment, je pensai tout de suite à l'aigle
immense qui s'était perché près du mas à deux
reprises, mais celui-ci n'était pas un aigle. Pour commencer, il me semblait encore plus grand que le
rapace aperçu dans les pins. Au moins trois fois plus
grand, ce qui paraissait inimaginable. Ses ailes
n'étaient pas faites de plumes, mais d'une épaisse
peau tendue sur d'interminables membres osseux,
aux articulations noueuses. À l'extrémité de sa tête
allongée, un bec fuselé s'ouvrait sur une langue noire
qui se déroulait comme celle d'un serpent. Et sa
queue... Car oui, il avait une queue, qui ressemblait
à celle d'un lézard. C'était impossible. Rien de tel ne
pouvait voler à la surface de la Terre, surtout pas une
créature préhistorique, effrayante, de couleur bronze,
qui piquait droit sur moi !

Mes jambes refusaient toujours de me porter en avant, vers l'escalier salvateur, mais instinctivement, je me laissai tomber sur le sol, recroquevillée sur moi-même, les bras repliés sur ma tête. Je sentis le bec pointu frôler mes cheveux qui se soulevèrent dans le tourbillon d'air provoqué par les ailes immenses de la bête. Elles claquèrent sèchement, et l'espèce d'oiseau poussa un hurlement à glacer le sang.

Je crus ma fin arrivée, mais un bruit, un choc puissant, résonna et je sus que la créature de cauchemar s'écartait car la lumière se fit plus vive. Relevant la tête, malgré la peur qui me tétanisait, je ne parvins pas à retenir le cri de surprise qui s'échappa de mes lèvres. Maintenant, l'aigle noir était là aussi. C'était lui qui avait provoqué ce son mat quand il avait foncé sur la bête, l'éloignant de la tour de plusieurs dizaines de mètres sous l'effet de la puissance de la collision. J'étais sauve, pour le moment tout au moins. Lentement, j'osai me redresser, mon cœur battant furieusement contre mes côtes.

Que se passait-il ici ? Me trouvais-je dans une faille spatio-temporelle ? La tour était-elle un passage vers un autre monde où existaient des oiseaux improbables ?

L'espèce de ptérodactyle poussa un nouveau hurlement qui me fit frissonner des pieds à la tête. L'aigle répondit par un glatissement profond qui résonna contre les arbres et, pendant un moment, je ne pus détacher mes yeux de l'affrontement entre les deux créatures. Il fut bref, mais d'une violence inouïe. Avec des bruits effroyables, les deux oiseaux se percutèrent plusieurs fois, toutes griffes dehors. Les chocs étaient tels que les pierres de la tour tremblèrent sous mes pieds.

Dans une ultime attaque, l'aigle enfonça ses serres acérées dans la poitrine de l'autre et le chargea de coups de bec féroces. Bien qu'il soit plus petit, il finit par prendre le dessus, porté par une sorte de brutalité effrayante. Pourtant, curieusement, je n'avais pas peur de lui. Mentalement, je le remerciai de m'avoir sauvé la vie. Alors que j'étais toujours incapable de bouger, une voix hurla, me faisant sursauter :

— Va-t'en, Anaïa, cours !

Accompagnée du tempo frénétique de mon cœur, je regardai autour de moi pour découvrir qui avait pu parler, mais il n'y avait pas âme qui vive. Et je savais déjà que je ne trouverais personne, car la voix avait résonné dans ma tête, à l'intérieur même de mon crâne.

— Cours, Anaïa, je ne pourrai pas le retenir très longtemps !

Ce fut le signal qui me ranima. Mue par un réflexe de survie, je fis demi-tour et me jetai dans l'escalier. Je n'eus pas besoin d'utiliser la lampe torche pour fuir : la lumière du jour m'éclaira juste assez pour me permettre de dévaler les marches à une allure folle. La forêt me parut soudainement un refuge accueillant. En un vain et dernier essai je tentai d'apercevoir les oiseaux, mais je ne les voyais plus d'ici. Toutefois, j'entendis encore un cri lointain et suraigu.

La voix dans ma tête s'éloigna aussi.

— Va-t'en, Anaïa. Je ne supporterais pas de te perdre encore une fois.

Puis ce fut le silence, dans mon esprit et dans la pinède. Tous les pépiements des « vrais » oiseaux s'étaient tus. Même les branches semblaient paralysées malgré la brise.

Je courus à perdre haleine jusqu'au mas, rassurée d'être masquée par la canopée de la forêt, et c'est seulement quand les premiers arbres fruitiers du verger apparurent à la lisière que la vie reprit ses droits. Le vent se remit à siffler, les oiseaux à chanter, et Rody, les globes oculaires prêts à sortir de leurs orbites, aboya comme un fou, juste devant moi.

À bout de souffle, je me laissai tomber sur la pelouse du jardin. Rody se précipita sur moi et je le serrai contre mon cœur. Malgré sa taille ridicule, j'eus l'impression, à cet instant, qu'il avait le pouvoir de me protéger. Il était réel, normal, rassurant et chassait les visions impossibles qui dansaient encore devant mes yeux.

Il continua à grogner un long moment, le regard rivé dans la direction de la tour, me prouvant que je n'avais pas rêvé, qu'il s'était bien passé quelque chose d'improbable là-bas.

Le temps que mon cœur retrouve un rythme normal, le chien s'était calmé aussi. Mais je ne le lâchai pas pour autant.

— Rody, tu l'as senti aussi, n'est-ce pas ? Tu as senti les oiseaux ? chuchotai-je contre son visage fripé.

Il fit un petit « wouf » que je pris pour une réponse positive.

— Qu'est-ce que c'était ?

Je glissai sur l'herbe, étalée de tout mon long, la Bestiole dans le creux de mon bras, n'osant pas ouvrir les yeux, de peur de voir deux ombres me survoler. Mais Rody n'eut aucune réaction, alors je me permis de faire le point avec moi-même. J'avais vu deux oiseaux géants, deux créatures fantastiques se battre. L'une d'entre elles avait tenté de m'attaquer et l'autre m'avait sauvée. Enfin, c'est ce que j'avais cru comprendre. Il y avait eu une voix dans ma tête. La même que dans mon rêve. Une voix d'homme que je n'arrivais pas à identifier parce qu'elle résonnait d'une manière déformée contre les parois de mon crâne.

Je devenais folle. C'était la seule réponse possible à ces absurdités. Ou bien j'avais rêvé. M'étais-je endormie au sommet de la tour ? Non, les tremblements encore légers qui agitaient Rody me prouvaient que lui aussi avait ressenti le danger. Je n'avais pas imaginé la scène hallucinante.

Je me relevai en chancelant et rentrai chez moi d'un pas incertain. Avant que mes parents ne puissent me demander quoi que ce soit, je remontai dans ma chambre et m'y enfermai, puis m'écroulai sur mon lit, la tête encore pleine du délire que je venais de vivre.

Je soulevai ma main gauche et en observai la paume dans la lumière qui se déversait par la fenêtre, me prouvant que les cauchemars pouvaient avoir lieu même en plein jour ; je gémis en constatant qu'un douzième grain de beauté était apparu. Exactement sur le tracé du « æ », comme les onze précédents.

Anaïa Heche
Il y a 19 minutes

…

J'aime • Commenter

Garance Dambë
Ça veut dire quoi ? J'attends le compte rendu de ton exploration, moi !

Juliette Couette Couette
Anaïa, pas moyen de retrouver mon chargeur, je vais en acheter un nouveau tout à l'heure. Je t'appelle, et tu m'expliques tout, et aussi ce que tu veux dire, là…

16.

*C*ette fois, la tour me fait peur, alors que je me tiens devant son ouverture aux ténèbres profondes et menaçantes. Ses exhalaisons me paraissent plus putrides que jamais. Le temps a-t-il passé depuis la dernière fois que je suis venue, c'est-à-dire ce matin ? Maintenant, ses pierres sont usées, elles s'effritent comme de la craie sous mes doigts qui effleurent le symbole « œ », presque effacé à présent.

Je prends peur. Est-ce que quelqu'un m'attend toujours tout en bas ? La lumière est-elle encore vivante ?

Le courage me manque. Si c'est le vide et le néant qui me sont destinés, je préfère ne rien savoir. Je suis incapable de les affronter, parce que c'est lui que je veux « voir » et entendre. Une éternité se passe, durant laquelle je reste figée sur le seuil de la porte en arc de cercle. Il ne me faut qu'un pas, un seul, et je saurai.

Je ferme les yeux. Je fais ce pas. Le noir m'aspire, l'air froid tourbillonne autour de moi. Rien ne se déroule

comme précédemment. Il n'y a plus d'escalier. Mes pau-
pières sont collées. Mon cœur tape tellement fort dans ma
poitrine qu'il va exploser, c'est certain. Personne ne pour-
rait résister à une telle pression.

Ma cage thoracique me fait mal, quelque chose appuie
dessus. J'ai envie de crier mais les sons ne franchissent
pas mes lèvres serrées, figées.

Puis tout s'arrête, aussi soudainement que ça a com-
mencé. Il n'y a plus que le silence, et mes yeux s'ouvrent
enfin. À présent, je suis au sommet de la tour, comme ce
matin. Le ciel au-dessus de ma tête est rouge, un amal-
game de nuages pourpres, de coulées vermillon, de traînées
incandescentes. La tour n'est plus usée ni éboulée, elle est
neuve. Son parapet crénelé et brillant se découpe nettement
sur la lumière écarlate. Je fais quelques pas en avant pour
regarder par-dessus le balcon, mais entre les gros blocs
réguliers, je n'aperçois rien. Le monde autour a été aspiré
par la lumière sanguine qui pèse sur moi et les pierres
lisses sous mes mains.

Je lève les yeux, m'attendant presque à voir surgir un
oiseau géant, jaillissant des tourbillons glacés et érubescents,
mais il n'y a rien.

C'est à ce moment-là que je l'entends approcher. Ses
pieds raclent le sol derrière moi. Mon cœur se remet à
cogner, car je sais que ce n'est pas celui que j'espère, celui
dont les bras m'accueillent comme un foyer chaleureux.
Non, cette fois, c'est l'autre, celui qui me fait peur, celui
qui me fait voir tout ce rouge.

Très lentement, je me retourne, les yeux obstinément bais-sés, pour ne pas avoir à l'affronter trop tôt. Que me veut-il ? Comment m'a-t-il retrouvée ?

Je ne peux voir que ses jambes pour le moment, elles sont massives, très noires, comme sculptées dans une espèce de roche volcanique irrégulière, craquelée, boursouflée.

Malgré moi, mon regard remonte le long de sa silhouette démesurée, cauchemardesque. Son visage est inhumain, des yeux rouges profondément enfoncés dans des orbites repoussantes. Avec peine, je retiens un gémissement de peur. Je recule d'un pas, et lui en fait un en avant dans ma direction. Notre ballet de terreur dure ainsi jusqu'à ce que mon dos touche la pierre du parapet. Sa main énorme, noueuse, s'avance vers moi, encercle mon cou. Elle est glacée, horriblement glacée, et son froid mortel s'étend sur ma peau telle une vague funeste.

Je ferme les yeux pour ne pas voir son visage hideux se pencher vers moi. Il est tout proche, m'effleure presque.

— Je veux ta chaleur. Je veux que tu brûles en moi, autour de moi. Réchauffe-moi, Anaïa, réchauffe-moi... J'en ai tellement besoin...

La voix vient d'un autre monde, d'un autre temps. Le souffle qui s'échappe de sa gueule et frôle ma joue est polaire, aigre, piquant. J'ai un mouvement de recul incontrôlable, mais ses doigts puissants me retiennent en serrant un peu plus fort ma gorge. Ma peau se hérisse de chair de poule.

Ma respiration s'accélère. Curieusement, je sens un par-fum de fleurs. Et au loin, j'entends la mer.

Mes pieds ne touchent plus le sol, alors qu'il me hisse d'une seule main. Je sais que je vais mourir, il va me jeter dans le vide et je vais tomber, tomber...

— *Je suis là, Anaïa. Réveille-toi, maintenant.*
RÉVEILLE-TOI !

La sonnerie de mon téléphone me fit bondir, m'arrachant à l'horrible cauchemar qui me précipitait par-dessus le parapet de la tour vers une chute vertigineuse. Je n'étais pas en train de tomber, j'étais allongée sur mon lit, grelottante de froid. Dehors, le ciel s'était couvert de lourds nuages gris et un vent trop frais passait par ma fenêtre restée entrouverte depuis... Combien de temps ? J'avais perdu le fil des heures. C'est ce filet d'air qui avait glacé ma chambre et qui me gelait jusqu'aux os.

Désorientée, d'une main tâtonnante, j'attrapai mon portable et décrochai sans même regarder le nom de mon correspondant, tout en remontant la couette sur moi.

— Allô ? dis-je d'une voix pâteuse.

— Anaïa, tout va bien ? Je suis devant chez toi, mais tu n'es pas là, on dirait. J'ai sonné, il n'y a personne.

J'ouvris complètement les yeux en entendant la voix d'Eidan. Quelle heure était-il ? Je décollai mon iPhone de mon oreille pour regarder l'horloge.

14 h 17. Eh mince, nous avions rendez-vous dix-sept minutes plus tôt.

— Eidan. Je suis désolée, je me suis endormie.

— Tu viens quand même à la répétition ?

Sa voix était pleine de tension, presque agressive.

— Je... je ne sais pas... Je ne me sens pas très bien.

Et, de fait, je me sentais complètement engourdie, l'esprit embrumé par une superposition d'images confuses. Est-ce que j'avais tout rêvé ? C'était possible, et même très probable. Les oiseaux démesurés n'existaient pas. Ni les hommes terrifiants faits de pierre noire. Tendant le bras, j'allumai la lampe de chevet, juste pour faire fuir l'obscurité qui assombrissait le ciel et envahissait ma chambre par la même occasion. Même faible, la lumière apporta aussitôt un peu de réconfort, chassant les ombres tapies sous la partie la plus basse des combles...

— Tu as besoin de moi ?

La voix d'Eidan était descendue d'un cran, à présent douce, inquiète.

Je réfléchis quelques instants. Avais-je besoin de lui ? Sauf s'il savait chasser les cauchemars, les créatures monstrueuses et les géants de pierre...

— Non... Ça va... Je te remercie.

— Tu es sûre ?

Je tournai la tête vivement.

Il était là, sur le seuil de ma chambre. J'avais entendu sa question en direct, et non pas à travers le téléphone.

— Comment es-tu entré ? demandai-je, la main posée sur mon cœur palpitant sous l'effet de la surprise.

— C'était ouvert. Je ne me serais pas permis si la maison était vide, mais sachant que tu étais là, je me suis autorisé...

Il avança de quelques pas, j'étais toujours à moitié affalée sur mon lit, sous ma couette, Arsène lové contre moi, le cou tendu vers la porte, lui aussi étonné de voir quelqu'un débarquer ainsi. Découvrir Eidan dans mon environnement intime me fit une impression très étrange, c'était à la fois complètement décalé et parfaitement normal.

— Tu es seule ? murmura-t-il.

Comme si le temps pouvait avoir reculé ou avancé à toute allure, je rallumai l'écran de mon téléphone pour vérifier l'heure. 14 h 23. Quel était le programme de la journée, déjà ? Ah oui ! Si personne ne lui avait ouvert, c'est que papa et maman n'étaient déjà plus là. Ils ne m'avaient même pas réveillée pour manger...

— Oui, mes parents ont dû partir un peu plus tôt, ils devaient aller chez Ikea.

Il fit un petit signe de tête, et en un instant, il fut près de moi, sur mon lit.

— Anaïa, est-ce que ça va ? insista-t-il.

Sans répondre, je passai une main sur mon front, espérant peut-être, par ce simple geste, être capable de remettre mes idées en place. Pourquoi tant d'anxiété dans sa voix ? Je n'avais fait que m'endormir en milieu de journée, cela pouvait arriver à tout le monde, n'est-ce pas ?

Pourtant, je fus incapable de répondre à sa question. Est-ce que ça allait, réellement ?

En mordillant ma lèvre inférieure, je levai un regard vide vers lui. Aucun mot ne me venait, rien ne pouvait expliquer mon état. Ses yeux de nuit s'écarquillèrent, il passa un bras autour de mes épaules.

— Anaïa, murmura-t-il d'un ton douloureux.

Aussitôt, je me tendis, mal à l'aise. Je n'étais pas une personne très tactile et je n'avais jamais laissé un garçon me toucher ainsi avant. J'avais rêvé, ô combien, que Simon le ferait, mais il gardait toujours une distance polie avec moi. À ce moment-là, le souvenir de son e-mail me revint à l'esprit. Mais que se passait-il ce week-end ? C'était comme si tout se déréglait autour moi. Et d'un seul coup, mes fantasmes enfouis remontèrent à la surface : je ne voulais pas que ce soit Eidan qui me serre contre lui. Je voulais que ce soit l'homme de mon rêve. Je voulais que ce soit sa voix qui résonne en moi, c'était sa peau que je voulais sentir contre ma nuque. À la place, j'avais ce contact avec ce presque étranger. Eidan sentit ma tension et me lâcha doucement, à regret.

Il baissa son regard vers le mien. J'osais à peine le fixer dans les yeux, gênée par son geste et ma

PHÆNIX

réaction… Allait-il le prendre mal ? Pourtant, je ne
lus aucune vexation en lui, juste une immense tristesse, incompréhensible, noyant les ténèbres de ses
iris d'un voile humide. Doucement, comme s'il
avait peur de me faire fuir pour de bon, il avança
une main hésitante et, encore une fois, la passa
dans mes cheveux, décollant des mèches plaquées
sur mon front. Cette fois, par contre, le geste me
parut tellement familier qu'il provoqua en moi un
immense frisson. Il me fit un petit sourire encourageant, comme pour me dire « Tu vois, je ne suis
pas si méchant », et je baissai la tête, désolée de
l'avoir blessé.

Après un long silence qui sembla flotter comme
un fantôme dans la pièce, il inspira et demanda :

— Tu viens répéter ? Ça te changera les idées.

Comment savait-il que j'avais besoin de me changer les idées ?

— Viens, enchaîna-t-il. Le concert a lieu dans
une semaine, il faut que nous soyons prêts…

J'acquiesçai d'un signe de tête et me levai. Eidan
quant à lui observa le décor de ma chambre.

— C'est sympa ici. J'aime bien les pièces sous les
combles…

Il se tourna vers mon bureau sur lequel s'empi-
laient des cours, des manuels et mon ordinateur
portable fermé, surplombé par mon pêle-mêle aux
visages hilares, qui contrastaient tellement avec
l'ambiance sombre de ce début d'après-midi. Dans

le coin, il y avait l'armoire contre laquelle était posé mon violoncelle dans sa housse. Juste à côté, la bibliothèque. Eidan s'approcha des étagères surchargées de livres pour en étudier les titres. Je fus heureuse de ne pas avoir laissé traîner des vêtements sales sur le dossier de la chaise ou mon pyjama roulé en boule sur la couette. Pour une fois...

Sans me consulter, il attrapa mon énorme instrument et posa les lanières de sa housse sur son dos.

— Tu te prépares ?

— Oui, j'en ai pour deux secondes.

Rapidement, j'enfilai mes chaussures que j'avais larguées sur la descente de lit avant de m'allonger, un pull, une écharpe et une veste, j'attachai mes cheveux en un vague chignon et quittai la chambre, il me suivit dans les escaliers.

Dans la cuisine, j'attrapai au passage un bout de pain et une pomme verte posée sur une pyramide de fruits disposés dans un plateau au centre de la table. Je n'avais pas déjeuné et mon estomac protestait avec véhémence. J'aperçus un Post-it collé sur le frigo avec un mot de maman qui me précisait qu'il y avait une assiette de pâtes à la bolognaise dans le réfrigérateur, pour quand je me réveillerais, mais je fis comme si je n'avais rien vu, pour ne pas encourager ma fringale. Rody se leva en nous voyant traverser la pièce mais je ne lui accordai pas

un regard. Il avait laissé entrer Eidan sans aboyer !
Et si ça avait été un voleur ?

Une fois dehors, le ciel m'apparut encore plus
sinistre. Les nuages étaient sales. Certains, blancs
crasseux, s'effilochaient en traînées sur un fond de
cumulus gris vertigineux. D'un geste instinctif, je
resserrai les pans de ma veste contre ma poitrine.
Eidan se tourna vers moi et me fit un bref sourire
sans joie.

— Avec ce temps, on pourrait s'attendre à une
invasion de sorcières ou un déluge de vermine.

Mon visage se plissa d'une grimace de dégoût et
je me retins d'ajouter : « Ou à une attaque
d'oiseaux géants. »

Le refuge de son énorme voiture garée sur le gravier me parut le bienvenu, surtout que de grosses
gouttes commencèrent, à ce moment précis, à s'écraser contre le pare-brise, sur le paysage, recouvrant
la nature d'une pellicule brillante et dégoulinante.
Comme la fois précédente, Eidan rangea le violoncelle, puis il se dépêcha de prendre place derrière
le volant, ôta sa veste et la jeta nonchalamment à
l'arrière. Il ne portait qu'un T-shirt blanc à manches
courtes et je remarquai alors un épais bandage.

— Tu t'es blessé ? demandai-je en fronçant les
sourcils.

Il haussa les épaules comme si ce n'était rien,
alors que le pansement recouvrait une partie de son
avant-bras jusqu'au coude.

— Je me suis brûlé, de l'huile qui a sauté de la poêle pendant que je préparais mon déjeuner, murmura-t-il en regardant en arrière pour effectuer sa manœuvre.

Aïe, ça devait faire mal, ça. Je tentai un trait d'esprit pour alléger l'atmosphère qui se plombait d'un seul coup, sans que je comprenne pourquoi.

— Oh... tu prépares ton déjeuner tout seul ?

Bon, j'admets, j'avais fait mieux comme preuve d'humour dans ma vie. Mais avec Eidan, j'étais toujours incapable d'être parfaitement naturelle.

Il stoppa la voiture au bout de l'allée avant de s'engager sur la route principale, et tourna la tête vers moi.

— Je vis seul, Anaïa. Mes parents sont aux États-Unis.

Il avait répondu d'un ton tellement grave que je me jurai de ne plus jamais essayer de faire de l'humour avec lui, ça ne marchait pas du tout, on n'était pas du même monde.

— Oh...

Décidément, je savais faire montre d'une grande richesse de vocabulaire. Pourquoi est-ce que j'arrivais toujours, à un moment ou un autre, à me sentir bête près de lui ?

— Ils sont où ? me dépêchai-je de demander pour chasser le flottement de ma réponse édifiante.

— En Californie, près de San Francisco. J'ai fait une partie de mes études là-bas... Puis j'ai décidé de tout recommencer ici.

— Pourquoi ? Tu n'aimais pas la Californie ? Moi, ça me plairait d'habiter là-bas... Les palmiers, le Pacifique. Je n'ai jamais vu le Pacifique en vrai...

Il me fit un de ces sourires dont il était le spécialiste, un de ceux qui me donnaient l'impression qu'il gardait un secret visiblement amusant derrière ses lèvres moqueuses.

— Si, j'adore la région, beaucoup même, j'y ai vécu toute ma vie.

— Alors ?

Son regard obscur me scruta encore un moment, comme s'il hésitait à répondre à ma question.

Réflexion faite, il se lança, aussi bien sur la route que dans son explication.

— Je suis venu ici pour te retrouver.

Il avait parlé tellement bas que je n'étais pas sûre d'avoir bien entendu.

— Quoi ? Qu'est-ce que tu racontes ? m'écriai-je, complètement interloquée.

— Rien, oublie...

Les sourcils froncés et les bras croisés, je le fixai un moment, tentant de faire passer, à travers mon regard insistant, une demande toute simple : « Tu peux répéter ? » Mais il se concentrait avec attention sur la route, les mains crispées sur le volant. J'aurais pu le faire à voix haute, mais je n'osai pas.

Quelque chose dans son attitude m'en dissuadait. Encore une fois, je me sentis toute petite près de lui.

Alors, je me renfrognai, le nez dans mon écharpe et laissai mon regard se perdre derrière la vitre. Le paysage défilait vite. Nous longions la pinède, celle qui abritait la tour, cachée par les arbres dansant dans le vent. Malgré moi, je frissonnai de peur rétrospective et cherchai, dans le ciel, une ombre, une silhouette d'oiseau géant. Mais il n'était chargé que de nuages noirs qui n'avaient à proposer, en guise de menace, qu'une belle averse. Encore une fois, l'impression trouble d'avoir rêvé me traversa, mon estomac se noua. Et si j'avais vraiment rêvé, est-ce que je devenais folle, à confondre les songes avec la réalité ?

Pour chasser ces sensations qui menaçaient de me faire vaciller, je retirai la pomme de la poche de mon manteau et croquai dedans avec une fausse bonne humeur. Son parfum piquant, le jus frais dans ma bouche me ramenèrent à la réalité.

Je me tournai pour observer Eidan du coin de l'œil. Toujours focalisé sur la route, il regardait droit devant lui. D'un seul coup, je lui trouvai mauvaise mine. Oui, il était plus pâle que d'habitude. Sa peau normalement mate était grisée, ses traits tirés, de larges cernes noirs étaient apparus sous ses yeux.

— Tu vas bien ?

Les mots m'avaient échappé avant que je ne puisse me maîtriser.

Il haussa les épaules encore une fois.

— Pourquoi tu me demandes ça ?

— Tu as mauvaise mine. Tu es sûr que ça va ?

— Ça va... J'ai eu une dure journée.

— Elle n'est pas terminée.

Ses lèvres frémirent et ébauchèrent un léger sourire.

— Non, mais je préfère le programme de cette après-midi à celui que j'ai vécu ce matin.

— Moi aussi, soufflai-je, de nouveau envahie par des images brèves, frénétiques, et le bruit qu'avait fait l'aigle en percutant l'autre monstre.

Cette fois, Eidan tourna la tête vers moi, un air sérieux posé sur son visage. Il sembla être sur le point de prononcer quelque chose, mais il se tut et cela m'énerva. Je voulais savoir ce qu'il avait à l'esprit. Pour la première fois de ma vie, j'eus envie d'être capable de lire dans les pensées de quelqu'un, parce que j'étais certaine qu'Eidan me cachait quelque chose.

Mais quand je pénétrai dans le sous-sol où nous attendaient Vincent et Yvan, alors qu'Eidan me suivait avec mon violoncelle sur le dos, ces pensées sombres se dissipèrent d'un coup. J'étais heureuse de me retrouver là, où j'étais en sécurité.

— Yo ! les amis ! s'écria Yvan en nous voyant arriver. Vous êtes en retard !

Il avait laissé repousser ses cheveux depuis quelques semaines et s'était teint en rouge foncé les courtes mèches qu'il portait hérissées sur le crâne. Ça lui allait plutôt bien, et maintenant que je le connaissais, je me demandais pourquoi il m'avait tant fait peur le premier jour de cours. Comme quoi, il ne fallait pas se fier aux apparences...

— Désolée, c'est ma faute. Je me suis endormie, heureusement qu'Eidan m'a réveillée.

— La Belle au bois dormant, hein ? Il embrasse bien, le prince ?

Je me sentis rougir férocement et baissai la tête pour observer avec attention le bout de mes chaussures.

Eidan posa le violoncelle près de moi et répliqua, sans se laisser impressionner :

— On est plutôt dans *La Belle et la Bête* là, il lui faudra du temps pour déceler la beauté qui est en moi...

Les deux frères s'esclaffèrent, Eidan avait l'air très fier de son jeu de mots, mais il m'avait une fois de plus embarrassée. Parce que je savais que ce n'était pas une plaisanterie. En cet instant, je compris qu'Eidan savait tout de mon malaise à son contact, alors qu'il avait toujours été très naturel avec moi, très correct. J'étais honteuse d'avoir cette réaction de rejet relatif envers lui, mais c'était plus fort que moi. Alors qu'il allait s'asseoir derrière le clavier, je l'examinai subrepticement. Ce n'était pas que je ne le trouvais pas beau... Ses traits étaient réguliers, un nez droit, un menton carré, un visage harmonieux, des cheveux rejetés en arrière, qui dégageaient un grand front lisse, et faisaient ressortir ses yeux incroyablement noirs. Non, il n'était pas laid, mais il ne me touchait pas. Je préférais les yeux lumineux, bleus comme la mer, les peaux pâles, presque translucides, les chevelures claires. Eidan était trop sombre, trop inquiétant, intimidant. C'était comme s'il me rappelait un mauvais souvenir...

La répétition commença et chassa mes pensées, mes doutes et les images traumatisantes de la scène de la tour. Au fur et à mesure, je repris pied dans le monde réel avec bonheur, à travers les notes douces de mon violoncelle, enveloppées des sonorités des autres instruments. Bercée par la mélodie de Sia, je me convainquis que j'avais rêvé. Oui, bien entendu. La réalité était ici, avec mes compagnons du groupe, dans ce sous-sol poussiéreux mais chaleureux.

Vint le moment où j'achevai mes morceaux. Tout s'était déroulé à merveille, et c'est satisfaite de mes progrès que je m'enfonçai dans le fauteuil déglingué pour écouter les garçons interpréter la suite de leur programme. Les yeux fermés, je me laissai emporter par leur talent. J'avais l'impression que le stress de la matinée s'échappait par mes doigts, mes pieds, comme un poison liquide contre lequel la musique était l'antidote secret ; je m'apaisai enfin.

C'est une exclamation d'horreur qui me fit sursauter. Vincent et Yvan s'étaient arrêtés de jouer tout deux brutalement, exactement au même moment. Ils fixaient avec effarement le dos d'Eidan qui était assis devant eux sur un tabouret, exécutant un morceau de guitare avec douceur.

— Eidan, merde, qu'est-ce qui t'arrive ? demanda Yvan avec effroi.

Eidan s'interrompit, posa doucement son instrument près de lui et ferma les yeux.

— Ça saigne beaucoup ? interrogea-t-il d'une voix rauque.

— Carrément ! Ton T-shirt est tout rouge !

Je me levai d'un bond. Les deux frères étaient blêmes, mais pas autant que leur guitariste, parfaitement immobile, la peau décolorée, les paupières toujours baissées.

Ses lèvres frémissaient, de douleur ou de tristesse, ou les deux, impossible à dire.

— J'ai senti que ça s'était rouvert, mais je pensais que le bandage suffirait, murmura-t-il.

— Qu'est-ce qui se passe ? m'entendis-je demander d'une voix tremblante.

Ma voix venait de très loin, comme si quelqu'un d'autre parlait. J'avais l'impression d'être au bout d'un couloir, très long et très étroit. Ma tête tournait, annonçant une attaque de panique. Je ne savais même pas pourquoi je me sentais aussi affolée, soudainement.

— Il pisse le sang, marmonna Yvan, blême.

Et en trois pas, il fut hors de la pièce.

— Je reviens avec la trousse de premiers soins ! hurla-t-il, déjà arrivé en haut des escaliers.

Eidan se leva doucement, attrapa son T-shirt blanc qui commençait à se teinter de rouge, même sur l'avant, par le col, pour le retirer lentement. Quand il fut torse nu, j'étouffai un gémissement. En plus du pansement que j'avais remarqué dans la voiture sur son avant-bras, sa poitrine était entourée d'une bande de gaze qui devait être blanche au départ mais qui se trouvait à présent écarlate.

Avec des gestes précis, il commença à la dérouler, couche après couche, et la laissa tomber, ensanglantée, à ses pieds, comme son T-shirt.

De grandes et profondes entailles barraient son sternum et son dos.

— Qu'est-ce que c'est que ce délire ? s'exclama Vincent en découvrant avec horreur la peau déchirée de son ami.

— Rien de grave, arrêtez de paniquer ! grinça Eidan.

— Rien de grave ! répéta le bassiste hors de lui. Tu es malade ? Tu as vu la taille de ces coupures ?

Eidan haussa les épaules d'un air blasé.

— Je sais… D'habitude, je cicatrise très vite, mais là, c'était vraiment profond, ça va prendre un peu plus de temps.

Je tressaillis à ses paroles.

— Combien de temps ?

Ma voix était encore comme détachée de moi-même.

— Quelques heures, tout au plus.

— Tu t'es fait ça ce matin ?

— Oui, soupira-t-il en évitant mon regard.

— Comment ?

J'avais été plus sèche que je ne l'aurais voulu.

Eidan ne répondit pas. Il avait finalement récupéré son T-shirt et s'en servait pour éponger le sang qui dégoulinait sur sa peau mate. Je remarquai alors le reste de son torse. Lui qui avait un aspect très mince, élancé, possédait en réalité un corps plus musculeux qu'il n'apparaissait : nerveux, ciselé, athlétique. Et lacéré en maints endroits.

— Comment tu t'es fait ça ? répétai-je d'un ton exaspéré.

Il releva la tête et me regarda droit dans les yeux.

— J'ai voulu passer sous une clôture de barbelés et je m'y suis mal pris.

Sa voix était sourde, coléreuse. Pourquoi était-il énervé à ce point ? C'est lui qui nous faisait des frayeurs pas possibles en se vidant de son sang en pleine répétition.

— Pour t'y être mal pris, tu t'y es mal pris, c'est rien de le dire ! s'écria Yvan qui était de retour avec une mallette qui ressemblait à une boîte à outils en plus petit dans une main et un sac de coton dans l'autre.

Eidan saignait déjà moins et ses blessures paraissaient moins profondes. Il attrapa le coton, l'imbiba de l'alcool à 90 degrés que son ami lui tendait dans une petite bouteille, et l'appliqua consciencieusement sur ses plaies en grimaçant. Puis il le laissa faire pour les entailles dans son dos.

— Arrêtez de me regarder comme si j'étais un monstre ! Ça va, c'est juste quelques égratignures. Ça arrive à tout le monde. Demain, ce sera déjà de l'histoire ancienne.

— Pourquoi tu as voulu passer sous des barbelés ? demanda Vincent qui observait les gestes d'Eidan et de son frère comme s'il était hypnotisé par les balafres.

— Je jouais au foot avec mon voisin. Il a dix ans... Et j'ai envoyé le ballon par-dessus la clôture, dans le champ d'à côté. J'ai proposé au gosse de lui en racheter un, mais il m'a expliqué que c'était un cadeau de son père, et ses parents sont divorcés... Je voyais le drame poindre, alors je suis allé le chercher. Et comme un abruti, je suis tombé, je me suis mangé les barbelés, j'ai déchiré ma chemise et voilà...

— Tu devrais aller à l'hôpital te faire vacciner, les fils étaient peut-être rouillés ? demanda Yvan en achevant sa tâche avec application.

— Je suis vacciné et arrêtez de me regarder comme ça. Vous voyez ? Ça cicatrise déjà.

Il disait vrai. Il ne saignait plus du tout et les rebords de ses blessures s'étaient soudés l'un à l'autre. Encore fragilement certes, mais c'était rapide, quand même... Je contemplai le phénomène les jambes tremblantes. Je ne connaissais qu'une seule personne qui cicatrisait aussi vite. Et c'était moi.

Eidan croisa mon regard fixe et secoua la tête légèrement, comme s'il me disait non.

Pourquoi non ? Je ne le savais pas exactement, mais il avait raison. Ce n'était pas le moment. Et puis, réellement, c'était quoi, le problème ? Si je pouvais guérir aussi vite, il devait bien exister d'autres personnes sur Terre capables de faire de même, n'est-ce pas ? C'était juste la première fois que j'en croisais une, et je n'avais pas l'habitude. Voilà.

Décidément, cette journée commençait à être trop longue et fatigante. Et elle n'était pas terminée.

Eidan monta faire une toilette rapide, enfila un T-shirt prêté par Vincent et annonça que la répétition était terminée pour aujourd'hui.

— On remet ça la semaine prochaine, avant le concert, et cette fois, promis, pas de rivière de sang ni de drame.

— Ouais, il y a intérêt, tu m'as fait flipper, quand même, souffla Vincent.

— Moi aussi, renchérit son frère.

Je ne dis rien.

— On rentre ? demanda Eidan en me regardant.

— Tu es en état de conduire ?

— Évidemment ! Je t'ai bien accompagnée ici, je peux te ramener.

— Bon... OK..., hésitai-je.

Le trajet de retour se déroula dans un silence désagréable. Je n'osais pas parler, ne sachant pas quoi dire. Eidan tenait le coup, mais il avait toujours le teint cireux.

Je finis par lancer tout à trac :

— Moi aussi je cicatrise très vite.

— Je ne suis pas étonné.

— Pourquoi ? C'est écrit sur ma figure ?

— Parce que...

Il laissa sa réponse en suspens, comme les parents qui ne veulent pas répondre à leurs enfants quand ils posent mille questions commençant par « Pourquoi... ».

Je croisai les bras devant ma poitrine.

— Je commence à en avoir assez maintenant !

Il me regarda du coin de l'œil.

— Quoi ?

— J'en ai assez de ces cachotteries ! Entre Enry et toi, ça commence à bien faire ! Il y a mes grains de beauté dans ma main qui semblent vous intéresser prodigieusement... Ils forment ce symbole, qui est gravé dans la pierre d'une tour au fond de ma pinède... Il y a tes blessures, et mes rêves ! C'est quoi ce délire à la fin ! J'aimerais comprendre ! Surtout que vous avez tous les deux l'air beaucoup plus au courant que moi !

Eidan s'arrêta devant le mas. La pluie tombait toujours en trombes autour de nous et quand il arrêta les essuie-glaces, elle coula en torrents sur le pare-brise, noyant l'extérieur derrière une paroi liquide, épaisse. Nous étions coupés du monde.

Il se tourna vers moi et posa son bras droit sur le dossier de mon fauteuil. Un mince sourire, résigné, presque triste, se dessina sur ses lèvres.

— Il n'y a rien à expliquer, Anaïa. Tout ça...

Il fit un geste de la main gauche qui engloba nos deux personnes, l'habitacle de la voiture et l'univers qui devait encore exister quelque part derrière le mur d'eau.

— Tout ça... c'est la vie. Ta vie. Tu dois juste te souvenir.

— De quoi ?

— Te souvenir, Anaïa.

— Me souvenir de quoi ? répétai-je, têtue.

J'avais l'impression, encore une fois, que quelque chose m'échappait, quelque chose qui était juste là, à portée de main, mais quoi ?

— Te sou-ve-nir. Pas de quoi. Te souvenir.

— Bon, j'ai eu ma dose pour aujourd'hui, répondis-je brutalement en ouvrant la portière.

Je la claquai derrière moi, laissai la pluie glacée m'écraser, et, sans attendre qu'Eidan le fasse, j'ouvris l'arrière de la voiture, saisis mon violoncelle et, sans le saluer, je rentrai chez moi.

Je claquai la porte d'entrée, une flopée de jurons sur les lèvres. Papa et maman n'étaient pas encore rentrés, et c'était tant mieux. Là encore, j'ignorai le Post-it collé sur le frigo. Je n'avais plus faim du tout. En fait, je n'étais même pas sûre d'être capable de digérer la pomme que j'avais avalée plus tôt, tant je me sentais nouée. Les images des oiseaux, de mon rêve, du sang sur la peau d'Eidan, mes questions sans réponses... tout cela faisait beaucoup en quelques heures à peine.

Ma chambre me sembla accueillante, chaude, douce, après ces épreuves interminables. Je me séchai énergiquement, surtout les cheveux détrempés qui ruisselaient sur les tommettes irrégulières, enfilai un pantalon de jogging sec, de grosses chaussettes, un gilet en mohair réconfortant et ranimai l'écran de mon ordinateur, espérant me distraire un peu. Mauvaise idée. Cette journée devait être placée sous le symbole du malheur. En découvrant le message posté sur mon mur Facebook, je poussai un cri et me laissai tomber sur le fauteuil.

Garange Dambë > Anaïa Heche
Il y a une heure
Anaïa, tu es au courant ? Enry a eu un grave accident, il est hospitalisé. Les boules...
J'aime • Commenter • Voir les liens d'amitié

Juliette Couette Couette
Quoi ? Mince ! Thor ne peut pas avoir d'accident ! Tiens-nous au courant de son état...

Yvan Renaud
Pas possible ! Mais c'est quoi cette journée totalement pourrie ?

Anaïa Heche
Garance, je t'appelle tout de suite !

17.

Elle décrocha à la troisième sonnerie, alors que je m'arrachais la troisième peau autour de l'ongle de mon pouce gauche.

— Tu as lu mon message sur Facebook ? demanda-t-elle sans préambule, la voix vibrante d'un énervement que je pouvais comprendre.

Ma réponse se fit sur le même ton survolté. Je détestais cette journée. Vraiment.

— Oui, c'est pour ça que je t'appelle ! Qu'est-ce qui s'est passé ?

Garance poussa un profond soupir.

— Je suis au courant par mon père qui était à l'hôpital au moment où les ambulanciers l'ont ramené. Tu sais qu'il y travaille tous les matins...

— Oui, je sais. Alors ?

Quatrième peau arrachée, je saignais, maintenant, c'était malin. D'un geste brusque, je tirai un mouchoir en papier de la boîte posée sur ma table de nuit et entourai mon doigt martyr de ce pansement improvisé.

— On ne sait pas trop ce qui s'est passé. Visiblement, il aurait été renversé par une voiture sur la nationale. On l'a trouvé bien amoché, inconscient, sur la bande d'arrêt d'urgence. Le conducteur qui a fait ça a pris la fuite, tu penses bien. Il y a une enquête ouverte avec appel à témoins et tout et tout !

Je fermai les yeux et me laissai tomber sur mon lit, sur le dos, mes membres aussi flasques que des tubes de caoutchouc. Aussitôt, Arsène grimpa sur mon ventre et s'y roula en boule en ronronnant, créant un poids rassurant, me rappelant que j'avais quand même un corps solide.

— Et c'est... grave ? chuchotai-je.

Je ne pouvais pas le demander à voix haute. Si je le disais trop fort, cela allait provoquer une réponse catastrophique, c'était certain. Dans ce genre de situation, il ne fallait pas brusquer les éléments.

Pourtant, malgré ma discrétion la réponse de Garance me frappa aux tripes.

— Oui, pas mal. Comme on dit dans le jargon médical, son pronostic vital n'est pas engagé, mais il a le corps lacéré, de nombreuses contusions. L'hypothèse est qu'il a été accroché par un véhicule et traîné sur la route. Il en a pour un moment avant que tout se remette en place. Ils l'ont placé en coma artificiel pour quelques jours.

Je passai une main fébrile sur mon visage et sentis une larme couler sur ma tempe, se mêler à mes cheveux posés en pagaille sur l'oreiller.

— Pffff..., murmurai-je.

— Tu l'as dit.

Nous restâmes silencieuses un moment. Je tentai de chasser les images qui assaillaient mon esprit malgré moi. Le grand corps large d'Enry abîmé, meurtri. Ses paupières refermées sur le ciel bleu de ses yeux, des tuyaux partout entrant et sortant de ses bras, l'assistance respiratoire masquant son visage, le « bip » lancinant de la machine qui surveillait son rythme cardiaque. Pour les repousser, je me décidai à poser la question qui me taraudait.

— Qu'est-ce qu'il faisait sur la nationale à pied ?

— On a retrouvé sa voiture garée un peu plus loin. Il est peut-être tombé en panne..., hasarda mon amie.

— Peut-être. Décidément...

Je m'interrompis. Je ne devrais peut-être pas en parler, mais il était déjà trop tard.

— Quoi ? m'encouragea Garance. Tu n'es pas blessée, hein ?

— Non, non ! C'est Eidan, qui s'est mangé une grille de barbelés pour aller chercher un ballon, ce matin. Lui aussi a de belles entailles sur le torse.

C'est moins grave, bien sûr, mais il s'est mis à saigner en pleine répétition, c'était impressionnant.

— Il est allé se faire examiner à l'hôpital ? s'écria Garance.

Elle n'était pas fille de médecin pour rien.

— Non, il dit qu'il cicatrise vite, et que demain, ce ne sera plus qu'un mauvais souvenir...

Je ne pus m'empêcher de sourire faiblement en donnant cette explication, parce que j'aurais pu dire exactement la même chose à mon sujet.

— Mouais... Ça m'étonnerait qu'il cicatrise aussi vite que toi !

— Tu te souviens de ça ?

— Évidemment ! Tu n'imagines pas combien tu as choqué mon père, à l'époque ! Il n'avait jamais vu un tel prodige !

Je fis une petite grimace au plafond : j'avais espéré que tout le monde aurait oublié cet incident qui datait d'une dizaine d'années. Je déroulai le mouchoir en papier que j'avais mis autour de mon pouce. Il n'y avait plus rien, plus une trace de mes peaux arrachées, tout était comme neuf.

— Moi qui déteste me faire remarquer, grommelai-je. En tout cas, tu sais quoi ? Je suis certaine qu'Eidan cicatrise aussi vite que moi.

— Tu crois vraiment ?

— Absolument. J'ai vu ses plaies se refermer quasiment sous mes yeux.

— Ah ! Dément ! Vous êtes de la même famille peut-être ? Vous avez des gènes en commun, vous êtes des mutants ?

J'eus un petit rire qui souleva Arsène sur mon ventre, le tirant de sa léthargie. Ça m'étonnerait ! On ne pouvait pas faire plus différents, physiquement et psychologiquement, qu'Eidan et moi. Quant à être des mutants, c'est ce que j'avais voulu croire quand j'étais petite, mais cette idée m'était vite passée. Malgré moi, pourtant, je soulevai ma main gauche pour observer les grains de beauté de plus en plus nombreux dans le creux de ma paume. Est-ce que c'était un symbole me désignant comme une mutante ? Un être spécial ? Pfff, il fallait que j'arrête de lire des histoires fantastiques, moi, ça me bousillait le cerveau...

— Certainement pas ! me défendis-je, chassant les idées farfelues qui dansaient la tarentelle dans ma cervelle. En plus, il m'a appris aujourd'hui qu'il avait vécu toute sa vie en Californie, avant de venir ici, donc peu de risques qu'on soit de la même famille.

« Et c'est pas plus mal », ajoutai-je intérieurement.

— La chance ! La Californie... Il parle drôlement bien français alors...

Je fronçai les sourcils. Garance avait raison. Je ne m'étais même pas fait la réflexion. Il n'avait aucun accent, son français était parfait. Je manquais décidément du côté pragmatique que mon amie possédait... Comment Eidan pouvait parler aussi bien français s'il avait toujours vécu aux États-Unis ? Est-ce que ses parents étaient français d'origine ? Il faudrait que je lui pose la question. Un jour.

Finalement nous raccrochâmes après avoir échangé quelques mots et qu'elle m'eut promis des nouvelles d'Enry rapidement, c'est-à-dire lundi matin, suite à la prochaine tournée de son père à l'hôpital.

Je laissai retomber mon téléphone sur le côté, et demeurai allongée un long moment, les yeux fixés sur les poutres foncées et irrégulières, bercée par le ronronnement discret d'Arsène qui s'activait à une toilette très minutieuse, toujours confortablement installé sur mon estomac.

Quelle journée pourrie... Avec tout ça, je n'avais même pas parlé de ma visite à la tour à Garance ! C'était peut-être mieux ainsi. Comment être sûre de ce que je pouvais, ou voulais, lui raconter ?

Mon téléphone sonna et me fit sursauter, chassant Arsène qui dégringola du lit d'un air offusqué et quitta ma chambre, la queue dressée d'une vibrante indignation. Le nom de Juliette apparaissait sur l'écran, cela signifiait qu'elle avait racheté un chargeur. Avec tout ce qui était survenu aujourd'hui, j'avais oublié l'histoire du message de Simon, sa déclaration d'amour surprenante, à laquelle je n'avais même pas répondu.

Je décrochai.

— Juju, enfin !

— Ana, je suis désolée ! J'ai dormi chez mon père, et j'ai dû oublier ou perdre mon chargeur. J'ai eu ton message. Il faut que tu me racontes tout ! Ce que tu voulais me dire, ton statut de cet après-midi, et est-ce que tu as des nouvelles de Thor ? On a tchatté plusieurs fois sur Facebook et il est sympa, je n'aime pas savoir qu'il lui est arrivé quelque chose !

Elle avait débité sa tirade sans reprendre son souffle et, avant d'être capable de lui répondre, il me fallut inspirer longuement, comme si c'était moi qui étais au bord de l'asphyxie.

— Enry a eu un accident, il est bien amoché et inconscient à l'hôpital. Il survivra, mais ça va prendre du temps avant qu'il ne se rétablisse.

J'avais répondu d'une voix terne, ne croyant pas vraiment à mes paroles.

— Mince… J'ai les boules, là, tu vois. Il me plaisait, ton pote. Beau gosse, drôle… Il avait l'air de s'intéresser à moi aussi.

« Ah tiens ? » pensai-je. Je n'y comprenais plus rien. Je croyais qu'Enry s'intéressait à moi et était jaloux d'Eidan. Enfin, ce n'était plus du tout le moment de se poser ce genre de questions, vu la situation.

Me revint alors à l'esprit le message que je lui avais laissé avant d'entrer dans la tour, à propos de mes grains de beauté... L'avait-il eu avant son accident ? Je m'en voulus d'avoir été aussi sèche avec lui, alors que le pire l'attendait...

— Bon alors, c'était quoi ce truc urgent que tu voulais me dire ? enchaîna Juliette, me tirant de mes pensées morbides.

— C'est à propos de Simon...

— Oui, je sais ! Justement ! Moi aussi, j'ai un truc à te dire à son sujet !

— Quoi ? Dis-moi !

Est-ce que Simon lui avait parlé du message qu'il m'avait écrit ? Est-ce qu'elle en savait plus que moi ?

— Non, vas-y, d'abord toi.

— D'accord... J'ai reçu un mail de lui, vendredi soir, commençai-je lentement.

— Alors ?

— Eh bien... Je n'ai pas vraiment compris ce qui lui arrivait d'un coup. Parce que...

— Parce que quoi ?

— Il m'a fait une déclaration d'amour.

— QUOI ?

Bon, au moins, j'avais ma réponse, Simon n'avait pas parlé de tout ça à Juliette, vu son ébahissement qui résonnait encore au fond de mon tympan. J'écartai le combiné de mon oreille en faisant une petite grimace avant de continuer.

— Oui ! Attends, je te lis son message.

Je me levai et me traînai jusqu'à mon ordinateur, ouvris mon Gmail et, d'une voix gutturale, comme si je déclamais un avis de décès, je lui lus le message de Simon. Ainsi prononcé à voix haute, il me paraissait encore plus étrange et décalé.

Juliette resta longuement silencieuse après ma lecture.

— Tu es encore là ? m'enquis-je.

— Oui, oui. C'est...

Elle s'interrompit un moment.

— C'est quoi ?

— Étrange. Parce que... justement...

— Vas-y, crache le morceau, je sens que tu as quelque chose à me dire.

— J'ai découvert que Simon est gay.

— QUOI ?

Ce fut à mon tour de hurler dans le téléphone. Simon, gay ?

— J'avais rendez-vous avec lui pour déjeuner, mercredi. Pour changer, je me trouvais en avance. Ne dis rien, je sais, ça doit être la première fois de ma vie que je n'étais pas en retard, mais le fait est que je suis arrivée en avance.

— Et ? la pressai-je.

Pour le moment, je n'avais pas envie de faire la maligne en relevant son exploit.

— Et Simon était en train d'embrasser à pleine bouche un autre garçon. Super canon lui aussi. Je te jure, un couple de rêve. Bref, je suis restée planquée derrière une borne Vélib', complètement sidérée. Ils se sont fait des petits bisous pour se dire au revoir, se sont tenu la main un moment, comme s'ils n'arrivaient pas à se quitter. Simon a dit « À ce soir » à l'autre bombe sur pattes qui est parti en lui faisant un sourire plein de sous-entendus. Ça se voyait qu'ils étaient amoureux à mort, trop mignon ! Je suis restée encore un moment derrière ma borne, le temps de me remettre de mes émotions, et de laisser croire à Simon que j'étais en retard comme d'habitude.

— Simon, gay…, murmurai-je.

D'un seul coup, je sus que je l'avais toujours deviné. Tout se mettait en place dans mon esprit. Sa façon d'être tendre mais toujours amicalement, avec une distance respectueuse. Personne ne l'avait jamais vu avec une petite copine, il n'avait jamais semblé s'intéresser à aucune élève du lycée… Oui, Simon était le parfait meilleur ami gay dont une fille puisse rêver. Tout me paraissait logique, sauf la déclaration qu'il m'avait envoyée.

— Je suis désolée, me dit Juliette d'un ton vraiment triste.

Je compris qu'elle croyait me briser le cœur, alors que, d'une certaine manière, la révélation me soulageait. Oui… Réellement, je me sentais plus légère. Je n'aurais pas à répondre à son message, je n'avais plus à croire que la raison pour laquelle Simon n'avait jamais eu envie de sortir avec moi était que je n'étais pas assez bien pour lui. C'était juste parce que… je n'étais pas un garçon.

— Oh, Juliette ! Ne t'en fais pas ! Je vais très bien ! Je crois que... je peux enfin admettre que je ne suis plus amoureuse de lui. Ça s'est fait doucement, depuis mon arrivée ici, et mes rêves m'ont aidée à me détacher, mais oui, c'est terminé !

— Tes rêves ? Quels rêves ?

Je lui répétai ce que j'avais raconté à Garance. Cet homme qui m'attendait dans le halo de lumière, qui me serrait contre lui, qui m'aimait et faisait vibrer tout mon corps d'un amour et d'un désir que je n'avais jamais éprouvés jusque-là. C'étaient ces sensations que je voulais connaître dans la réalité maintenant. C'étaient ces émotions que j'avais attendues toute ma vie. La raison pour laquelle, à presque dix-huit ans, je n'avais jamais eu de petit ami, la raison pour laquelle je n'avais jamais été réellement attirée par personne. Sauf Simon, qui était gay. Pas étonnant, au final.

— Eh ben... il s'en passe des trucs dans ta vie, depuis que tu as déménagé ! Tu rencontres plein de monde, dont des dieux nordiques vivants, tu joues dans un groupe de rock, toi la fille qui ne jurait que par le classique et seulement le classique, tu fais des rêves avec un homme mystérieux qui te met dans des états pas possibles... Et tu reçois des déclarations de Simon. Bizarre, non ?

— La déclaration ? Tellement bizarre que je n'y ai pas répondu. Je ne savais pas quoi dire.

Elle se tut quelques instants et j'entendis presque les rouages de son esprit tourner à l'autre bout de la ligne, à Paris.

— Il t'a écrit depuis quelle boîte mail ?

Sur les courriers de Gmail, on ne pouvait pas voir l'adresse, mais seulement le prénom de la personne qui envoyait le message. Pour répondre à la question de Juliette, je cliquai sur le lien bleu qui disait « afficher les détails » et l'information qui nous intéressait apparut.

— Depuis une adresse hotmail, répondis-je.

— Il n'a pas d'adresse hotmail, affirma Juliette.

Fébrilement, je remontai dans mon historique de messagerie pour retrouver un ancien mail envoyé par Simon. Elle avait raison. Il m'avait toujours écrit depuis son Gmail à lui. Évidemment, puisque son nom apparaissait dans mes contacts de chat dans la colonne de gauche !

— Bien vu, Juliette ! Bon sang, je n'y avais même pas prêté attention ! D'après toi, c'est quoi ce délire ? Si ce n'est pas Simon qui m'a écrit, alors qui ? Et pourquoi quelqu'un se fait passer pour lui ?

— Aucune idée, Ana. Aucune idée… Mais il y a un truc louche derrière tout ça…

Les quelques théories que nous ébauchâmes pendant un moment ne nous menèrent nulle part. Avant de raccrocher, toutes les deux aussi perplexes l'une que l'autre, nous nous promîmes d'y

réfléchir et de nous tenir au courant régulièrement.

Les yeux fixés sur mon écran qui finit par noircir
et s'éteindre, je comptais les heures qu'il restait
avant que demain n'arrive. Demain ne pourrait être
que meilleur. Non ?

Anaïa Heche
Il y a deux heures
Encore un matin, un matin pour rien,
Une argile au creux de mes mains...
J'aime • Commenter

Juliette Couette Couette
Pourquoi tu dis ça ?

Anaïa Heche
Ce sont les paroles d'une chanson de
Jean-Jacques Goldman, je l'ai entendue
à la radio en me levant.

Yvan Renaud
Y a-t-il un sens caché à ces mots ?

Anaïa Heche
Je te le dirai ce soir, ça dépendra de la
journée.

Garance Dambë
Oh ça n'a pas l'air d'aller, toi. Je sens
qu'on va causer dans la voiture, toutes
les deux.

Juliette Couette Couette
C'est pas juste ! Moi aussi je veux
causer dans la voiture !

Anaïa Heche
Encore un matin sans raison ni fin
Si rien ne trace son chemin
C'est tout ce que j'ai à déclarer.

Garance Dambë
Dans tes rêves ! J'ai les moyens de te
faire parler !

Anaïa Heche
Ah ! Mes rêves...

18.

Jamais un lundi matin ne m'avait paru aussi bienvenu. Je sais, c'est incroyable, parce que la plupart du temps, lundi matin signifiait la fin du week-end, le retour du réveil qui sonnait toujours trop tôt, une semaine de cours en perspective. Mais ce lundi-là, j'étais soulagée de retrouver la normalité du quotidien ; la voiture de Garance qui s'avançait dans l'allée pour me cueillir comme tous les jours, le chemin vers la fac qui se déroulait, cette fois, sous un ciel bleu sans défaut, la nationale bordée de platanes ancestraux, les tubes des années 1980 qui distillaient leurs notes dans l'habitacle confortable... et Garance, qui m'observait d'un œil, pendant que l'autre surveillait la route.

— Tu as mauvaise mine, ma poulette, annonça-t-elle.

— Merci, ça fait plaisir, de bon matin. Je me sens motivée, tout à fait motivée pour ma journée, maintenant.

Garance s'arrêta au feu rouge, celui où nous avions vu Eidan le premier jour de cours.

— Je sais que tu es bouleversée pour Enry. Mon père est passé à l'hôpital très tôt, ce matin. Il m'a envoyé un texto pour me dire que ça allait mieux. Visiblement, il est costaud et se remet vite. Même s'il n'a pas le même pouvoir de cicatrisation que toi !

Elle me fit un gentil clin d'œil avec l'espoir de me rassurer et je lui rendis un pâle sourire.

— Merci. Je suis soulagée. Même si nos derniers échanges n'avaient pas été spécialement amicaux, j'aime beaucoup Enry. Il dégage une joie de vivre, une lumière que j'apprécie. J'espère qu'on va se réconcilier, d'une certaine manière...

— Je suis certaine que oui. Enry est juste un peu jaloux, certainement qu'il t'apprécie... plus que beaucoup.

— Pas sûr... Juliette m'a dit qu'ils avaient pas mal tchatté tous les deux sur Facebook et il semble s'intéresser à elle.

— Ah bon ? J'aurais pas cru...

Elle redémarra et n'acheva pas sa phrase.

— Tu ne m'as jamais raconté ta balade à la tour. Tu l'as retrouvée, alors ? enchaîna-t-elle, les yeux rivés sur la route.

Heureusement qu'elle ne me regardait pas à ce moment, parce qu'elle m'aurait vu blêmir, et je ne voulais pas qu'elle devine mon malaise. Ma journée du dimanche avait consisté à terminer mes devoirs et mes révisions, mais aussi à réfléchir à ce que j'avais vu (ou rêvé ?) là-haut. Ma décision était prise : je n'en parlerais à personne. Surtout qu'aujourd'hui, sous un joyeux soleil d'automne, avec une nature colorée et vibrante sous la lumière, la musique enjouée qui chantait dans les enceintes, tout cela me paraissait lointain et aussi flou qu'un cauchemar fait plusieurs semaines auparavant.

— Oui, je l'ai retrouvée, au fond de la pinède. La même vieille ruine que dans mes souvenirs et dans mes rêves. Par contre, il n'y avait personne qui m'attendait dans un halo de lumière, pas d'homme mystérieux pour me serrer dans ses bras...

Je poussai un profond soupir, en regrettant que ma visite là-bas ne se soit pas déroulée ainsi. Ce scénario me plaisait beaucoup plus. Quitte à vivre des phénomènes paranormaux, autant qu'ils soient beaux et amoureux de moi.

Garance haussa les épaules.

— Je me doutais bien que personne ne t'attendrait, comme par hasard, ce jour-là, dans cette vieille tour. Sinon le pauvre type, il serait aussi moisi qu'elle ! Mais c'est marrant qu'elle apparaisse dans tes rêves. Tu devrais chercher quel symbole elle représente pour toi. Elle a forcément une place importante dans ton inconscient. Tu comptes y retourner ?

— Je ne pense pas, non, murmurai-je en frissonnant à l'idée de me retrouver là-haut...

Une fois sur le campus, ma bonne humeur réapparut. Le sourire simple d'Yvan, les bavardages de Maha, les délires du professeur de littérature comparée achevèrent de chasser mes idées noires. Oui, la vie reprenait ses droits. Enry reviendrait bientôt s'asseoir sur les bancs de l'amphi et tout redeviendrait comme avant.

Ce midi, notre groupe habituel se retrouva à table dans un coin de l'immense self. Comme nous étions tous en train de harceler Eidan en lui demandant comment allaient ses entailles, il finit, exaspéré, par déboutonner sa chemise en plein milieu de la salle afin de nous prouver qu'elles avaient cicatrisé. Yvan riait comme un fou et Garance jetait des coups d'œil inquiets pour vérifier que personne n'était en train de nous observer. Moi, je savais déjà ce que nous allions découvrir. Et j'avais raison. Quelques lignes fines et rosées sur sa peau, c'était tout ce qu'il subsistait des larges coupures que nous avions contemplées avec horreur le samedi. Eidan avait repris des couleurs, sa carnation mate était à nouveau normale, laissant juste ressortir les traces légèrement plus pâles qui barraient son torse et ses épaules.

— Ouah, murmura Yvan, sa fourchette suspendue devant sa bouche ouverte, les yeux écarquillés. Tu es un superhéros ! C'est pas possible que tout soit déjà cicatrisé ! C'est quoi ton secret ? Tu t'es fait piquer par une araignée radioactive ? La série *Heroes* s'inspire de faits réels et tu as servi de modèle, c'est ça hein ? Tu es un alien ! Est-ce que tu peux partager ton pouvoir avec tes potes ?

J'étouffai un rire, Eidan reboutonna consciencieusement sa chemise en faisant non de la tête.

— Ah Anaïa, tu avais raison, c'est un mutant, comme toi ! dit Garance.

J'écarquillai les yeux, en espérant que Garance comprendrait le message que je tentais désespérément de faire passer et qui la suppliait de ne pas parler de ça devant tout le monde. Mais elle ne daigna même pas croiser mon regard implorant.

— Pourquoi ? Anaïa aussi cicatrise à la vitesse de la lumière ? demanda Yvan, mastiquant bruyamment.

— Affirmatif ! Mon père a découvert son superpouvoir quand elle était petite. Il en parle encore... Il faudrait qu'il étudie votre ADN à tous les deux, je suis certaine qu'on pourrait trouver un remède contre bien des maladies sur terre en clonant vos supercellules.

— Mais oui bien sûr..., marmonnai-je en sentant qu'Eidan m'observait attentivement.

Comme j'étais trop couarde pour soutenir son examen, je continuai à contempler le contenu de mon assiette.

— Ah ouais ! Super ! Vous deviendriez riches ! Vous n'oublierez pas les copains, hein ? Surtout les méga amis du groupe ! s'écria Yvan avec enthousiasme.

— Ha, ha, ha... Vous êtes trop drôles...

La réplique taciturne d'Eidan mit fin à la conversation à propos de nos exploits régénératifs, ce qui m'arrangea. Il ne me restait plus qu'à espérer que nous n'en reparlerions jamais.

Je me rendis compte alors que je frottais ma main gauche contre la toile de mon jean et stoppai mon mouvement aussitôt, coupable de sentir cette démangeaison qui, d'inconséquente, était devenue une source d'inquiétude et de malaise.

Mercredi matin, nous eûmes droit au cours de théâtre le plus fou depuis le début de l'année. Marc nous proposa un exercice original : nous étions cinq sur scène et nous devions inventer un dialogue dont la première lettre de chaque réplique déroulerait l'alphabet dans l'ordre. En plus de cette contrainte, il nous fallait garder notre naturel et un débit normal de parole. Garance fut tirée au sort pour démarrer la scène, en improvisation totale, nous n'avions même pas eu une minute pour nous concerter et nous préparer.

— Attention, Anaïa, un piano est en train de te tomber sur la tête ! s'écria-t-elle d'un ton tellement convaincant que je ne pus m'empêcher de lever les yeux vers le plafond.

— Bigre, et un gros en plus ! répondis-je.

— C'est sûr, renchérit Maha.

— Dommage pour toi, déclara Eidan d'un ton nonchalant.

— Et bien sûr, ça tombe sur toi – *Laurent.*

— Fais un effort, tu pourrais te pousser un peu – *Garance.*

— Garance, aide-moi ! Mes pieds refusent de bouger ! – *moi.*

— Haaan, mais il faut tout faire pour toi ! – *Maha.*

— Immédiatement, me voilà, prêt à te sauver, comme d'habitude – *Eidan en me prenant par la taille pour me faire reculer de quelques pas.*

Je le regardai en faisant la moue. Pourquoi, « comme d'habitude » ? Il se prenait pour Superman, là, ou quoi ?

— J'arrive moi aussi ! – *Laurent, qui en profita pour me serrer à son tour dans ses bras, mais Eidan m'attira à lui de nouveau, le regard plus noir que jamais.*

Laurent recula d'un pas, cédant son territoire. Et moi, je n'avais rien demandé à personne, c'était Garance qui avait eu l'idée du piano !

— Klaxonnez pour alerter les conducteurs qu'un danger les guette ! – *Garance, que j'admirai silencieusement d'avoir réussi à trouver une phrase commençant par la lettre K !*

— **L**e piano s'est écrasé, trop tard – *moi.*

— **M**on Dieu, c'est affreux ! – *Maha.*

— **N**on, il a fait un bel accord mineur, dans son dernier souffle, c'était magnifique – *Eidan, poétique.*

— **O**n va manger un bout ? – *Laurent, cassant la poésie du moment.*

— **P**ourquoi pas ? Ça m'a donné faim, tout ça. Un piano qui tombe, c'est affamant – *Garance.*

— **Q**uelle histoire, quand même. Il n'y a qu'à moi que ça arrive, ce genre de chose… – *moi, en repensant, malgré tout, aux oiseaux en haut de la tour.*

— **R**égulièrement, elle se fait attaquer par des éléments bizarres, je confirme – *Eidan, vers lequel je me tournai encore, les sourcils froncés.*

— **S**i nous y allions, j'ai la dalle – *Laurent, toujours très fin.*

— **T**out comme moi – *Garance.*

— **U**niquement si on mange une glace – *moi.*

— **V**raiment, une glace ? – *Maha.*

— **W**hisky ! un bon whisky, c'est ça qu'il te faudrait. Ah non, j'avais oublié, tu ne supportes pas l'alcool, ma chérie – *Eidan à moi, qui m'agaçait de plus en plus, et qui n'avait pas le droit de m'appeler sa chérie.*

Il se prenait pour qui, là ?

— **X**ylophone ! Un xylophone tombe du ciel, maintenant ! – *Laurent.*

— **Y** a pas à dire, c'est pas de chance ! – *Maha.*

— **Zut** ! Et il tombe encore sur Anaïa ! – *Garance.*

Aux anges, Marc se leva aussitôt de sa chaise en applaudissant, suivi du reste des élèves qui nous avaient regardés depuis leurs sièges.

— Bravo ! Bravo, on continue, reprenez depuis le début de l'alphabet. On arrête quand l'un d'entre vous se trompe ou sèche !

Nous repartîmes pour un autre tour au cours duquel je me pris divers autres instruments de musique sur la tête, avant qu'enfin Laurent cale à la lettre W du second round.

Nous étions hilares, parce que notre histoire prenait une tournure abracadabrante, et fiers de notre petit exploit. Les équipes après la nôtre furent plus ou moins brillantes, mais nous terminâmes notre cours de bonne humeur, impatients de découvrir ce que Marc nous réserverait la semaine prochaine... En tout cas, je préférais infiniment cela à notre sketch sur la folie amoureuse.

Le jeudi matin durant notre trajet, Garance m'annonça que l'état d'Enry se stabilisait, les médecins pensaient le sortir de son coma artificiel dans la soirée. Par contre, l'enquête concernant l'accident piétinait : aucun témoin, aucune trace sur la route, pas de vidéo de surveillance dans un coin aussi perdu, au milieu des vignes, pas un cri entendu...

— Ça ne m'étonne pas, avait dit Eidan, après que Garance eut partagé ses confidences avec le reste du groupe.

— Pourquoi ça ne t'étonne pas ? demanda Yvan.

Mais il refusa obstinément de nous donner l'explication de sa réponse sibylline. Savait-il quelque chose à propos du drame ? Si c'était le cas, était-il impliqué ? Non, impossible, il était avec nous à la répétition quand l'accident avait eu lieu. Alors, pourquoi lâcher des phrases pareilles ?

Encore une fois, ses secrets m'agacèrent et le lendemain, vendredi, je me réfugiai à la bibliothèque à l'heure du déjeuner, prétextant un exposé en retard. En réalité, je l'évitais lâchement. J'avais besoin de prendre du recul, une respiration loin de ses mystères qui devenaient les miens malgré moi. Ses allusions étranges, ses regards sombres et inquisiteurs me fatiguaient. Toutefois, malgré mes efforts pour penser à autre chose et me concentrer sur mon travail, ses paroles incompréhensibles tournaient comme un funeste refrain dans ma tête, ainsi que les images de ses cicatrices à peine visibles, et les énigmes que ses yeux conservaient à l'abri de son âme hermétique.

En poussant un peu ma réflexion, une évidence inquiétante s'imposait à moi : Eidan n'était pas entré dans ma vie par hasard. Si j'avais bien compris ses paroles à peine murmurées dans la voiture, le samedi précédent, il était venu en France pour me retrouver. Cela n'avait aucun sens. Mais si l'on émettait l'hypothèse folle que ce fût vrai (et je ne vois pas comment il aurait su quoi que ce soit à propos de mon existence avant notre rentrée, ou pourquoi il aurait quitté sa vie d'avant pour une inconnue), il n'était pas innocent. Les événements étranges qui s'étaient produits avaient commencé en même temps que ma rentrée. Depuis que je le connaissais, ainsi qu'Enry. Je ne pouvais pas non plus ignorer Enry et son dessin au feutre sur ma main. Il ne voulait pas que je fréquente Eidan, il savait donc des choses à son sujet qu'on me dissimulait. Je sentais que je saisissais enfin quelque chose, un fil qui me mènerait à la sortie du labyrinthe, pourtant je bloquais. Quelque chose ne cadrait pas et je n'arrivais pas à mettre le doigt dessus.

Tous les jours également, je comptais mes grains de beauté, anxieuse. Il y en avait toujours douze, mais les démangeaisons avaient repris et je craignais l'apparition du treizième. Non pas à cause du chiffre 13 (je n'avais jamais cru à ce genre d'idioties), mais parce que je me demandais combien il y en aurait au total. Assez pour dessiner le symbole « æ » en entier, certainement ? Et ensuite ?

Finalement, une échéance se rapprochant à toute allure me permit de transférer les raisons de mes angoisses : le concert du samedi soir. Je n'avais fait que deux répétitions avec le groupe. Étais-je prête ? Est-ce que j'allais me planter lamentablement devant le public ? Garance avait fait de la pub auprès de la moitié de la fac et je lui en voulais pour cela. Si je devais m'humilier, j'aurais préféré le faire dans l'intimité la plus stricte. Je détestais me faire remarquer. L'adage « Pour vivre heureux vivons cachés » me semblait avoir été écrit pour moi. Mais il était peut-être temps que je sorte de ma tanière ? Que j'affronte le monde ?

Je passai mes soirées à jouer et rejouer les morceaux, enfermée dans ma chambre. Le vendredi soir et le samedi matin, nous avions programmé des répétitions pour être vraiment au point le jour J. Notre soirée anti-Halloween me paraissait encore plus effrayante que si une armée de zombies avait prévu d'attaquer la ville en cette nuit pourtant dédiée aux morts-vivants...

Finalement, les répétitions se passèrent très bien. Eidan se comporta normalement, ne nous fit aucune frayeur digne d'un film d'horreur, tout le monde joua à merveille et ma confiance en moi grimpa d'un cran. Le concert serait peut-être un moment de plaisir et d'échange ?

Quelles que fussent les raisons de mes angoisses, le moment d'affronter le public arriva plus vite que prévu. Le samedi était déjà là... Dans les rues, on croisait des grappes d'enfants déguisés en squelettes ou en Harry Potter ; dans les vitrines des rares

boutiques du village, quelques citrouilles grima-
çantes nous rappelaient qu'Halloween avait réussi
son invasion. Quant à moi, je me réjouissais d'une
chose : je n'aurais pas à être costumée ce soir.
J'avais des plaisirs simples, dans la vie...

Anaïa Heche
Il y a 27 minutes
Ce soir, je joue sur scène. Premier concert de rock de ma vie. Je ne sais pas si j'ai envie de hurler de trouille ou d'excitation. Souhaitez-moi bonne chance !
J'aime • Commenter

Garance Dambë
En tout cas, moi, je suis super excitée d'assister au spectacle ! Donc je vais hurler de joie ! Tu vas assurer Anaïa, tu n'as aucune raison d'angoisser. À ce soir, copine !

Juliette Couette Couette
Roooh comme je regrette de ne pas être là ! Vous allez faire une vidéo, et la mettre en ligne sur YouTube ? Ce serait génial ! Garance, je suis MDJ de toi ! Na !

Yvan Renaud
Anaïa, tu as assuré aux répétitions, calmos ! En tout cas, je serai là, moi aussi, derrière la batterie. Hé hé...

Simon Muller
Ça fait un moment que je n'ai pas de tes nouvelles, mais c'est ma faute aussi, je ne t'en donne pas... En tout cas, je suis super jaloux moi aussi. J'aurais aimé être là. Si quelqu'un peut faire une vidéo, même avec un téléphone, histoire de pouvoir admirer notre petite Anaïa en rock star... merci !

Garance Dambë
Pas de problème les enfants, je m'en charge. Encore mieux que le

téléphone : le caméscope miniature de mon père.

Simon Muller
Merci Garance.

Juliette Couette Couette
Oui, merci Garance ! Simon, il faut que je te parle. Je t'appelle.

Yvan Renaud
Garance, grâce à toi, on va devenir des stars sur YouTube, tu as ma reconnaissance éternelle.

Anaïa Heche
Juliette, je sais de quoi tu veux parler avec Simon... Garance, tu as ma haine éternelle. Je n'ai jamais rêvé de passer sur YouTube, moi.

Yvan Renaud
On mettra la batterie devant toi, comme ça, on ne verra que moi, et peut-être un halo de mèche de tes cheveux de feu en toile de fond.

Anaïa Heche
Ha, ha, ha. Je vais m'étouffer de rire ailleurs...

Simon Muller
C'est quoi ces messes basses, les filles ?

Juliette Couette Couette
Pas ici. Je t'appelle, je t'ai dit.

Simon Muller
OK.

Anaïa Heche
Moi, je vais me changer... À bientôt, si je ne suis pas morte d'une crise cardiaque d'ici là !

19.

Ma chérie, tu es superbe. Ça fait plaisir de te voir habillée ainsi.

— Merci maman, marmottai-je en sentant le rouge chauffer mes joues.

Pour une fois, en raison du concert, j'avais fait un effort vestimentaire particulier. J'avais troqué mon éternelle tenue jean, Converse, T-shirt, gros pull moelleux, contre une longue jupe noire en tissu moiré. Un chemisier assorti et un cache-cœur pour me protéger de la fraîcheur de la nuit complétaient ma tenue. Je portais également mon sautoir préféré : au bout de ce dernier, un petit oiseau orangé (assorti à mes cheveux) se balançait dans une cage délicate. De nervosité, je le tripotais sans cesse.

— Mais, Anaïa…, continua maman d'un air embarrassé.

— Quoi ?

— Tu n'es pas censée donner un concert de rock ? Là, on te croirait prête à nous jouer un récital de violoncelle au conservatoire.

Je la dévisageai quelques secondes, comme si elle m'avait parlé dans une langue extraterrestre. Bien sûr, elle avait raison ! Par habitude, j'avais enfilé les vêtements que je portais pour ce genre d'occasion... Sans lui répondre, je fis demi-tour et remontai dans ma chambre comme une fusée.

Je laissai tomber mon chemisier et ma jupe sur le sol, comme une flaque noire sur les tommettes, et me mis à fouiller frénétiquement dans mon placard avec cette question qui tournait dans ma tête : « Qu'est-ce qu'on porte à un concert de rock ? »

La sonnette d'entrée retentit à ce moment-là. Certainement Eidan qui venait me chercher, et je n'étais pas prête. J'entendis sa voix, qui monta jusqu'à moi.

— Bonjour monsieur, je suis Eidan, je joue avec Anaïa dans le groupe et je viens la chercher pour le concert, annonça mon chauffeur poliment, depuis l'entrée.

— Bonsoir Eidan, je me doutais bien de qui vous étiez. Entrez donc, Anaïa est quasiment prête.

Non ! Je n'étais pas quasiment prête ! Finalement, je mis la main sur ce que j'espérais et enfilai ma nouvelle tenue à toute allure. Quand je dégringolais les escaliers, je portais mon jean le plus slim possible, celui que je n'osais jamais mettre à la fac, un bustier ultramoulant, pourpre, qui mettait en valeur mon décolleté en le soulignant d'un fin liséré de dentelle, une veste noire en velours, et des bottes à lacets qui montaient aux genoux, noires également. J'espérais que cette fois, je serais plus dans l'esprit de la soirée…

Installé dans l'un des fauteuils du salon, Eidan échangeait quelques politesses avec mes parents au moment où je fis mon apparition et ses yeux s'écarquillèrent quand il me vit. Eh oui, j'imaginais qu'il n'avait pas non plus l'habitude de me voir habillée ainsi, d'autant que j'étais maquillée ! Il s'était laissé pousser la barbe pendant la semaine et, pour le concert, l'avait taillée avec style. Je ne comprenais pas trop le but de tout ça, mais ça devait être sa façon à lui de changer de tête, de se donner un genre. Je remarquai que ça accentuait la carrure de sa mâchoire et soulignait le dessin parfait de ses lèvres.

Ma mère, qui me tournait le dos et n'avait pas remarqué mon entrée, était en pleine tirade.

— Je suis vraiment contente de te rencontrer enfin, Eidan. Nous avons beaucoup entendu parler de toi.

— Vraiment ? demanda Eidan en lui flashant son plus beau sourire.

— Oui ! Nous n'aurions jamais pensé qu'Anaïa se lancerait dans autre chose que du classique. Alors merci d'ouvrir ses horizons et de l'aider à s'intégrer dans un groupe d'amis.

Je me sentis bouillir de l'intérieur. Est-ce que maman se rendait compte que je n'avais plus six ans ? Visiblement non.

— C'est un plaisir, madame Heche. Également un honneur pour nous de la compter dans notre groupe...

Je soupirai d'exaspération.

— ... et de lui ouvrir d'autres horizons... Je suis certain qu'il y en a de nombreux autres à explorer. Anaïa possède de nombreuses qualités, je crois.

Mes yeux faillirent sortir de ma tête. Est-ce que j'avais rêvé ou alors j'étais la seule à avoir l'esprit mal tourné dans cette pièce ? Eidan gardait un visage placide et parfaitement innocent, mais je connaissais maintenant son sourire en coin, option narquois... j'allais l'étrangler. Ma mère lui répondit avec naturel.

— Oui, Anaïa a un vrai don pour la musique. Quand elle a commencé le violoncelle c'était comme si elle savait déjà en jouer, c'est son instrument à elle.

Le regard d'Eidan s'alluma de cette lueur que je commençais à reconnaître et il eut encore cet air agaçant qui semblait dire « J'ai un secret mais je ne dirai rien ».

— Ça ne m'étonne pas, dit-il d'une voix très basse.

Avant de commettre un meurtre sur sa personne exaspérante, je ramassai mon instrument et calai sa housse sur mes épaules.

— Allez, on y va ? On va être en retard, m'écriai-je en fonçant vers la porte. Bonne soirée, amusez-vous bien !

Mes parents étaient invités à une soirée chez mon oncle qui habitait le mas d'à côté. Une fête costumée pour Halloween, avec visionnage de films d'horreur, tout ce que je détestais, je n'étais donc que trop heureuse d'y échapper.

Ma mère parvint quand même à m'intercepter pour me déposer un bisou sur la joue, mon père nous salua de loin, il était déjà retourné derrière son écran et s'amusait à peaufiner les plans des chambres d'hôte sur AutoCAD.

— Bonne soirée, enchaîna poliment Eidan. Donne-moi ça, ordonna-t-il une fois que nous fûmes à l'extérieur, sur le paillasson.

Sans dire un mot, j'ôtai la housse de mes épaules et la lui tendis. Il la porta jusqu'à la voiture et m'ouvrit galamment la portière.

Eidan se pencha vers moi et ses yeux pétillèrent d'un éclat malicieux que je ne lui avais jamais vu encore. Il titilla mon oiseau en cage du bout d'un doigt.

— Il faudra penser à le libérer un jour, non ? Sinon, tu es très belle, Anaïa, souffla-t-il gentiment.

Et, sans me laisser le temps de répondre, il se recula, referma la porte et alla poser le violoncelle à l'arrière. J'espérais que le feu de mon visage se serait atténué le temps qu'il entre à son tour dans la voiture, mais ce ne fut pas le cas. Pourtant, il ne releva pas mon trouble et ne se moqua pas de moi, ce dont je lui fus reconnaissante. Parfois, il pouvait être vraiment adorable. Pourquoi n'était-ce pas toujours comme ça ?

Nous arrivâmes à la Clef de Sol les premiers. Le restaurant était encore fermé au public et Eidan me guida jusqu'à l'entrée des artistes. Les cuistots s'affairaient déjà en cuisine, les tables venaient d'être dressées, une serveuse achevait de plier les serviettes en éventail pour les mettre dans les verres. Les lumières presque toutes éteintes, la salle, pourtant immense, devenait plus intime, feutrée. La scène, dans un coin, nous attendait, avec le piano brillant et sans une seule trace de doigts, la batterie sage et rutilante.

Eidan posa la caisse solide de sa guitare, puis mon violoncelle. Il me désigna une chaise d'un geste de la main.

— Tu vas te mettre ici, Anaïa. Oriente-toi de manière à pouvoir me regarder tout le temps. Yvan et Vincent seront en retrait, donc c'est moi que tu dois suivre, comme en répète, d'accord ?

J'acquiesçai d'un petit signe de tête et déballai mon instrument délicatement, alors qu'Eidan faisait de même avec sa guitare. Là-dessus, les frères arrivèrent et s'installèrent également. Un type, à peine plus âgé que nous, le crâne entièrement rasé, petites lunettes rondes, vint nous saluer.

— Vous êtes prêts pour la balance ?

— Prêts, déclara Eidan.

Nous passâmes un moment à faire des tests sonores. C'était la toute première fois que j'entendais le son de mon violoncelle porter autant, sous la puissance du micro qui l'équipait à présent. Ses notes amplifiées étaient surprenantes et magnifiques à la fois. J'avais l'impression de tenir contre mon corps une arme redoutable et sublime. Nous jouâmes deux morceaux pour nous préparer, avant que le restaurant n'ouvre ses portes aux premiers clients.

Suite à notre échauffement rapide, nous allâmes dîner dans les coulisses. Les garçons mangeaient avec appétit, accompagnant leur repas de bière alors que moi, j'étais bien trop angoissée pour avaler quoi que ce soit... Je les admirai qui dévoraient leurs assiettes, tout en essayant de respirer normalement et en passant mes mains moites sur le tissu de mon jean.

— Tu devrais manger, tu n'es déjà pas bien grosse, me fit remarquer Eidan en levant les yeux sur moi.

— Tu es ma mère, maintenant ? répondis-je, acerbe.

— Non, mais j'ai le droit de faire attention à toi, non ?

Faire attention à moi ? Pourquoi ? Je ne sus pas quoi répliquer, alors je ne dis rien.

— Relax, Ana, tout va se passer au top.

— Yvan a raison, en plus tu n'as que quelques morceaux, pour commencer. Ensuite, tu pourras te détendre dans le public, m'encouragea Vincent avec douceur.

Son frère hocha la tête d'un air entendu.

— Et puis, on t'a réservé une surprise !

— Quoi ? m'écriai-je.

Mais Eidan donna un coup de coude au batteur, assez durement.

— Aïe !

Yvan se frotta les côtes en faisant la grimace. Vincent roula de gros yeux indignés et lui dit d'un ton cinglant :

— Tu te tais, toi, parfois ? Pfff…

— OK, désolé. Oublie, Anaïa. Pas de surprise. Je n'ai rien dit, tu n'as rien entendu, tout ça appartenait à une dimension différente, OK ?

— Quel crétin, c'est pas possible, lâcha encore son frère en haussant les épaules.

Le silence retomba dans la petite pièce, vite comblé par un bourdonnement provenant de la salle. Il y avait du monde à présent, et le bruit des conversations, l'éclat des rires, le tintement des couverts montait jusqu'à nous, nous signalant qu'il y aurait foule, ce soir.

Puis ce fut l'heure de monter sur scène. Yvan et Vincent entrèrent en premier avec décontraction et furent acclamés par une salve énorme d'applaudissements. Plusieurs personnes crièrent leurs noms. Je me sentis blêmir, et une grosse boule se coinça dans ma gorge, menaçant de me faire étouffer.

Eidan se tourna vers moi et me tendit la main. Sans y penser, je la pris, j'avais besoin de soutien, d'un contact pour me rassurer. Il me tira en avant afin de me relever. Par ce mouvement, je me retrouvai tout près de lui, la chaleur de son corps m'arrivant en effluves parfumés et rassurants.

Le puits sans fond de ses prunelles accrocha mon regard vert et nous restâmes un moment à nous contempler ainsi, alors que mon rythme cardiaque augmentait légèrement, sans lien avec le stress, cette fois. Il allait se passer quelque chose, là, maintenant.

De la main qui ne tenait pas la mienne, il écarta avec délicatesse une mèche de mes cheveux pour dégager mon cou. Je frissonnai au contact de ses doigts sur ma peau nue.

— Je suis content que tu sois venue, Anaïa. Tout va bien se passer, tu vas voir. Tu as déjà fait ça.

— Ah bon ? demandai-je d'une voix faible.

Il se pencha vers moi et chuchota tout contre mon oreille, provoquant une onde de chair de poule le long de mon corps.

— Oui, j'étais là… déjà… Viens, maintenant, montre au monde combien tu es merveilleuse.

Je fus déçue quand il se recula et le regardai d'un air un peu hébété. Il me tira derrière lui, nous guidant sur la scène.

La violente lumière des spots braqués sur nous m'aveugla aussitôt, alors que les cris de la foule m'effrayaient et me galvanisaient tout à la fois. Oui, c'était grisant, ces visages indistincts levés vers nous, ces yeux brillants, ces vagues d'impatience, ces applaudissements, mais c'était également saisissant. L'ampleur de l'événement me parvint à ce moment précis et je compris qu'il y avait beaucoup plus de monde que je ne l'imaginais qui n'avait pas eu envie de fêter Halloween ce soir.

Inspirant profondément, je pris mon violoncelle posé sur sa tranche près de la chaise et le mis en place contre moi. Son contact familier, ferme, un peu lourd, me rassura aussitôt. Mon archet en main, je me tournai vers Eidan, suspendue à ses moindres signes... Il était perché sur un tabouret près de moi, sa guitare en place, prêt à entamer le morceau de Nirvana.

Il rapprocha le micro fixé à son pied devant lui, en régla la hauteur, ses yeux firent le tour de chacun d'entre nous, et tous, d'un léger signe de tête, nous lui indiquâmes que nous étions prêts. Alors, ses doigts se mirent à danser sur les frettes, la basse de Vincent résonna, grave, faisant vibrer la scène en bois sous mes pieds, Yvan amorça sa rythmique légère, la musique nous envahit, tel un monde entier nous enveloppant, nous unissant, un paysage de sonorités... La voix rauque d'Eidan entama le chant. Le public, un peu en contrebas, se tut et sembla onduler en rythme avec nous. Quand Eidan chanta le premier refrain, mon archet glissa de lui-même sur les cordes.

Un calme immense m'envahit, un bonheur simple mais puissant résonnait au rythme de la grosse caisse dans mon cœur. J'étais bien, là, sur cette scène. Oui, j'étais bien également. Une communion de sentiments, de joie, une intensité musicale sans précédent nous animait, bien plus fortes qu'aux répétitions.

Eidan chantait « Dumb » de Nirvana :

« *Think I'm just happy*
Think I'm just happy
Think I'm just happy »

et c'était exactement ça. J'étais tout simplement heureuse.

La première partie du concert passa comme un rêve. Chaque chanson que nous interprétions était plus intense que la précédente ; le public devenait hystérique, applaudissant, hurlant, tapant des pieds entre chaque morceau. Mon violoncelle me semblait plus que jamais être une extension de moi-même, peut-être parce que j'étais beaucoup moins consciente de sa présence, alors que tous mes sens étaient tendus vers les autres musiciens, vers Eidan, en particulier, qui nous menait, nous insufflait sa passion avec une force bouleversante. Les vibrations du bois contre ma poitrine faisaient partie intégrante de ce dialogue intime, et je jouais avec abandon, tout entourée des notes des autres. Mon angoisse s'était évaporée et je me demandais même pourquoi j'avais été autant inquiète. « U-Turn », d'Aaron, « Volcano », de Damien Rice, « Breathe me », de Sia… les chansons se suivaient et je voulais que cela ne s'arrête jamais.

Ma prestation s'acheva sur la chanson *Stop* de Lizz Wright. Nous l'avions jouée seulement la veille pour la première fois, et jusque-là je n'avais pas encore ressenti sa puissance, dans mon âme. Pourtant, elle était magnifique, légèrement jazzy, douce… Là où la voix de Lizz Wright était pure et grave, celle d'Eidan était basse et légèrement cassée, voilée à merveille. Pendant que mon archet glissait sur les cordes, je me concentrai sur les paroles, touchée aux larmes par la voix de notre chanteur, qui semblait vivre chaque histoire avec une intensité exceptionnelle. Son visage paraissait transcendé, alors que les yeux fermés, la bouche collée au micro, le piano brillant devant lui, il interprétait la chanson. Il donnait soudainement l'impression d'être un autre, une personne différente, plus âgée, terriblement âgée, pétrie de douleurs et de joies, de souvenirs immémoriaux qui s'inscrivaient sur les traits de son visage que je découvrais, à cet instant, parfait.

Don't tell me to stop	« Ne me dis pas d'arrêter
Tell the rain	Dis à la pluie
not to drop	de ne pas tomber
Tell the wind	Dis au vent
not to blow	de ne pas souffler
'Cause he said so	Parce qu'il en a décidé ainsi
Tell me love	Dis-moi que l'amour
isn't true	n'est pas vrai
It's just something	C'est juste quelque chose
we do	que nous faisons
Tell me everything	Dis-moi tout
I'm not	ce que je ne suis pas
Don't tell me to stop[1]	Mais ne me dis pas d'arrêter »

Le public était désormais en transe, silencieux, immobile, face à nous, noyé dans la pénombre de la salle. Je ne distinguais, parfois, que l'éclat d'un regard reflétant les flammes des briquets allumés qui se balançaient en rythme dans la foule. Tous ces yeux braqués sur Eidan... Il ensorcelait chaque personne plantée debout face à nous. Et, inspiré comme il l'était, il m'ensorcelait aussi.

Notre première partie s'acheva là. Je ne devais pas jouer dans la seconde, réservée aux garçons. Certainement que, d'ici quelques mois, j'aurais plus de morceaux à mon répertoire et que je pourrais accompagner le groupe jusqu'au bout, mais pour ce soir, j'avais terminé et j'en ressentis un immense regret, alors que nous nous levions, saluions le

---

1. « Stop », Lizz Wright, 2005 (album *Dreaming Wide Awake*).

public en folie qui criait, sifflait, réclamait une autre chanson. Je m'imprégnai de toutes ces sensations, des trépidations du sol déclenchées par le martèlement des pieds des spectateurs, leurs applaudissements, leur enthousiasme, les sourires de Vincent, d'Yvan et d'Eidan, leurs regards brillants, le même bonheur que nous partagions, parfaitement conscients que seuls nous quatre pouvions comprendre ce qui nous animait à ce moment précis.

Enfin, nous nous retrouvâmes dans les coulisses, radieux. Yvan sautait partout comme un kangourou sous amphétamines.

— Les gars, c'était génial ! Dément ! Le meilleur concert de notre vie !

— C'est vrai que c'était hallucinant, renchérit Vincent, légèrement moins flegmatique que d'habitude.

Nous avions tous les joues rouges, le souffle court.

— Attendez, ce n'est pas terminé, on a encore la deuxième partie de concert à assurer, les calma Eidan.

Mais je pouvais voir, dans son sourire, qu'il était aussi enthousiaste que ses compagnons.

Il se tourna vers moi.

— Tu vas nous manquer, pour la suite.

— J'avoue que j'aurais aimé être avec vous sur scène, mais je vais vous admirer dans le public, et je serai celle qui hurlera le plus fort.

Je retrouvai Garance qui me sauta dessus comme si j'étais le Père Noël en personne.

— Anaïaaaaaa ! C'était super ! Magnifique ! J'ai tout filmé, tu vas pouvoir t'admirer. Je suis encore toute retournée par ce que vous avez fait !

— Merci !

Aussitôt, je fus entourée par une douzaine d'élèves de la fac qui étaient venus eux aussi pour l'occasion. Ils me congratulèrent avec force superlatifs et tapes dans le dos. Je n'avais pas l'habitude d'un tel enthousiasme ; les auditions au conservatoire ne provoquaient pas de pareilles réactions. Laurent me fit un sourire hérissé de dents de vampire en plastique. Il avait triché !

— On avait dit pas de déguisement d'Halloween ! le grondai-je gentiment.

— Alors, qu'est-ce que tu penses de mon déguisement de mort-vivant ? demanda une voix bien connue derrière moi.

Tout le monde se figea, ainsi que mon sang dans mes veines. Ce n'était pas possible. Il ne pouvait pas... Je me retournai lentement.

— Enry, qu'est-ce que tu fais là ? demandai-je à voix basse.

Garance fut moins subtile.

— Qui t'a donné l'autorisation de sortir de l'hôpital ? Tu es fou ou quoi ? Tu veux te tuer pour de bon ?

Malgré moi, je tressaillis violemment en découvrant son visage. Tout son côté gauche, rouge, râpée, commençait tout juste à cicatriser, son œil du même côté était à moitié masqué par une paupière exagérément enflée. Un pansement passait sur l'arête de son nez, un bleu colorait une pommette et une tempe, du sang séché apparaissait encore à la bordure de son cuir chevelu. Il n'avait certainement pas pu se raser à l'hôpital et ses joues étaient couvertes d'une barbe claire, drue, inhabituelle. Ses manches remontées au-dessus du coude laissaient apparaître des éraflures larges et des coupures profondes, cousues par des points de suture, badigeonnées de Bétadine. Il avait ôté ses bandages ? Pourquoi ? Et pourquoi était-il ici ?

— Je ne vais pas me tuer, répondit-il vertement à Garance. Et ne t'avise pas de prévenir ton père. Je... je ne voulais pas manquer le concert d'Anaïa, c'est tout.

— Oh... Enry, il ne fallait pas, il y en aura d'autres, bredouillai-je.

Il avait fait ça pour moi ? Vraiment ?

— Peut-être, peut-être pas... C'était magnifique, en tout cas. Tu es une véritable virtuose. J'aimerais t'écouter jouer du classique aussi.

Son sourire sincère paraissait toutefois douloureux. Je baissai les yeux, incapable de soutenir son regard mutilé.

— Merci...

Ma réponse n'était qu'un murmure à peine audible.

— Enry, arrête de déconner. Tu es encore faible, tes blessures risquent de se rouvrir, tu dois retourner à l'hôpital !

Enry se détourna pour fixer Garance. Au passage, ses yeux, d'un bleu chaleureux de ciel d'été, devinrent glacials.

— Garance, je sais ce que je fais. Je retournerai à l'hôpital tout à l'heure. Maintenant, laisse-moi profiter de ma soirée.

Mon amie lui tourna le dos sans manière pour lui signifier son désaccord et Enry reporta son attention sur moi. Un silence resta suspendu entre nous avant qu'il ne dise à voix basse :

— Je m'excuse d'avoir été aussi désagréable avec toi, avant tout ça. C'était très maladroit de ma part.

— Oh, c'est déjà oublié, soufflai-je, étonnée.

Son sourire ressemblait plutôt à un rictus, tout déformé par ses blessures, mais il me suffit. Tout allait redevenir comme avant, ou presque. Quand Enry reviendrait à la fac, nous pourrions être de nouveau amis et cela me mit du baume au cœur.

À ce moment, les garçons remontèrent sur scène sous les hurlements hystériques du public et, d'un même mouvement, nous pivotâmes face à eux.

Eidan, en s'installant derrière son piano, me repéra dans la foule et son visage s'éclaira, mais il me sembla que, quand il découvrit Enry debout près de moi, son attitude se modifia. Il se tendit, ses traits se durcirent. Toutefois, il joua avec la même conviction et le même brio que durant la première partie. Une fois noyé dans la musique, plus rien n'existait, il était transfiguré. J'avais beaucoup de mal à quitter sa silhouette des yeux. Eidan brillait littéralement sur scène...

Je me laissais peu à peu contaminer par le plaisir du public et moi aussi je tapais des mains, sifflais, chantais, alors que d'autres brandissaient leurs briquets au moment des chansons plus douces.

Une multitude d'émotions me traversait : la fierté de faire partie de ce groupe, le bonheur de les écouter, d'être avec mes amis pour ce moment unique, et la joie, malgré le fait qu'il n'aurait pas dû être ici, d'avoir retrouvé Enry. J'avais chaud, terriblement chaud. Les corps pressés contre le mien, qui se mouvaient en rythme, me frôlaient, l'atmosphère surchauffée du restaurant, la brûlure des lumières du plafond qui tournaient au-dessus de nous... Mon corps s'embrasait, mon sang bouillonnait, j'avais l'impression que, si quelqu'un me touchait, j'allais prendre feu, là, maintenant. Curieusement, cet état n'était pas désagréable, je me laissais envahir par la langueur cuisante qui naissait dans le creux de mon ventre, s'étendait dans mes membres, remontait dans mon cou, jusqu'à la racine de mes cheveux. J'avais l'impression de les sentir bouger tout seuls comme des flammes douces et ondulantes autour de mon visage.

Je bougeais moi aussi en cadence avec la musique, abandonnant toute timidité, pour une fois, les yeux fermés, attentive à tout ce qui se passait en moi ; différente, je me sentais différente, et pourtant je savais qu'à ce moment précis j'étais celle que je devrais être, celle que j'attendais de devenir.

À un moment, Enry toujours près de moi, se pencha à mon oreille.

— Anaïa, ça va ?

Je souris, les paupières toujours baissées, me coupant de la réalité, flottant toujours dans cet état second.

— Ça va, j'ai chaud...

Une main vint alors dégager une épaisse mèche collée dans mon cou et des doigts glacials vinrent se poser contre ma peau incendiée, m'interrompant dans mes mouvements. Mes yeux se rouvrirent brutalement, et clignèrent sous l'effet de la lumière stroboscopique pulsant en flashs trop vifs.

— J'aime ta chaleur, murmura encore Enry.

Je me tournai vers lui, sous le choc. Est-ce que j'avais bien entendu ?

— Quoi ? Qu'est-ce que tu viens de dire ? demandai-je, espérant que je m'étais trompée.

— J'aime ta chaleur, répéta-t-il. J'en ai besoin, tu sens comme j'ai froid ?

Toutes les sensations de mon cauchemar de la semaine précédente m'envahirent soudain : le froid glacial qui s'étendait dans mon cou, depuis la main d'Enry, sa voix dans mon oreille, douce, et pourtant, semblait-il, porteuse d'une menace sous-jacente. Je m'écartai brutalement de lui.

— Tu es gelé, remarquai-je en bafouillant à moitié.

— C'est la fatigue, expliqua-t-il, l'air penaud.

Visiblement, ma distance le vexait.

Instinctivement, mon regard retrouva Eidan sur la scène. Lui aussi me fixait avec intensité. Il ne chantait pas, là, exécutant un solo de guitare, sa bouche serrée en une fine ligne de mécontentement. Sans savoir pourquoi, je fis un pas de plus sur le côté, me rapprochant de Garance, augmentant l'espace entre Enry et moi.

J'avais de plus en plus chaud, un peu comme le dimanche où j'avais été malade, et où le père de Garance était venu à la maison. Pourtant, cette fois, cette sensation ne me dérangeait pas. Au contraire, elle me faisait du bien, me réconfortait. Avec elle, j'étais plus forte.

Eidan remarqua mon mouvement et son visage parut se détendre – difficile à dire avec la distance. Il se remit à chanter sans me quitter des yeux, qui s'élargissaient au fur et à mesure que la mélodie augmentait en intensité. Ses prunelles sans lumière m'aspiraient et plus je me laissais tomber dans ce gouffre, plus je bouillonnais. Soudain, par-dessus la musique, il me sembla entendre la mer, le bruit des vagues qui grondaient quelque part plus loin. Un parfum de fleurs me chatouilla à nouveau les narines. Encore ces sensations étranges. Je baissai les paupières pour m'isoler dans ce flux, tentant de comprendre son origine.

Je m'enfonçai dans mes perceptions, plus loin, encore plus loin...

— *Je veux ta chaleur, donne-moi ton feu. Tu seras mienne à présent.*

— *Anaïa, où es-tu ? Anaïa ?*

— *Ton feu, je veux ton feu. Ton corps fera partie du mien...*

— Anaïa ?

Mon prénom prononcé en dernier n'était pas un souvenir ou une impression. C'était la voix dans ma tête qui l'avait prononcée. Je sursautai et revins dans le présent. Le bruit, la batterie qui cognait, la basse qui résonnait, Eidan au piano qui chantait, Garance qui filmait toujours, Enry qui s'était rapproché de moi, encore une fois.

— Tu vas bien ? chuchota-t-il tout contre mon oreille, pour couvrir la musique.

Je le regardai, un peu hébétée. Que s'était-il passé exactement ? Je n'en avais aucune idée. Pendant quelques instants, je m'étais retrouvée ailleurs, dans un autre lieu, un autre temps.

Incapable de dire un mot, je me contentai de hocher la tête. Le concert touchait à sa fin. Je connaissais l'ordre des morceaux et celui-ci était le dernier. Pourtant, quand la dernière note eut résonné, le public plus déchaîné que jamais, les garçons ne quittèrent pas la scène.

Eidan se leva, contourna le piano, attrapa sa guitare et s'installa sur le tabouret, avant de se pencher vers le micro.

— Cette chanson est dédiée à Anaïa, notre merveilleuse violoncelliste, pour la remercier de sa présence et de son immense talent. En espérant que la prochaine fois, elle l'interprétera avec nous.

Mon cœur fit un bond dans ma poitrine, alors que la moitié des silhouettes autour de moi se tournaient dans ma direction. Garance me donna un coup de coude dans les côtes.

— Oh mon Dieu, c'est trop romantique, s'écria-t-elle d'une voix aiguë.

Yvan, sur scène, m'adressa un clin d'œil, me faisant comprendre que c'était ça, la surprise dont il avait parlé avant le concert.

Enry m'observa un long moment, le visage fermé. J'évitais à présent de croiser son regard délibérément. Je restai pétrifiée, toute droite.

Eidan fit résonner quelques notes en arpège, très douces, Vincent seul l'accompagna de sourdes notes de basse, qui, je le compris, remplaçaient une partition de violoncelle. Puis vint le chant, une mélodie mélancolique, une voix pure, grave.

There are so many stars
in the sky tonight
Which one will I take
in my hand ?
There are so many ways
I can live my life
Which one will I make
part of my plan ?
There are so many spirits
in the air tonight
Trying to pull me away

You're a part of me
You're in every breath
that I breathe
And every step
forward that I take
And then I take a step
backwards
And I don't see
your face

You're a part of me
You're in every song
that I sing
And every bird that sings
to me
This is what I dream
To be real
This is my reality[1]

« Il y a tant d'étoiles
dans le ciel, ce soir,
Laquelle vais-je prendre
dans ma main ?
Il y a tant de façons
de vivre ma vie
Laquelle va faire
partie de mon plan ?
Il y a tant d'esprits
dans l'air, ce soir,
Qui tentent de m'éloigner

Tu es une partie de moi
Tu es dans chaque respiration
que je prends
Et à chaque pas
que je fais en avant
Je fais un pas
en arrière
Et je ne peux plus voir
ton visage

Tu es une partie de moi
Tu es dans chaque chanson
que je chante
Et que chaque oiseau chante
pour moi
C'est ce que je rêve
d'être vrai
C'est ma réalité. »

---

1. « Stars », Nelly Furtado, 2010 (album *The Best of Nelly Furtado*).

Je ne connaissais pas cette chanson, mais sa mélodie, ses paroles, la voix d'Eidan, tout me toucha au plus profond de moi. Je sentis les larmes piquer mes yeux, mais même en respirant très fort ou en tentant de me concentrer sur autre chose, rien n'y fit, elles se mirent à couler sur mes joues, traînées brûlantes sur ma peau surchauffée.

Le public s'était tu autour de nous, saisi, lui aussi, par le velours de la voix d'Eidan, le velouté des arpèges de la guitare, l'harmonie qui jaillissait de la scène et me renversait intérieurement. J'avais envie de monter près d'Eidan, j'avais envie de tendre ma main, qu'il la prenne, qu'il me dise que tout irait bien maintenant, qu'il me rassure, qu'il chasse mes cauchemars et les visions étranges qui me hantaient. Une petite voix intérieure me soufflait que lui seul en avait le pouvoir.

La chanson se termina. Le public continua à applaudir et à siffler longtemps, les musiciens quittèrent la scène en saluant, et moi, je ne bougeais toujours pas, immobile comme une statue au milieu du tourbillon qui m'entourait, du bruit qui fracassait mes tympans, du sol qui tanguait sous mes pieds. Quand les lumières se rallumèrent, j'étais encore sous le choc.

Les larmes coulaient toujours, malgré moi. Je les essuyai rapidement du dos de la main, mais en vain, d'autres vinrent inonder mon visage aussitôt.

Pudiquement, Garance fit mine de ne pas relever mon état et parlait avec excitation à nos amis de la fac, pour détourner leur attention. Intérieurement, je notai qu'il faudrait que je la remercie plus tard, pour sa délicatesse.

Le visage d'Enry vint remplacer la scène devant mes yeux, alors qu'il se penchait vers moi, songeur. Il était plus pâle que jamais, sa peau avait perdu ses couleurs, faisait ressortir ses éraflures. Il en devenait presque effrayant.

Pour dissiper tout malaise, je lui fis un sourire timide derrière mes sanglots.

Silencieusement, il avança une main contusionnée vers mon visage et, du bout de son pouce, cueillit une de mes larmes. Sans que je comprenne pourquoi, il l'observa un moment à la lumière, en orientant son doigt vers un spot. Puis, d'un geste rapide, il la mit dans sa bouche et ferma les yeux, comme s'il savourait son goût.

De mon côté, je fronçai les sourcils et me tournai involontairement vers Garance pour vérifier si elle avait été témoin de la scène hallucinante, mais elle était occupée à montrer un extrait du concert sur le petit écran tactile de son caméscope à tout le monde et ne s'était aperçue de rien.

Mon attention se fixa de nouveau sur Enry et plusieurs choses se déroulèrent simultanément. Je ne sus jamais vraiment ce qui se passa à ce moment-là.

Enry avait toujours les yeux fermés, un air extatique sur le visage et, devant moi, les égratignures sur ses joues, le bleu sur sa pommette s'estompèrent en accéléré, comme dans un film où l'on souhaiterait faire comprendre au spectateur que le temps s'est écoulé et que le blessé va mieux. Sauf que là, tout eut lieu en quelques secondes. Ne me laissant aucune possibilité de réagir à cet événement, Eidan surgit de nulle part, se jeta sur Enry en l'attrapant par le col de sa chemise, avant de le plaquer contre le mur, près de la scène où nous nous tenions.

— Comment as-tu osé ? Comment as-tu osé venir ici, pour commencer, et ensuite, voler une de ses larmes ? hurla Eidan, les traits déformés par une rage incompréhensible.

L'attention de tout le monde se détourna de la caméra de Garance et le groupe d'étudiants encore présent s'orienta vers nous.

Enry eut un rire sardonique.

— Eidan, le chevalier servant de notre princesse… Je fais ce que je veux, non ? Qui es-tu pour m'empêcher d'être là ?

Eidan vibrait littéralement sous le coup de la colère, mais il ne pipa mot. Visiblement, il n'avait pas de réponse à la question d'Enry.

Ce dernier continua, une grimace de douleur et d'arrogance accompagnant ses paroles qu'il cracha plus qu'il ne les dit.

— Et puis, ses larmes, elles ne sont pas complètes, n'est-ce pas ? Tu le sais mieux que moi, pauvre âme en peine depuis tout ce temps ?

Alors, d'un geste rapide, précis, Eidan écrasa son poing sur le visage d'Enry. La tête de ce dernier partit en arrière et se cogna violemment sur le mur derrière, en émettant un bruit mat.

Je poussai un cri et me précipitai, affolée et consternée.

— Mais ça va pas, non ? Qu'est-ce qui vous prend, tous les deux ? Eidan, Enry est blessé, tu es malade de lui faire ça ?

Eidan lâcha Enry qui se laissa glisser le long du mur et s'accroupit, essuyant le sang coulant de sa lèvre fendue avec le bas de sa chemise. Il ricana encore.

— Ne t'en fais pas pour moi, Anaïa. Je suis solide. Très solide. On a juste un léger différend avec Eidan… qui traîne depuis un petit moment. À ce jour, on en est à un point partout, n'est-ce pas ?

Sans me soucier de ce qu'Enry racontait, je me penchai vers lui et l'attrapai par le bras pour l'aider à se relever.

Eidan me regardait faire avec une expression qui ressemblait à de l'horreur, sans que je comprenne pourquoi. Une fois certaine qu'Enry tiendrait sur ses jambes, je me tournai vers son adversaire, furibonde.

— Tu es complètement fou ! criai-je.

Oubliées toutes les belles émotions positives, les sensations intenses qu'il m'avait fait ressentir durant le concert.

— Tu ne devrais pas te mêler de ça, murmura Eidan d'une voix tellement basse qu'il me fallut tendre l'oreille pour l'entendre correctement. Tout ce qui se passe ici ne te regarde pas.

— Au contraire, rétorqua Enry en riant toujours, ça la concerne directement !

Et, encore une fois, il attrapa du doigt une larme sur ma joue et, comme précédemment, la goûta avec un pétillement dans l'œil.

Sa lèvre s'arrêta alors tout de suite de saigner et dégonfla. J'aurais voulu lui demander comment cela était possible, j'avais envie de hurler pour leur demander à tous les deux de me donner une bonne fois pour toutes les réponses à ces mystères qui planaient au-dessus de ma tête, mais ce n'était ni le lieu ni le moment. Il y avait trop de monde qui nous dévisageait.

L'attroupement des élèves de la fac se rapprocha, et il s'en fallut de peu qu'une bagarre générale n'éclate.

Mais Eidan avait desserré ses poings, son dos était désormais courbé et un air de profonde tristesse flottait sur son visage. Tout en soutenant Enry qui avait passé un bras autour de mes épaules, je l'observai avec stupeur. Il avait perdu de sa beauté, de cette aura grandiose qu'il avait eue sur scène un peu plus tôt. Le charme était rompu. Les mots de sa chanson ne me touchaient plus. Je n'aimais pas la violence, encore moins quand le combat était inégal. Alors, sans hésiter, je lui tournai le dos et passai une main sur la joue d'Enry, là où ses blessures s'étaient trouvées un peu plus tôt. Je ne l'avais jamais touché ainsi, de façon aussi intime, mais je voulais être certaine qu'il allait bien.

D'un geste spontané, il me serra contre lui, ses bras forts m'entourant, et m'écrasa contre sa poitrine large et solide.

— Merci, Ana, murmura-t-il avec émotion.

Gênée, je ne fis aucun geste, mais je sentis en moi la chaleur prendre de l'intensité, faire un looping dans mon ventre, se diffuser au-delà de ma peau, et nous entourer, Enry et moi, d'un halo de tiédeur qu'il sembla absorber.

Quand il me lâcha, je me retournai. Garance m'observait, le front plissé, l'air inquiet. Eidan, quant à lui, avait disparu.

Anaïa Heche
Il y a 46 minutes
Novembre, déjà…
J'aime • Commenter

Garance Dambë
Ça passe trop vite…

Juliette Couette Couette
On s'en tape de novembre. Le concert était comment ?

Simon Muller
Oui, on veut savoir, nous !

Garance Dambë
C'était génial, Ana a assuré, comme on le prévoyait tous.

Anaïa Heche
Génial oui, mais ça s'est terminé bizarrement.

Juliette Couette Couette
C'est-à-dire ?

Anaïa Heche
Je suis trop crevée là, je t'appelle demain pour te raconter.

Juliette Couette Couette
Ça marche, j'ai des trucs à te dire aussi.

Simon Muller
Je sens que mes oreilles vont siffler.

Nico Heche
Hé, cousine, tu as quand même loupé une fabuleuse soirée costumée. Ton père était terrible en créature de Frankenstein.

Anaïa Heche
Je m'en remettrai, je crois. Toi aussi, tu as loupé une bonne soirée. Tu n'es même pas venu soutenir ta cousine préférée.

Nico Heche
La prochaine fois. Et puis tu es ma seule cousine, tricheuse.

Anaïa Heche
Bon, les amis et cousin, je vous aime de tout mon cœur, mais je tombe de sommeil. Je vous souhaite une bonne nuit !

Simon Muller
Bonne nuit Ana.

Garance Dambë
Bonne nuit aussi ! Et j'espère que tu vas rêver de tu sais quoi…

Yvan Renaud
Bien rentré chez moi ! Le concert était top, c'est certain. Garance, j'ai hâte de voir ta vidéo. Par contre, je ne sais pas où est passé Eidan. Il s'est barré comme un voleur. Quelqu'un sait pourquoi ?

Garance Dambë
Longue histoire Yvan, je te raconterai.

Yvan Renaud
OK, miss. Bisous à tous !

20.

*I*l fait nuit. Une nuit noire et étouffante. Les ténèbres semblent être devenues solides et tournoient autour de moi en écharpes poisseuses, des langues gluantes sur ma peau nue. Je n'aime pas ça. Mais je n'ai pas peur. Je marche dans la forêt opaque guidée par mon instinct. Mes pas savent où me porter. Et j'ai chaud. Très chaud. C'est cette chaleur qui me rassure, qui me persuade que les ténèbres ne peuvent rien contre moi. Je regarde ma main gauche. J'aimerais compter mes grains de beauté. Je suis certaine qu'il y en a un de plus. Tous les éléments sont réunis pour cela : la température de mon corps et les émotions intenses ressenties pendant le concert. Il me faudrait de la lumière. À peine cette pensée formulée, une flamme s'allume dans le creux de ma paume. Là où devrait se trouver le « œ ». C'est amusant d'avoir du feu dans la main, mais qui ne brûle pas. Ou alors, c'est parce que je suis tellement ardente qu'il n'y a pas de différence de *température entre la flamme et mon corps. Pourtant, ma peau reste intacte, le feu ne s'étend pas, ne calcine pas ma main. Il est juste là, et m'éclaire. Les ombres des arbres sont inquiétantes, tordues, serrées comme les griffes d'une créature fantastique et effrayante. Je ressens toujours le froid huileux autour de moi, mais il n'ose plus s'approcher aussi près. C'est la flamme vive qui l'éloigne.*

Voilà la tour. Je souris en la découvrant. Elle m'a manqué, d'une certaine façon. J'ai besoin de ressentir du réconfort, après tout ce qui s'est passé cette nuit. Enry, Eidan. Qui sont-ils ? Je ne parviens pas à le savoir. Ils arrivent à m'attirer tous les deux et à me repousser tout autant chacun leur tour. Cela n'a pas de sens. Et quelle importance de toute façon ? Car il y a celui de mon rêve qui est quelques marches plus bas. Je sais qu'il m'attend cette nuit. Point d'oiseau ou de créature de pierre cette fois. Juste lui.

Je descends les marches avec impatience. La flamme dans ma main me guide dans l'obscurité. Et puis la lumière blanche m'accueille au détour de la spirale des escaliers.

Sans y penser, j'éteins le feu. Pourtant, la brûlure intérieure ne cesse pas. Encore une fois, j'ai l'impression de dégager toute cette chaleur, à tel point que mes cheveux se soulèvent tout seuls, emportés par un vent frénétique.

Le voilà. Sa haute silhouette, toujours noyée dans la clarté pâle, s'avance vers moi.

— Anaïa, murmure-t-il dans ma tête, tu es revenue.

— Où ?

— *Chez toi.*

Il me prend dans ses bras, me serre contre lui, fort, très fort. Si fort que j'ai l'impression que je vais fusionner avec lui, entrer sous sa peau, ne faire plus qu'un. Oui, c'est ce que je veux. M'oublier en lui.

— *C'est où, chez moi ?*

— *Ici, Anaïa, ici. Tu me manques chaque jour. Tu n'imagines pas à quel point.*

— *Tu me manques aussi.*

— *Je sais. Alors, figure-toi ce manque, quotidien, pendant des dizaines d'années. C'est ce que je vis depuis la dernière fois.*

— *La dernière fois ?*

— *Anaïa, je n'ai jamais cherché à te faire de mal. Jamais. Je veux que tu t'en souviennes, quand tu te réveilleras.*

— *Je ne veux pas me réveiller.*

— *Tu n'as pas le choix. Mais je t'attends quelque part dans la réalité aussi. Tu dois me trouver.*

— *Qui es-tu ?*

— *Tu le sais déjà...*

Il me serre encore plus fort, alors que je ne pensais pas que ce fût possible. La chaleur augmente en moi. De mon ventre, elle se diffuse dans chacun de mes membres, mes cheveux s'entortillent autour de nous, nous enveloppent d'une couverture orangée. Et alors, je prends feu, entièrement. Je ne suis plus qu'un brasier géant, grondant, bienfaisant. C'est dans cet état que je me fonds réellement en lui. Nous ne formons plus qu'un. J'entends son cœur battre près du mien. Je l'aime...

— *Enfin, murmure-t-il.*

Et dans son chuchotement, je reconnais la même extase que celle qui me transporte à ce moment-là.

Je me réveillai en sursaut, bouillante sous ma couette, mon front perlé de sueur, mes cheveux trempés. Le cœur battant au rythme de ma respiration trop rapide, je laissai se calmer les cercles de volupté qui résonnaient encore dans mon corps comme des ondes, avant d'oser faire un geste.

— Ouah…, annonçai-je à la nuit.

Elle ne me répondit pas.

Enfin, d'une main tremblante, j'allumai ma lampe de chevet et observai aussitôt ma paume gauche. Rapidement, je comptai mes grains de beauté, m'emmêlai dans mon décompte et recommençai. Treize. Il y en avait treize. Je le savais. Comme dans mon rêve, j'avais senti que toutes les conditions étaient réunies pour en faire apparaître un nouveau. C'était le même schéma chaque fois, et j'avais fini par en reconnaître la structure au fil des semaines et des apparitions sur ma peau. Comme les précédents, il se fixait de manière à compléter le dessin du « æ ». Je me mordis la lèvre inférieure en réfléchissant. Dès qu'Enry irait mieux, il faudrait que je l'interroge sérieusement, mais avec plus de diplomatie que sur le message que je lui avais laissé. Je n'aimais pas les conflits.

Je me laissai retomber sur mon oreiller et tirai sur mon T-shirt pour le décoller de ma poitrine moite. Puis, d'un geste brusque, je repoussai ma couette et sortis du lit. J'enfilai mes pantoufles, alignées sur le tapis. En cette saison, les tommettes étaient glaciales. Sans faire de bruit, je me rendis dans la salle de bains pour prendre une douche. Pas question de rester transpirante ainsi tout le reste de la nuit.

Une fois séchée et vêtue d'un pyjama propre, je descendis dans la cuisine. Rody, que j'avais réveillé, m'attendait déjà en bas des escaliers, sa queue recourbée battant frénétiquement de joie, sa langue rose pendante, ses yeux globuleux prêts à rouler sur le sol sous le coup de l'émotion de ma visite nocturne. Il n'avait pas le droit de monter à l'étage, alors il devait se sentir bien seul, une fois tout le monde couché.

Je m'assis sur la dernière marche et pris le temps de lui gratouiller le crâne.

— Salut la Bestiole, ça va ? Tu n'as pas froid aux pattes, à te promener sans chaussons ?

Il gémit, me laissant la liberté d'interpréter son couinement à ma guise.

Je me relevai et me dirigeai dans la cuisine. Dans le frigo m'attendait une bouteille de lait. Je m'en servis un grand verre, allai piocher des cookies dans une assiette posée sur le plan de travail et m'assis derrière la grande table de bois, dans le noir.

Rody s'installa à mes pieds, et poussa un soupir, que j'aurais pu exprimer moi-même. Je sentais son pelage doux et chaud contre ma cheville droite et sa présence me rasséréna.

— Tu vois, Rody, commençai-je à chuchoter, je ne comprends plus rien.

Le chien me répondit un « grumpf » qui m'encouragea à continuer. Il était un public attentif, ce dont j'avais besoin.

J'avalai une bouchée de gâteau avec du lait avant de continuer.

— Avant d'arriver ici, ma vie était d'une banalité affligeante. La vie d'une Parisienne comme une autre, qui va au collège puis au lycée, qui fait de la musique, qui sort avec ses copines, qui prend le métro, qui va au cinéma le week-end, et qui passe des heures au téléphone avec sa meilleure amie, j'ai nommé Juliette. Tu ne la connais pas, mais elle va venir me rendre visite un jour. Tu vas l'adorer.

Autre « grumpf ».

— Et puis je déménage ici. J'imagine que ma vie sera la même, juste transposée dans un autre cadre et, d'une certaine manière, c'est vrai : je vais en cours tous les jours, je fais de la musique, je vais au cinéma avec Garance le week-end, je discute avec mes copines au téléphone. Mais...

Je laissai passer un silence, engloutis un autre cookie, bus deux énormes gorgées de lait avant de reprendre.

— Mais il y a toujours un mais, sinon la vie serait affligeante d'ennui, n'est-ce pas ?

Rody ne répondit pas. Visiblement l'ennui, il en connaissait un rayon, dans sa vie de chien globuleux.

— Mais il y a Enry et Eidan qui se battent pour moi, alors que de ma vie entière jamais un garçon n'a semblé poser un regard sur moi. Mais c'est peut-être parce que j'ai tout fait pour ça. Je ne voulais pas, tu vois ? J'attendais le bon. Je me suis rendue incolore, invisible, pour que les autres ne s'intéressent pas à moi. Un moment, j'ai cru que le bon, ce serait Simon, mais je me suis trompée. Je ne pense pas que ce soit Enry, ni Eidan. Je le sentirais, non ? J'ai toujours pensé que ça me ferait un truc à l'intérieur, quand je trouverais le bon…

Rody bougea un peu, j'entendis ses griffes gratter le carrelage.

Je laissai mes pensées dériver quelques instants avant de reprendre.

— Mais à part ce type mystérieux dans mes rêves, qui me fait ce sacré truc, ben rien. Je suis pathétique, non ? Il faudrait peut-être que je me décide à m'intéresser à quelqu'un dans la réalité. Mais qui ? Personne ne me plaît assez. J'aime bien Enry, il est sympa, drôle et beau, je ne peux pas dire le contraire, mais je ne sais pas… Et Eidan. Il est spécial, intéressant, mystérieux, et séduisant aussi, dans un autre genre… Mais encore une fois, il y a quelque chose qui me bloque.

Rody couina encore.

— Ça ne t'intéresse pas ce que je raconte, hein ? Tu dois trouver que je me prends la tête pour rien. Mais c'est parce que tu es un mec. Tu ne peux pas savoir comment c'est d'être une fille, et d'avoir à gérer toutes ces histoires. Tu te rends compte ? Je vais avoir dix-huit ans dans pas longtemps et je n'ai jamais eu de petit copain. Je n'ai jamais embrassé de garçon. Je n'ose même pas en parler à Garance, de peur de passer pour une demeurée profonde. Il n'y a que Juliette qui le sait. Et Juliette… Pff, elle collectionne les mecs, elle. Je suis ridicule. J'ai dû trop regarder de dessins animés qui m'ont fait croire que j'étais une princesse, un être hors du commun et que sur cette terre, il n'y avait qu'un seul prince, fait pour moi. Celui dans lequel j'aurais envie de me fondre, une fois dans ses bras…

Les sensations de mon rêve surgirent soudain, flottèrent un instant dans mon esprit, et la vague de chaleur dans mon ventre m'irradia à nouveau. Oui, me fondre en lui, jusqu'à prendre feu… Mes yeux se noyèrent dans le vague de l'obscurité, fixant un point, le reflet des chiffres digitaux de l'horloge du four, sur une bassine en fonte accrochée au-dessus de la cheminée.

Rody attira mon attention en léchant ma cheville de sa grande langue baveuse. Visiblement, il aimait le goût de mon gel douche ou il attendait la suite de mes aventures passionnantes et me rappelait à l'ordre.

— Il y a mes grains de beauté aussi, Rody. Ils m'inquiètent et me fascinent à la fois. Qu'est-ce qu'ils veulent dire ? Peut-être rien du tout, et je me fais tout un délire inutilement.

Distraitement, je trempai un doigt dans le lait et, à l'aide du liquide blanc, je dessinai un A et un E entrelacés sur le bois sombre de la table. Dans la pénombre, la lividité des lettres ressortait à peine. A et E, musardai-je silencieusement. Des initiales, peut-être ?...

La révélation me fit me redresser toute droite sur ma chaise. Des initiales ! A et E ! Pourquoi n'y avais-je pas pensé avant ?!

Anaïa et... Et ? Non... pas Enry, ni Eidan, ce serait trop gros ! Je déménage ici, il y a deux garçons dans ma promo qui ont la même initiale et qui se battent pour moi... Et puis pourquoi est-ce que ça se dessinerait sur ma main, hein ? N'importe quoi !

La montre du four indiquait 3 h 56 du matin, il était grand temps de retourner au lit. Mon esprit commençait à me faire voir partout des symboles ineptes et à produire des idées farfelues.

J'avalai le fond de mon verre, allai le rincer, passai un coup d'éponge sur la table et remontai dans ma chambre, non sans avoir souhaité une bonne nuit à Rody, et l'avoir remercié de m'avoir écoutée avec tant de patience.

Une fois dans mon lit, mes yeux restèrent écarquillés dans le noir. J'étais incapable de me rendormir. Des initiales… Eidan… Enry…

Ces pensées tourbillonnèrent dans ma tête en une ronde désordonnée et obsessionnelle, jusqu'à ce que le sommeil finisse par me happer.

Anaïa Heche
Il y a 56 minutes
Je reste dans les considérations du temps qui passe. Bientôt mon anniversaire. Je vais être vieille.
J'aime • Commenter

Juliette Couette Couette
Tu arrêtes, oui ? C'est dans un mois et demi, la jeunette qui n'est pas encore majeure !

Anaïa Heche
Oui, peut-être, mais pour mes 18 ans, je veux faire un truc spécial et je n'ai aucune idée !

Garance Dambë
Je vais t'aider à en avoir, des idées, t'en fais pas.

Juliette Couette Couette
Si tu le fais après Noël, je peux prendre un billet et descendre te voir.

Anaïa Heche
Ce serait un super cadeau. Je le ferai à ce moment, alors.

Yvan Renaud
J'aurai le droit d'être là ?

Anaïa Heche
Évidemment !

Yvan Renaud
Coooool !

21.

La folie des partiels commençait. Pas de vacances de la Toussaint pour nous, étudiants, par contre des examens à foison, de quoi nous occuper et nous laisser exsangues pour les fêtes de fin d'année.

Le dimanche, lendemain du concert, je me rendis chez Garance pour réviser avec elle. Comme elle n'habitait pas trop loin, je fis l'effort de sortir mon vélo du garage. En traversant le village endormi, j'admirai les petites maisons provençales et colorées qui s'alignaient dans les rues inégales, les platanes énormes plantés sur les places, nus en cette saison, mais dont la large ramure laissait deviner l'étendue de l'ombre prodiguée par ses feuilles en été.

Je croisai quelques chats solitaires, les voitures qui suivaient la route du marché minuscule où l'on pouvait trouver du fromage de chèvre produit dans la ferme d'à côté, des olives à l'ail, des nappes et des plats décorés de lavande et de cigales. Pour ne pas être prise dans la foule, j'évitai la place où se dressaient les étals entre lesquels j'aimais tant flâner l'été, quand tous les parfums des épices, des fruits gorgés de soleil, des fleurs se mêlaient en un bouquet enivrant.

Enfin, j'arrivai chez Garance ; la maison de ses parents se situait au bout d'une ruelle, presque à l'extérieur du village. Elle me guettait déjà et vint à ma rencontre pour ouvrir la grille de la cour. Le lierre sur les pierres de la façade attendait son heure pour faire exploser ses feuilles brillantes jusqu'au toit, encadrant les fenêtres de grappes ruisselantes. Pour l'heure, il n'était plus que tiges noires et sèches, tristes, surmontées par ce qui ressemblait à de fines pattes crochetées dans la brique.

— Prête à te farcir les neurones ? demanda-t-elle en guise de bonjour.

— Non, mais je n'ai pas le choix, soupirai-je en montant les quelques marches de son perron. Tes parents ne sont pas là ?

— Non, ils sont à leur ciné-club. Aujourd'hui, ils projettent *Autant en emporte le vent*.

J'avais vu ce film avec ma mère quand j'avais treize ans et j'avais adoré. Surtout les robes de Scarlett qui me faisaient rêver à l'époque.

— J'aime bien ce film.

Garance fit une petite moue.

— Moi, non. Je déteste la fin !

— La fin ?

Je n'étais plus certaine de m'en souvenir complètement.

— Oui. Scarlett se rend enfin compte qu'elle aime Rhett Butler au moment où il s'en va et la laisse seule. Je ne supporte pas ça. Pourquoi elle n'a pas couru derrière lui ? Pourquoi elle a mis autant de temps pour comprendre ? Quelle idiote. Bref, je n'aime pas cette histoire.

Je ris gentiment. Il n'y avait que dans les livres et les films que l'on trouvait de telles fables, pour exalter les sentiments romantiques des filles.

— Comment tu te sens, aujourd'hui ? enchaîna mon amie. Après tout ce qui s'est passé hier…

Je haussai les épaules.

— Bof, pas terrible. Un peu comme si j'étais passée sous un camion, tu vois… J'ai mal partout. Je n'ai pas bien dormi. En plus, Juliette m'a appelée, ce matin.

— Pourquoi ?

— L'affaire Simon.

— Ah… Alors ?

Sa chambre était au premier étage et nous y grimpâmes prestement, impatientes de nous retrouver dans l'intimité de son antre, derrière la porte fermée. Dès que ce fut le cas, je retirai mon manteau, mon écharpe et mes moufles, puis mes chaussures, et me laissai tomber en tailleur sur son lit.

— Elle lui a parlé de ce mail que j'ai reçu et il a confirmé qu'il ne l'a jamais écrit. Il tombait des nues.

Garance fronça ses sourcils parfaitement dessinés et me tendit un paquet de Mikado. J'en pris un et croquai dedans à petites bouchées, crac, crac, crac.

— Alors qui l'a écrit ?

— Mystère. Quelqu'un qui est au courant des sentiments que j'ai eus pour lui. Mais il n'y a que deux personnes à le savoir. Juliette et toi.

— Je te jure que ce n'est pas moi ! réagit aussitôt Garance, adoptant une attitude défensive.

— Je le sais bien ! À aucun moment, je n'ai imaginé que ce puisse être toi. Ni Juliette.

Elle se détendit, prit trois Mikado d'un coup et me tendit la boîte. Je l'imitai et les grignotai les uns après les autres. Garance continua.

— Donc, on n'est pas plus avancées. Est-ce que tu crois que quelqu'un, qui aurait deviné tes sentiments pour lui, aurait pu te jouer cette sale farce ?

Je poussai un profond soupir de lassitude.

— Je ne vois pas qui, ni pourquoi, et encore moins pourquoi maintenant. Avec le contexte du concert, précisé dans le message... C'est quelqu'un qui sait beaucoup de choses, alors.

— Un ami Facebook ? suggéra mon amie. On a beaucoup parlé de cette soirée sur ton profil...

Mentalement, je passai en revue la liste de mes amis. Non, vraiment, je ne voyais pas. Et tous n'avaient pas accès à mes statuts. Mes paramètres de confidentialité étaient très étudiés, et je ne laissais pas n'importe qui connaître tous les détails de ma vie.

— Non, je ne crois pas. Bon, en attendant, je laisse couler. J'ai déjà assez de situations étranges à gérer dans la vraie vie sans m'occuper de bizarreries virtuelles.

Ce fut le signe de nous mettre au travail. Nous fûmes très studieuses pendant trois heures, délai au-delà duquel nos têtes bourdonnaient et nos mâchoires se décrochaient à force de bâiller d'accablement.

— On arrête là ? proposai-je à Garance, en la suppliant à moitié.

— Volontiers. Viens ! Pour nous changer les idées, je te montre la vidéo que j'ai faite du concert, hier. J'ai commencé un petit montage rapide, comme un clip que je vais mettre sur YouTube.

— Tu vas vraiment le faire ? Je veux dire, mettre la vidéo en ligne ?

J'étais horrifiée. Je ne voulais pas qu'on me voie sur YouTube !

— Oui ! Il faut faire découvrir au monde votre talent. Honnêtement, Ana, c'était extraordinaire. Vous avez un niveau quasi professionnel. Les garçons jouent tous les trois ensemble depuis un moment et ta présence ajoute quelque chose de nouveau, de doux… de féminin, quoi.

— Encore heureux, marmottai-je, alors que Garance chargeait son clip sur le bureau de son ordinateur.

Je découvris pour la première fois les images de la première partie, et donc de moi, sur scène. Et je dus avouer intérieurement que le son était bon, et que nous jouions drôlement bien. J'étais impressionnée par notre prestation et par le montage de Garance. On avait l'impression d'être des pros, avec le public dément devant la scène, les lumières qui brillaient sur les instruments, notre concentration…

— Regarde, murmura mon amie en pointant le visage d'Eidan. Il ne te quitte pas des yeux.

Elle avait raison. À part quelques regards jetés aux deux frères pour leur donner quelques indications, ses prunelles étaient vissées sur moi. J'en ressentis un pincement au cœur. Je lui en voulais. Oui, je lui en voulais terriblement d'avoir gâché ce moment parfait, durant lequel j'avais eu l'impression d'être enfin en communion avec lui, par son attitude agressive avec Enry, à la fin de la soirée.

— Mouais…, marmonnai-je, incapable de définir exactement ce que je ressentais.

Je rentrai chez moi en début de soirée. Il faisait déjà sombre, dans les rues, les lampadaires scellés aux murs des maisons s'allumèrent d'éclats orangés, les deux cafés ouverts même le dimanche baissaient leurs rideaux métalliques, le froid s'insinuait entre les mailles de mon écharpe remontée devant ma bouche pour me glacer les poumons et déposait une légère couche de givre blanc sur les pavés de la place de la mairie.

Je fus heureuse de découvrir une belle flambée dans la cheminée du salon en arrivant chez moi. Arsène et Rody se faisaient rôtir la panse, affalés sur le tapis devant l'âtre, et je décidai de les imiter avec plus de classe, en prenant place sur le rocking chair de ma grand-mère, que nous avions conservé. Exceptionnellement, mes parents faisaient la trêve des travaux. Le PC de mon père était éteint, ses catalogues de carrelages, tissus et peintures tous fermés, soigneusement empilés sur son bureau, et lui et ma mère lisaient paisiblement devant les flammes joyeuses et le bois crépitant.

Je passai une soirée tranquille en leur compagnie. Nous parlâmes de la famille, de la fac, du concert, de la soirée d'Halloween. Pour la première fois depuis longtemps, je ressentis un grand calme en moi. Voilà la normalité, la réalité, rassurante, douce... Pas d'oiseaux étranges et effrayants, pas de grains de beauté, pas de voix dans ma tête, pas de garçons qui s'entretuaient pour moi.

Toutefois, cela ne devait pas durer...

Quand je remontai dans ma chambre pour me coucher, j'allai consulter mes e-mails et trouvai, encore une fois, un message du faux Simon. Cette fois, j'avais eu le réflexe de vérifier tout de suite l'adresse de l'expéditeur. Je ne le parcourus que superficiellement. Il me disait qu'il était déçu de ne pas avoir de réponse à sa déclaration, qu'il pensait à moi tous les jours, et d'autres niaiseries écœurantes.

Tout envahie de colère, face à ce menteur qui se cachait derrière une adresse factice et des mots qui n'étaient ni les siens ni ceux de Simon, je m'empressai de rédiger une réponse cinglante.

Ne te fatigue pas, je sais que tu n'es pas Simon. Je ne sais pas qui tu es et pourquoi tu fais cela, mais ce n'est plus la peine de m'écrire. Reste dans ton coin, pauvre mytho pathétique, et laisse-moi tranquille.

Ça avait le mérite d'être clair, non ?

Je ne reçus qu'une réponse brève et incompréhensive.

Je vais devoir trouver autre chose, alors. Tu es très forte.

Qu'est-ce que ça voulait bien dire ? Je décidai de dévier tous les messages venant de cette adresse dans les spams pour ne plus être importunée. Toutefois, j'allai me coucher avec un véritable sentiment de malaise. L'impression qu'une menace planait au-dessus de ma tête m'agaça assez pour que je tourne un moment dans mon lit avant de trouver le sommeil. Sans rêve, cette fois...

De retour à la fac, le lundi matin, je retrouvai les protagonistes de la soirée du samedi, Enry en moins, avec un peu de crainte. Eidan était là, taciturne, renfermé, en retrait, un peu comme les premiers jours après la rentrée. Il ouvrit à peine la bouche au déjeuner, fila dans sa voiture aussitôt les cours terminés. Yvan ne comprenait rien, mais moi je savais que ce qui s'était passé le samedi soir planait encore entre nous...

Il fallut attendre le jeudi pour que j'ose enfin l'aborder et tenter de détendre l'atmosphère. Je me rendis à la bibliothèque après un cours d'histoire de l'art et d'archéologie particulièrement ardu, afin de retravailler un peu tout ça à l'aide de manuels. Eidan se trouvait là, plongé lui aussi dans des révisions, tout seul à une table. Trouillarde comme je l'étais, je fus d'abord tentée de décamper à l'autre bout de la salle, mais je pris mon courage à deux mains et, armée d'une pile de livres, je m'avançai, haut les cœurs, vers lui. Avant même de m'annoncer, je posai ma tour de papier qui manqua de s'effondrer sur son classeur, et m'assis lourdement sur la chaise voisine de la sienne.

— Ouf, déclarai-je, d'un ton que j'espérais naturel, quelle horreur le cours d'histoire de l'art, tu y as compris quelque chose ?

Il haussa les épaules sans lever les yeux vers moi.

— J'ai toujours été plutôt bon en histoire, marmonna-t-il.

— OK...

C'est tout ce que je trouvai à répondre.

Je commençai par organiser ma pile, ouvris mon cahier et me concentrai un bon moment sur la lecture d'un manuel d'art antique. Au bout de longues minutes taciturnes, ne supportant plus ce silence pesant, je me tournai de nouveau vers lui.

— Eidan, pourquoi tu me fais la tête ?

Enfin, ses yeux se posèrent sur moi.

— Je ne te fais pas la tête.

— Heureuse de l'apprendre. Je n'ose pas imaginer ce que ce serait si tu me boudais, alors.

Ses lèvres frémirent, mais ne sourirent pas.

— Je me fais la tête à moi, Anaïa. Je m'en veux d'avoir réagi avec tellement d'agressivité. J'ai toujours été contre la violence et voilà que je cède à des pulsions inacceptables. Mais c'est Enry, aussi, qui me met dans cet état-là.

Son intonation était pleine de colère contenue, mais je préférais ça à l'indifférence.

— Pourquoi ? Parce que c'est mon ami ?

Il sembla réfléchir à ma question un moment avant de trouver la réponse.

— Non. Tu peux avoir tous les amis que tu veux. Je n'ai aucun droit sur toi. Mais Enry... Il ne m'inspire pas confiance. Je ne sais pas...

À nouveau, il haussa les épaules, mais cette fois pour signifier son incapacité à trouver les mots justes. J'eus, de mon côté, un petit rire.

— Il m'a dit la même chose à ton sujet.

— Vraiment ? Ça ne m'étonne pas...

— Pourquoi ?

— Nous avons un conflit qui traîne depuis un moment. J'aurais préféré que tu ne sois pas au milieu de tout ça, mais je suppose que c'était inévitable.

Je fronçai les sourcils, et sentis l'agacement refaire surface. Avec un peu trop d'agressivité je demandai :

— Comment ça, inévitable ?

— Parce que tu es toi.

Je compris qu'il ne dirait rien de plus. Je commençais à connaître ses airs mystérieux et son sourire en coin. Je respirai profondément une fois, deux fois, pour me calmer.

— Me voilà bien avancée, marmonnai-je avant de me replonger dans mes ouvrages pour ne pas l'étrangler de frustration.

Même si cette conversation ne m'apprit rien de nouveau, elle eut le mérite de briser la fine couche de glace qui s'était installée entre nous et de rendre le sourire à Eidan. C'était déjà ça.

Tout rentrait dans l'ordre, doucement.

Du moins, c'est ce que je croyais...

Enry Thor > Anaïa Heche
Il y a deux heures
Je reviens à la fac aujourd'hui et cette fois avec l'autorisation officielle des médecins !
J'aime • Commenter • Voir les liens d'amitié

Anaïa Heche
Super ! Je suis vraiment contente et soulagée de savoir que tu vas mieux.

Garance Dambë
Tu es un costaud, quand même, pour te remettre en deux semaines.

Enry Thor
Oui, je suis costaud et j'ai reçu un remède miracle ! ;-)

22.

Et de fait Enry fut là, dès la première heure de cours, le lundi matin. Son visage ne portait plus la moindre trace de ses blessures. Seule une pâleur inhabituelle rappelait qu'il avait frôlé la catastrophe. Curieusement, il avait gardé une petite épaisseur de barbe de son séjour à l'hôpital et cela le vieillissait un peu. Sinon, il arborait un sourire éclatant, le genre d'allure de « winner » qui donnait soit envie de répondre par un sourire en retour, soit de mettre des claques au prétentieux qui la ramenait un peu trop. Dans son cas, j'avais envie de lui sourire, et je me précipitai vers lui quand je le vis s'approcher du bâtiment qui abritait l'amphi, où nous étions tous regroupés, en attendant d'entrer en cours.

— Enry ! m'écriai-je. Tu as l'air en pleine forme !

— Merci ! Je suis encore un peu fatigué, mais je ne me plains pas, ça aurait pu être pire !

Les yeux plissés, Garance l'examina des pieds à la pointe de ses cheveux très blonds.

— Toi aussi, tu as le superpouvoir de cicatriser plus vite ? demanda-t-elle d'une voix suspicieuse.

Il éclata d'un grand rire qui fit tourner quelques têtes vers nous, dont celle d'Eidan qui se renfrogna aussitôt.

— Je ne sais pas de quoi tu parles, mais je n'ai aucun pouvoir de ce genre. J'aurais préféré, ça m'aurait évité quelques journées supplémentaires de plateaux-repas immangeables à l'hosto !

Ce fut mon tour de rire, me sentant toute légère à l'idée d'avoir retrouvé mon ami. Comme je l'aimais, celui qui ne prenait jamais rien au sérieux, qui avait toute cette lumière dans ses yeux très bleus...

En cours, un peu plus tard, il s'assit près de moi et ne me quitta pas de la journée. Cela eut pour conséquence directe d'éloigner Eidan de notre groupe comme si, d'un coup, nous étions porteurs de la peste. Pour le moment, je décidai de ne pas me formaliser de la situation. Visiblement, je ne pouvais pas avoir mes deux amis au même moment, alors il me faudrait trouver un moyen de passer du temps avec l'un et l'autre, mais séparément. Aujourd'hui, c'était ma journée Enry. J'avais été trop inquiète pour lui pour l'ignorer et céder au chantage silencieux d'Eidan.

En réalité, il s'avéra que ce fut la semaine Enry. Il ne me lâcha pas d'une semelle, s'assit en cours avec moi systématiquement, se débrouilla pour jouer avec moi sur scène, au théâtre, le mercredi matin. Le thème de notre cours, ce jour-là, était – pour changer – la folie. Sauf que cette fois, nous étions quatre debout en demi-cercle face au public et nous devions avoir un « instant de folie ».

Marc avait apporté un minigong – je me demandais d'où il sortait les accessoires dont il nous faisait bénéficier semaine après semaine, ça devait être une vraie brocante chez lui ! – et, dès qu'il le faisait sonner, nous devions passer d'une attitude impassible, polie, conforme aux codes que la société nous demandait d'adopter, à une attitude démente. Gestes, tics, cris, dialogues, tout devait être inepte et nous sortir de l'état lisse et uniforme dans lequel nous apparaissions les uns aux autres tous les jours. Et puis, d'un coup de gong, il nous fallait réintégrer ce masque de normalité. D'aucuns auraient pu penser que le retour à l'état « normal » serait plus facile que de se mettre en mode « hystérique » et pourtant, plus les coups de gong retentissaient, plus il était difficile, aussitôt, d'endosser notre carapace de politesse et de retenue.

Quand l'exercice fut terminé et que nous nous fûmes bien déchaînés sur scène, sous le regard amusé, ahuri ou consterné de nos camarades, je me sentis vidée de toute énergie. Cet exercice d'improvisation

était exténuant et me prouvait une chose effrayante :
il s'avérait plus facile d'être fou que de contenir nos
instincts primaires pour rester civilisés. Je compris
presque comment certaines personnes pouvaient
d'un seul coup « péter les plombs » et perdre tout
sens commun.

Quand nous sortîmes de cours, Garance ralluma
son téléphone pour trouver un message de sa mère.
Elle était en panne sur le parking du supermarché
et demandait à sa fille de venir la chercher avec les
courses.

— Anaïa, je suis désolée, je ne vais pas pouvoir
te ramener directement chez toi. Il va falloir d'abord
que je passe sur la zone commerciale, ça va te faire
un gros détour, s'excusa-t-elle en me regardant avec
des yeux de cocker.

— Mais ne t'en fais pas, pour une fois je peux
prendre le bus. Et je vais avoir dix-huit ans dans
quelques semaines, je vais enfin pouvoir passer mon
permis ! Tu n'auras plus à être mon chauffeur
privé !

Elle gloussa.

— Arrête de dire n'importe quoi. C'est toujours
sympa de faire la route avec toi.

Enry, qui était, comme depuis trois jours, à moins
de deux mètres de moi, s'avança subtilement.

— Je peux ramener Anaïa, Garance, ne t'en fais
pas.

Instinctivement, je fis un pas de côté, comme pour mettre un peu de distance entre nous deux. Je n'étais pas sûre que me retrouver toute seule avec Enry, dans une voiture, était une bonne idée, mais je n'avais aucune autre solution là, tout de suite, qui me venait en tête pour refuser sa proposition.

Garance, inconsciente de mon hésitation, sauta sur l'occasion.

— C'est sympa ! Ça me rassure, merci beaucoup.

— Oui, merci, bafouillai-je en gardant les yeux baissés sur la pointe de mes Converse.

Quelques minutes plus tard, je me trouvais assise dans la voiture d'Enry.

— Tu habites où ?

Je lui donnai mon adresse et un sourire mystérieux flotta sur ses lèvres.

— Quoi ? demandai-je.

— Tu habites près de la vieille tour.

Je me tournai vivement vers lui.

— Quoi ? Tu connais la vieille tour ?

Il acquiesça, toujours avec cet air satisfait sur le visage.

— Ouaip.

Sans préméditation aucune je regardai la paume de ma main et osai enfin poser la question.

— Enry, il faut que tu m'expliques ce que tu sais à mon sujet, au sujet de ma main, de mes grains de beauté, au sujet de la tour, qui porte le même symbole sur l'une de ses pierres. J'ai besoin de savoir.

Il lança son véhicule sur la nationale et demeura silencieux jusqu'au feu. Sa conduite était plus nerveuse et saccadée que celle d'Eidan. En le regardant de côté, je pouvais deviner les rouages de son cerveau cliqueter derrière son front, alors qu'il semblait décider si oui ou non il devait me confier ce secret que j'attendais de percer depuis des semaines.

Enfin, alors qu'il était sur le point de démarrer au vert, il me dévisagea un moment avant de prendre une longue inspiration.

— D'accord, Anaïa, je vais te dire… Je ne pourrai pas tout te dévoiler. Il y a des choses que tu dois découvrir seule et il n'est pas de mon ressort, ni même de mon droit, de le faire à ta place. Mais je vais te révéler ce que je peux…

Mon cœur partit à un tempo frénétique. Excitation, peur… Enfin j'allais savoir. Mais quoi ? D'un coup, je ne fus plus très sûre d'en avoir envie. Qu'allai-je découvrir ? Est-ce que ce serait quelque chose de bien, de terrible ?

Nous ne prononçâmes plus un mot, laissant le silence flotter entre nous, mes pensées tourbillonner dans mon esprit, jusqu'à ce qu'Enry passe devant chez moi, sans s'y arrêter.

— Hé, tu as loupé ma maison ! m'écriai-je.

— Non, je t'emmène un peu plus loin.

Je me mis à mordiller ma lèvre inférieure, de plus en plus inquiète. Où me conduisait-il ? Finalement, je voulais rentrer chez moi, bercée par le doux ronronnement de l'ignorance et d'une vie banale...

Enry se gara sur un petit chemin en terre, perpendiculaire à la départementale qui passait près du mas de mes parents. À droite, une clôture de minces planches de bois et de fils barbelés qui délimitait un bout de forêt, à gauche, un champ endormi pour l'hiver.

— On n'en a pas pour trop longtemps, j'espère, marmottai-je, parce que j'ai mon cours de violoncelle, cette après-midi.

Sans trop savoir pourquoi, j'entendais mon cœur battre à tout rompre dans ma poitrine, mon sang rugir dans mes tempes. Je regrettais d'avoir posé des questions, je ne voulais pas être là.

— Ne t'en fais pas. Viens.

Il sortit de la voiture et j'en fis autant. Prenant la tête, il nous mena en avant sur le chemin de poussière. Le ciel était bleu pâle, lumineux, infini, la buée blanche qui s'échappait d'entre mes lèvres tournoyait dans l'air pur un bref instant avant de se diluer.

Enfin, au bout de quelques mètres, Enry me montra du doigt une ouverture dans la barrière de fil de fer : elle avait été défoncée, par un sanglier certainement, et l'on pouvait aisément l'enjamber, ce que nous fîmes.

Nous pénétrâmes alors dans le bois silencieux. Les aiguilles de pin desséchées craquaient sous nos pas, et rythmaient notre marche.

— Mais… c'est la pinède de mes grands-parents ! Enfin, je veux dire la mienne !

Mon cerveau, en toile de fond, nota qu'il faudrait que je prévienne mes parents de vérifier l'état de la clôture sur tout son périmètre. Si nous pouvions y entrer aussi facilement, d'autres n'hésiteraient pas !

Rassurée de me retrouver dans un environnement familier, juste à côté de la maison, mon rythme cardiaque se calma légèrement, je m'enhardis et suivis Enry à un rythme plus rapide.

Finalement, nous arrivâmes à la vieille tour, mais par l'arrière. Elle m'apparut de dos, toute fermée, puisque son ouverture se trouvait à l'opposé, et je découvris alors qu'il existait, de ce côté-ci, un élément de bâtiment plus large encore que la vieille tour, complètement délabré, certes, mais qui laissait entendre qu'une sorte de château entier s'était trouvé là, à un certaine époque. Nous le contournâmes pour nous trouver face à l'entrée en arc de cercle de la tour.

Enry semblait connaître les lieux à la perfection et me guidait avec assurance. Encore une fois, je me demandai comment tout cela était possible. Mais j'allais avoir les réponses dans quelques instants et en y pensant, les battements de mon cœur repartirent de plus belle. La révélation était là, je le sentais.

Tous deux, sans nous concerter, marquâmes une petite pause devant l'ouverture sombre et je désignai silencieusement le signe « æ » gravé dans la pierre sur le côté.

Enry hocha la tête d'un air entendu et pénétra dans la tour. Je le suivis, priant pour que les oiseaux n'apparaissent pas. Ou bien, au contraire, qu'ils viennent, et cette fois devant témoin. Que je sache que je n'avais pas rêvé, que je n'étais pas folle.

Nous gravîmes rapidement les marches nous menant au sommet. Là-haut, tout était comme je l'avais laissé la dernière fois, le ciel cristallin ; le vent froid qui mordait mon nez et me piquait les yeux.

Je me tournai vers Enry, qui admirait la vue, vers le mas, dont nous distinguions le panache de fumée blanche s'égayer sur le bleu.

— Alors ? demandai-je, qu'est-ce qu'on fait là ?

Enry quitta du regard le panorama et me contempla un instant. Ses yeux étincelèrent, ses dents brillèrent dans la lumière. En trois pas il fut sur moi. Avant que j'aie pu faire un pas en arrière, ses mains enserrèrent mes joues, attirèrent mon visage vers le sien et ses lèvres se posèrent sur les miennes.

De surprise, je laissai échapper un hoquet et sa langue brûlante en profita pour se glisser dans ma bouche afin de venir chercher la mienne et de lui montrer comment danser avec elle. Mon premier baiser. J'étais pétrifiée. Le contact de ses lèvres douces et souples, ses mains chaudes et enveloppantes sur mon visage, le goût de son haleine parfumée, agréable… Tout m'était étranger et délicieux à la fois. Mes yeux se fermèrent pour profiter entièrement de ces nouvelles sensations, étonnantes et bouleversantes.

Au bout d'un moment, à bout de souffle, Enry me lâcha et fit un pas en arrière. Il était radieux, jamais ses iris azurés n'avaient été aussi brillants, aussi intenses. Il respirait vite et fort, et la buée qui jaillissait de façon saccadée devant son visage traduisait l'émoi qui le traversait.

Je ne valais pas mieux que lui. Mes jambes avaient la consistance du coton, mon souffle était plus rapide que le sien, mes lèvres gonflées par cet assaut soudain. Sans me laisser le temps de reprendre mes esprits, Enry m'attira doucement contre lui. Il sentait la forêt, le feu, le citron et la joie. Se blottir contre lui donnait l'impression d'être à l'abri d'une maison solide, large, un paravent contre les éléments extérieurs. Rassurant.

— Ça fait des semaines que j'attendais ce moment, Anaïa. Je suis désolé de t'avoir surprise ainsi, mais je ne pouvais plus attendre. Je te désire depuis si longtemps, si tu savais…

Je me sentis rougir et une chaleur familière se répandit dans mon ventre, pour s'étirer dans mes jambes, remonter dans ma poitrine, jusqu'à la pointe de mes doigts. Mais je ne dis rien ; je n'avais pas désiré Enry, cependant son baiser avait été plaisant. Une voix de gamine, en moi, avait envie de pousser des petits cris d'allégresse parce que j'avais enfin embrassé un garçon et il me fallut me retenir pour ne pas faire des petits bonds de joie au sommet de la tour. Mais il me gardait toujours contre lui et je restai de marbre, comme si tout ce qui m'arrivait était normal et ordinaire pour moi. Son sérieux me rappela à l'ordre.

— J'ai autre chose à te confier, murmura-t-il, la voix basse, rauque, les paupières soudain lourdes.

Je soulevai un sourcil en signe d'interrogation, car j'étais incapable de prononcer un mot.

Enry déroula son écharpe, enleva son manteau, ôta son pull, laissant le tout tomber sur la pierre glacée et, couche après couche, il se déshabilla sous mon regard ébahi. Toute mon exaltation retomba. Je recouvrai difficilement la parole pour croasser d'un air effrayé :

— Mais… Enry, qu'est-ce que tu fais ?

Je reculai de quelques pas. Confusément, je me félicitais d'être du côté de la sortie. Si les choses dégénéraient, je pourrais toujours déguerpir en courant et retrouver la maison, pas très loin d'ici.

Sans broncher, Enry se retrouva en boxer noir, sa peau se hérissa de chair de poule, dans le froid du mois de novembre. Il eut un rictus sarcastique.

— Anaïa, jeune vierge effarouchée… Ne t'en fais pas, ce n'est pas ce que tu crois…

Dans d'autres circonstances, j'aurais pu répliquer, mais là, j'avais perdu tout mon sens de la repartie. J'avais envie de détourner le regard, j'avais envie de le regarder, et mes yeux allaient du parapet derrière lui, à sa peau tendue sur ses muscles impressionnants.

Lui, par contre, gardait ses iris clairs toujours fixés sur moi. Sans se détourner, il enleva également son caleçon et je m'étranglai littéralement de surprise. Il n'était pas en train de faire ça ? Si ? Si… Il se retrouva en tenue d'Adam, frissonnant. Je n'avais jamais vu, en vrai, d'homme nu, mais je dus reconnaître, dans le chaos de mes pensées confuses, qu'Enry était un beau spécimen. Son corps était parfait, puissant, divisé par une ligne médiane qui partait de sa gorge, traversait sa poitrine, sinuait entre ses abdominaux, passait par son nombril pour s'achever dans la ligne claire de ses poils pubiens. À croire qu'il s'était échappé d'une publicité pour un parfum.

Je ne respirais plus, ne bougeais plus. Je me trouvais partagée entre l'envie de l'admirer dans son plus simple appareil, image de la masculinité incarnée, et celle de piquer un sprint vers les escaliers au moindre geste suspect.

Toutefois, Enry ne fit aucun mouvement vers moi. Il leva les bras en signe d'apaisement, les paumes vers le ciel, et me fit le sourire le plus doux possible.

— Anaïa, sache que ton destin est exceptionnel. Le « æ » qui est dans ta paume te désigne comme la détentrice d'un pouvoir unique. Un pouvoir qui ne s'est pas encore révélé, mais qui sommeille en toi. Ana...

Sa voix, sur la fin, n'était plus qu'un chuchotement infime.

— Le A et le E sont des initiales, continua-t-il sur le même ton. Deux prénoms liés pour l'éternité par ce symbole des deux lettres entremêlées. Et quelles sont nos initiales ?

— A et E..., prononçai-je avec difficulté.

C'était bien ce que j'avais deviné l'autre soir, mais je ne comprenais pas pourquoi Enry avait besoin d'être nu pour me l'apprendre.

— Quant à moi, je porte aussi un pouvoir unique, et je t'ai fait monter ici pour te le dévoiler. Je ne veux pas que tu aies peur. Tu vois, je suis nu pour te montrer que je n'ai rien à cacher. Je suis vulnérable face à toi. Maintenant, je vais te révéler qui je suis vraiment.

Alors, il écarta les mains en croix d'un mouvement brusque et releva la tête vers le ciel. Médusée, je le vis grandir, s'allonger démesurément. Ses bras s'étirèrent, s'élargirent pour devenir des ailes immenses, tendues d'une peau couleur bronze. Son visage se déforma et se modela en un bec acéré, une queue oblongue poussa dans son dos et, en quelques instants, j'eus devant mes yeux l'oiseau fantastique qui avait fondu sur moi l'autre jour, ici même.

J'étais comme paralysée. Mes pieds s'enfonçaient dans le pavage inégal, mes jambes étaient devenues deux poteaux inertes, qui me portaient tout juste. J'avais oublié comment penser et comment respirer. Si j'avais encore eu toutes mes fonctions, je me serais pincée pour être sûre que je ne rêvais pas, mais j'en étais incapable.

Ma bouche resta ouverte sur un cri qui ne sortit jamais, coincé au milieu de ma gorge resserrée. Enry était un oiseau ! L'oiseau de cauchemar qui m'avait tant fait peur et qui continuait à m'épouvanter en ce moment même ! Son ombre sinistre avait masqué la lumière du soleil et s'étendait sur moi, me glaçant jusqu'aux os.

Tout s'imbriqua alors dans mon esprit, chaque chose prit sa place. Il n'avait jamais eu d'accident. Il avait été blessé, dans la bataille qui l'avait opposé à l'autre oiseau, l'aigle géant. Le seul mouvement que je parvins à exécuter alors fut de lever un peu la tête pour scruter instinctivement les cieux, afin de vérifier si l'autre créature fantastique n'était pas en train de foncer, toutes serres dehors, de là-haut. Mais le ciel demeurait désespérément vide. Cette fois, j'étais seule avec le monstre...

…qui se changea de nouveau en Enry, sans m'avoir attaquée, sans m'avoir menacée. Est-ce que j'avais mal interprété ce qui s'était passé alors ?

En quelques secondes, aussi irréelles que les précédentes, Enry était redevenu lui-même, humain et nu. Il resta dévêtu, certainement pour me prouver que je n'avais rien à craindre de lui, même maintenant, me dévisageant longuement, tentant de deviner sur mon visage les pensées qui m'agitaient après cette révélation. J'avais du mal à le savoir moi-même. Après de longues minutes silencieuses, il ramassa ses vêtements et se rhabilla prestement.

— Je ne veux pas te faire peur, finit-il par dire.

Je hochai la tête, faute de pouvoir faire mieux. Mais cela signifiait que je le savais.

— Anaïa, dis-moi quelque chose.

— Comment est-ce possible ? finis-je par souffler après un très long moment.

Ses traits se détendirent aussitôt. Il avait certainement craint que je m'effondre, ou que je hurle… une réaction hystérique, quelle qu'elle soit…

Il prit son temps pour répondre, cherchant les mots les plus adéquats pour expliquer l'impossible.

— Je suis une créature très ancienne, un oiseau. magique ? Non, ce n'est pas le bon terme ; fantastique, oui, c'est mieux. Et toi aussi tu es un être fantastique, tu sais ?

— Je suis un oiseau aussi ? demandai-je d'une toute petite voix, empreinte, toutefois, d'une pointe d'espoir.

Il eut un léger rire amusé et ses yeux s'emplirent de... de quoi ? de tendresse ?

— Non, tu n'es pas un oiseau. Tu es autre chose. Quelque chose de merveilleux, mais je n'ai pas le droit de te le dire. Pour que ton pouvoir apparaisse, tu dois t'en souvenir.

— M'en souvenir ?

— Oui, t'en souvenir. Quand la mémoire te reviendra, alors... alors nous serons liés pour l'éternité, Anaïa, oui, pour l'éternité !

Son emphase était telle que je sentis presque des ailes me pousser.

— Mais qui suis-je ?

— Tu es Anaïa, n'en doute jamais, mais tu es plus, aussi, beaucoup plus !

Sa voix gonfla et vibra dans l'air cristallin et il me prit dans ses bras, puis m'embrassa goulûment, avec passion. Je lui rendis son baiser, mais mon esprit s'envolait ailleurs. Je repensais à Enry transformé en oiseau, à la bataille qui avait eu lieu sous mes yeux quelques semaines plus tôt, au sommet de cette tour, aux blessures que l'aigle lui avait infligées. Quand il libéra ma bouche, je pus enfin lui demander.

— Alors, la dernière fois, tu... tu t'es battu avec l'autre oiseau... ?

— Pour toi Anaïa, il te voulait du mal, je t'ai protégée.

— Mais tu m'as foncé dessus...

— Pour te faire fuir avant qu'il n'arrive. Je n'ai réussi qu'à te faire te baisser, mais c'était déjà ça...

J'avais tout compris à l'envers, mais en y réfléchissant bien, est-ce qu'il y avait vraiment quelque chose à comprendre ? J'avais été choquée, effrayée et je n'avais pas vraiment cherché à décortiquer la scène. Au contraire, j'avais tout fait pour la reléguer le plus loin possible pour l'oublier.

— Merci, soufflai-je. Je suis désolée que tu aies été blessé par ma faute.

— Ce n'était pas ta faute, c'était celle de l'autre créature.

La vérité me frappa enfin.

— Il y a quelqu'un d'autre qui se transforme en oiseau, n'est-ce pas ? Et c'est ce quelqu'un d'autre qui t'a attaqué...

— Oui, répondit-il gravement.

— Qui ? Tu le sais ?

Il plongea son regard dans le mien avec sérieux, puis ses lèvres se posèrent contre mon oreille.

— Tu le sais aussi, murmura-t-il en détachant chaque mot.

Un long frisson descendit le long de ma colonne vertébrale. Oui... je le savais...

Eidan.

Garance Dambë > Anaïa Heche
Il y a une heure
Ana, tout va bien ? Je tente de t'appeler sur ton portable, mais je tombe sur ta messagerie et quand j'appelle chez toi, tes parents me disent que tu n'es pas encore rentrée. Je m'inquiète, poulette, donne vite de tes nouvelles.
J'aime • Commenter • Voir les liens d'amitié

Garance Dambë
Anaïa, ça fait deux heures, là, que se passe-t-il ?

Juliette Couette Couette
Moi aussi, je tombe sur sa messagerie directement. Que se passe-t-il, Garance ?

Garance Dambë
Je ne sais pas, je ne pouvais pas la raccompagner chez elle et j'ai quitté la fac en la laissant derrière et depuis, pas de nouvelles...

Juliette Couette Couette
:-(Anaïa, fais-nous signe !

23.

Le retour vers la voiture se déroula dans le plus grand silence. J'étais comme statufiée, incapable de réagir ni d'aligner deux pensées cohérentes. Enry m'avait prise par la main pour me guider à travers les arbres, conscient de ma sidération. En trébuchant sur les branches brisées, sur les racines affleurant sous l'épaisse couche de feuilles mortes couvertes d'un léger givre craquant, je l'avais laissé me mener, alors qu'une partie de moi n'avait qu'une envie : faire demi-tour, et courir vers le mas où me réfugier pour toujours. Nous étions repassés par l'ouverture dans les barbelés et j'étais à présent assise dans sa voiture. Malgré le chauffage qui tournait à fond, avec un bruit de soufflerie insupportable, je grelottais. Dans un staccato agaçant, mes dents s'entrechoquaient, mes mains tremblaient, et mes yeux perdus dans le vide fixaient vaguement un point quelconque, un brin de paille qui vibrait dans le vent, posé sur la terre brune du champ gelé. Malgré la présence d'un épouvantail dépenaillé, à la mine triste, des corbeaux sautillaient entre les tranchées régulières, ajoutant un air sinistre à la scène.

Enry ne démarra pas le moteur. Il garda lui aussi le silence, le menton baissé dans le col de son pull. Malgré le très long moment qu'il avait passé dénudé, il semblait aller bien mieux que moi, juste songeur, concentré sur des pensées qui m'échappaient.

Finalement, une fois que mes dents eurent cessé de s'entrechoquer et que mes mains eurent retrouvé leur calme, je parvins à poser une première question, parmi les centaines qui se bousculaient dans ma tête, à la limite de me rendre folle.

— Qui êtes-vous, Eidan et toi ?

Ma voix n'était qu'un murmure, ma question paraissait posée comme une réflexion faite à moi-même. Cependant, Enry devait avoir l'ouïe fine – un pouvoir en plus chez lui ? – car il m'entendit et se tourna vers moi. Ses yeux étaient plus bleus que jamais, scintillant de reflets mystérieux, comme ceux d'un bras d'eau clair.

— Des êtres anciens. Très anciens...

Ses épaules s'affaissèrent, chargées subitement d'un fardeau trop lourd à supporter. La clarté de ses iris se troubla légèrement et il me fit un petit sourire tendu.

— C'est-à-dire ? insistai-je, impérieuse.

Sa mâchoire se crispa et il passa une main nerveuse dans ses cheveux ébouriffés par sa métamorphose, dont j'avais encore du mal à appréhender le simple souvenir.

Je chassai les images de l'oiseau immense et effrayant qui s'imprimaient dans ma mémoire pour me concentrer sur le visage d'Enry, régulier, carré, rassurant.

— Je... je ne peux pas t'en confier davantage, Anaïa. Le problème, vois-tu, c'est que tu dois te souvenir. C'est ce que je t'ai expliqué, déjà. Si tu ne te souviens pas, je ne peux pas le faire à ta place. Cela t'empêcherait de devenir celle que tu es, celle que tu dois devenir.

— Pourquoi ? demandai-je d'une voix faible.

J'avais beau me creuser la mémoire depuis tout à l'heure, je ne voyais toujours pas de quoi il voulait parler. Je me souvenais de beaucoup de choses, même d'événements survenus quand j'étais très petite. Des jeux avec mes amis, des bobos dans la cour de l'école, des chagrins d'enfant, les émotions de mes premières notes au violoncelle, ma déception récurrente de ne pas avoir de frère ou de sœur quand des bébés naissaient dans les foyers de mes camarades de classe... Oui, je pouvais remonter très loin dans le livre de ma vie, mais rien ne me permettait de comprendre ce qu'Enry me disait.

— C'est compliqué à expliquer. Disons que les choses se feront quand tu l'auras décidé. Et si un élément extérieur venait contrarier cette volonté, ton destin se briserait...

Du bout de mes index, je me massai les tempes, les yeux fermés, tentant de comprendre, en vain.

— Je ne pige rien.

— C'est normal.

Je lui jetai un coup d'œil en coin et vis qu'il me souriait, un petit sourire tendre et coquin.

— J'ai du mal à penser que... tu... es un oiseau. J'ai l'impression que je rêve et que je vais me réveiller.

— Ça ne m'étonne pas. J'ai cherché tous les moyens possibles pour te l'avouer doucement, sans onde de choc, j'ai imaginé une quantité incroyable de scénarios et finalement, aucun n'était meilleur que le précédent. Il me fallait juste te le montrer, pour que tu me croies.

— Même ainsi, je ne suis pas sûre de le croire. Est-ce que tout cela existe vraiment ? D'habitude, ces histoires se trouvent dans les livres, ou dans les films. Les mystères du monde, les créatures fantastiques, les extraterrestres... Je n'arrive pas à recoller les morceaux : l'Enry qui est devant moi, l'oiseau fantastique, est-ce que tout ça est bien réel, ou est-ce que c'est une blague… je ne sais pas, je crois que je vais avoir besoin de temps…

— Prends-le, Anaïa, j'espère juste que tu te souviendras. Pour comprendre à quel point tu es importante pour moi.

— Et Eidan, dans tout ça, quel est son rôle ?

J'avais à peine prononcé le nom de son ennemi que le regard d'Enry se durcit. Les reflets lumineux de ses yeux se changèrent en bleu glacier, polaire, presque cruels.

— Évite-le, Anaïa. C'est ce que j'ai tenté de te dire, la dernière fois. Je voulais te prévenir sans avoir à te confronter… à tout ça, en espérant que la mémoire te reviendrait avant. Mais tu nous as vus nous battre sur la tour. Il pourrait te blesser. Je l'ai observé, et avec le temps, il arrivait à t'attirer de plus en plus dans ses filets. J'ai compris qu'il fallait que j'agisse avant qu'il ne parvienne à ses fins.

— Et quelles sont ses fins ?

Je me sentais coupable de penser à Eidan dans ces termes-là. Car si j'avais toujours eu des difficultés à me sentir à l'aise avec lui – je le trouvais trop sombre, trop triste, intimidant –, je ne l'avais jamais trouvé méchant. Juste terriblement isolé, comme si la solitude était inscrite en lui depuis un temps infini.

— Il veut ton pouvoir, Anaïa.

— Et pas toi ?

Il éclata d'un rire sec.

— D'une certaine manière, oui, je ne vais pas le nier. Mais pas pour les mêmes raisons…

— Je comprends de moins en moins, et je commence à avoir très mal à la tête, marmottai-je en enfouissant mon visage entre mes mains encore glacées.

— Je te ramène chez toi, annonça-t-il en démarrant enfin le moteur. Il te faut assimiler tout ça, mais fais attention, Anaïa, il reste peu de temps, il va falloir que tu te souviennes rapidement.

— Pourquoi ? Que va-t-il se passer si je ne me souviens pas ?

La pression oppressa un peu plus ma poitrine. Non seulement, il me fallait découvrir une chose que je ne savais pas posséder, apprendre un élément à mon sujet que j'ignorais, mais en plus, il fallait aller vite sinon… sinon quoi ?

— Le pire, Anaïa, le pire. Tout peut se perdre. Nous serions en grand danger.

— Nous deux ?

— Nous deux, les autres, la vie telle que nous la connaissons.

Un poids énorme tomba soudain sur mon estomac. Rien que cela ? Rien que la vie ? J'hésitais entre fondre en larmes ou me mettre à rire nerveusement. Tout cela ressemblait à une vaste plaisanterie de mauvais goût, à un cauchemar. Et encore, je préférais mes cauchemars à cette réalité improbable, à ce prétendu destin qui transformait ma petite existence confortable, joyeuse, en un terrain miné, cerné de sables mouvants.

Je ne répondis rien. Que dire ? Je ne saisissais pas un mot de ce qu'il me confiait. Les tenants et les aboutissants m'échappaient complètement. La seule chose de sûre, c'est que j'étais encore sous le choc de cette matinée improbable, de ces révélations.

En me quittant, devant la grille du mas, Enry m'embrassa encore longuement, avec une passion presque dérangeante, parce que, même si j'avais de l'affection pour lui, je ne partageais pas (pas encore ?) l'intensité de ses sentiments. Toutefois, je me laissai faire, attentive à toutes mes perceptions. La façon dont sa langue, plus lisse que je ne l'aurais imaginé, explorait ma bouche, les sensations qu'il faisait naître en moi, de plaisir, de curiosité et de fierté mêlée. Le piquant de sa barbe sur ma peau délicate, ses mains sur mes joues, dans mon cou, qui effleuraient délicatement mes clavicules, sans oser, encore, descendre plus bas sous la laine de mon pull.

Mes lèvres étaient gonflées de baisers et les questions tournoyaient dans ma tête. Est-ce que j'avais envie d'être la petite amie d'Enry ? Il ne m'avait pas laissé le choix, mais je l'avais laissé faire. À aucun moment, je ne lui avais envoyé un signal pour dire « stop ». En remontant l'allée de gravier jusqu'à la maison, je passai des doigts précautionneux sur ma bouche sensible et me souris à moi-même. J'avais enfin embrassé un garçon, il était plus que temps, non ?

La porte d'entrée à peine refermée, je découvris avec gêne que tout le monde s'était affolé de ma pseudo-disparition. Il n'y avait pas de réseau, ni sur la tour ni dans le champ où nous étions restés garés un long moment. Garance avait tenté de me joindre pour me poser une question sur les cours et, inquiète que je ne sois pas encore rentrée, avait transmis son angoisse à mes parents et à mes amis sur Facebook.

Je m'empressai de rassurer tout le monde, déjeunai rapidement et me rendis à mon cours de violoncelle, qui fut le pire de ma vie. Encore hébétée par les événements de la matinée, je ne fis preuve d'aucune concentration, ni d'aucune motivation. Alors que je massacrais lamentablement le premier mouvement de la sonate pour violoncelle seul de Zoltán Kodály, toujours le même morceau très difficile et sombre, M. Razowski me regardait en poussant des soupirs désespérés et en fronçant les sourcils derrière ses verres extra-épais, ce qui lui donnait encore plus l'air d'une chouette agacée.

Il abrégea le cours en me conseillant de travailler sérieusement et d'arrêter de rêvasser. Je le remerciai de son conseil en pensant intérieurement que je préférais ma vie quand tout était normal et quotidien, sans oiseau effrayant perché en haut d'une tour, sans énigme dont il fallait prétendument me souvenir.

Je fus contente de m'enfermer dans ma chambre pour la soirée, prétextant un devoir ardu à rendre pour la fac, ce qui était vrai. Sauf que je ne parvins pas à écrire une ligne de cette fameuse dissertation. Je restai allongée sur mon lit, les yeux dans le vide, revivant sans cesse le film de la journée, et tentant en vain de retrouver, dans les méandres de mon cerveau, le début d'une piste de quelque chose qui me rappellerait une histoire d'oiseaux, de pouvoir ou je ne sais quoi. Je pensais à Enry, certes, mais aussi à Eidan. Je saisissais mieux certains de ses silences, de ses regards, de ses sous-entendus, mais je ne comprenais toujours pas quel était son rôle dans cette histoire. Pourquoi n'avait-il rien dit ? Si Enry le pouvait, en avait le droit, alors Eidan aussi. Mais était-il vraiment méchant ? Malgré les paroles aux accents convaincants d'Enry, je n'arrivais pas à le croire. Était-ce parce que j'avais quand même partagé de beaux moments avec lui ? Il fallait que je lui en parle. Oserais-je lui poser des questions, lui faire avouer la vérité ? Je n'en étais pas certaine. S'il n'avait pas voulu que j'apprenne les faits par son biais, c'est qu'il ne se sentait pas prêt à les partager avec moi. Pourquoi ? Parce qu'il me voulait du mal et préférait me manipuler ? Tout cela

sonnait de façon extravagante. Que c'était compliqué ! Je finis par m'endormir tout habillée, et fis
des rêves peuplés d'images bizarres, semblant sortir
tout droit d'une BD racontant une histoire abracadabrante de superhéros déchu, errant à la surface
de la planète à la recherche de son pouvoir et de
quelqu'un qui pourrait l'aider à redevenir lui-
même. Très loin, une voix me chuchotait en boucle
« Tu es revenue, tu es revenue », alors que je savais
que ce n'était pas vrai. Je n'étais pas revenue, j'étais
partie, très loin.

Anaïa Heche
Il y a 13 minutes
Les amis, je vous en supplie, pas de cris de stupéfaction quand j'arriverai en cours tout à l'heure. J'ai mon compte de stupéfaction.
J'aime • Commenter

Garance Dambë
Et ça veut dire quoi ce statut ?

Anaïa Heche
Tu vas vite comprendre…

Enry Thor
Je ne vois pas de quoi tu parles.

Anaïa Heche
Très drôle.

Juliette Couette Couette
C'est quoi ce délire ?

24.

Malgré mon avertissement matinal, j'eus droit aux exclamations de Garance et aux yeux écarquillés d'Yvan quand Enry vint vers moi en sortant de sa voiture, passa son bras nonchalamment autour de mes épaules, déposa un smack sonore sur mes lèvres avant de demander :

— Ça va, ma chérie ?

Je trouvais qu'il en faisait un peu trop, mais je n'osai rien dire. Je n'avais jamais eu de petit copain avant et je ne savais pas comment me comporter. Qu'est-ce qui était normal, quand on était avec quelqu'un (d'autant plus avec quelqu'un qui se transformait en créature fantastique) ? Qu'est-ce qui l'était moins ? Mon apprentissage dans ce domaine commençait aujourd'hui...

— Vous êtes ensemble ? demanda Garance d'une voix tellement aiguë qu'on avait l'impression qu'elle venait d'inhaler de l'hélium à haute dose.

— Visiblement, répondit Enry très calmement, un sourire immense plaqué sur le visage.

Je lançai un regard à Garance qui voulait dire « Je t'expliquerai plus tard ». Elle plissa les yeux pour m'envoyer un message silencieux à son tour qui signifiait « Tu aurais pu me prévenir, quand même ». Je fis mine de trouver un fil imaginaire sur la manche de mon manteau et m'appliquai à l'ôter du bout des doigts. Je n'avais pas osé lui dire quoi que ce soit au téléphone la veille, ni dans la voiture ce matin, où j'étais restée bien silencieuse pendant tout le trajet entre chez moi et le parking de la fac.

Quand j'eus achevé ma feinte, que je relevai la tête, mon cœur faillit s'arrêter, parce que j'aperçus le visage d'Eidan un peu plus loin. Il venait d'arriver, et la portière de son coupé n'était même pas refermée derrière lui. Toutefois, il semblait figé dans son mouvement, les yeux exorbités, le visage plus blanc qu'un drap, la mine défaite. Je soutins son regard noyé d'une houle de sentiments et y lus douleur, déception, tristesse, solitude, trahison…

Sans même signaler sa présence, il se rassit au volant de sa voiture, dont la porte claqua sèchement dans l'air froid, le moteur vrombit, les pneus crissèrent sur l'asphalte et le bolide disparut en quelques instants, ne laissant derrière lui qu'un sentiment de malaise chez tout le monde, sauf chez Enry qui lâcha, simplement :

— Il s'en remettra.

Personne ne répondit. Et intérieurement, je savais qu'il ne s'en remettrait pas. Pas de la façon dont le prétendait Enry.

Je me mordis la lèvre inférieure, baissai à nouveau la tête et me laissai guider à l'intérieur de l'amphi où le premier cours de la journée allait commencer. Inutile de préciser que je n'écoutai pas un mot de ce que le prof expliqua ce matin-là…

La journée devait être placée sous de mauvais augures. Le soir même, Enry demanda à me ramener. Garance haussa les épaules, d'un air déçu : elle avait espéré passer un peu de temps seule avec moi dans sa voiture pour me tirer les vers du nez. Je lui fis un petit signe pour lui montrer que j'étais désolée et que j'appellerais un peu plus tard. Une fois dans la voiture d'Enry, ce dernier se mit à dévorer ma bouche comme un affamé. Au début je fis la timide, surprise par cette ferveur, puis je finis par répondre passionnément à ses baisers. Les yeux fermés, je me laissai transporter par les sensations de ses lèvres contre les miennes, de nos dents qui s'entrechoquaient parfois sous l'intensité de notre échange. Je sentis une boule de chaleur gonfler dans mon ventre, puis les mains d'Enry sur mon visage, dans mon cou, sur mes hanches, lui donnèrent de l'ampleur, et la flamme s'étendit doucement à ma poitrine, mes jambes...

Il se recula enfin, nous laissant hors d'haleine tous les deux. Il me scruta d'un drôle d'air, guettant un signe sur mon visage... Lequel ? Je n'en savais rien. Finalement, avec un sourire en coin, il démarra et me ramena chez moi, la musique à fond. Je le soupçonnais de tout faire pour éviter mes questions à propos de tout ce qui me taraudait : lui et Eidan, les deux oiseaux, ce dont je devais me souvenir, et cela m'agaça profondément. Il avait ouvert une porte sur un univers effrayant et inconnu, je pensais qu'il en serait le guide, me menant vers la lumière, celle qui m'aiderait à décoder tous ces mystères... Toutefois, après quelques réponses plus qu'évasives, il me laissait là, muette, soit parce qu'il écrasait sa bouche sur la mienne, soit en nous étourdissant de bruit, une musique plus que moyenne, de surcroît. Je serrai les lèvres pour retenir le flot de paroles qui menaçait de s'en échapper. De toute façon à quoi cela aurait servi ? Je savais déjà ce qu'Enry m'aurait répété : il fallait que je me souvienne.

Arrivés devant le mas, il s'arrêta brutalement et m'attira à lui pour d'autres baisers, auxquels je répondis un peu plus froidement. Mais cela n'eut pas l'air de le déranger. Il déposa un léger bisou sur ma tempe au moment où je me détournai pour ouvrir la portière.

— Bonne soirée, Ana, souffla-t-il.

— Bonne soirée, merci de m'avoir ramenée.

— Pas de quoi, c'est un vrai bonheur.

Il accompagna ses paroles d'un clin d'œil grivois. Je lui rendis un sourire rapide et me dépêchai de m'extirper de la voiture. D'un seul coup, je me demandai si les derniers événements allaient dans le bon sens. Un élément de cet enchaînement me gênait, mais je n'arrivais pas à mettre le doigt dessus.

En entrant chez moi, je compris tout de suite qu'il était arrivé une catastrophe, et mes questionnement et doutes furent balayés aussitôt. Mon père était couvert de poussière blanche des pieds à la tête et ma mère pendue au téléphone. J'entendais les mots « dégâts » et « assurance » se répéter dans son discours rapide et nerveux.

— Qu'est-ce qu'il s'est passé ? demandai-je à papa, abasourdie.

Il me fit signe de le suivre. Nous sortîmes dans le jardin par la baie vitrée et il me montra du doigt les dépendances qui devaient devenir, dans un avenir de plus en plus proche, des chambres d'hôte.

— Oh nooooon ! m'écriai-je en plaquant une main devant ma bouche.

Rody, qui était planté devant le décor, jaugeant visiblement l'étendue des dégâts vint vers moi en remuant faiblement la queue. Ses yeux globuleux semblaient plus misérables que jamais. Lui non plus n'aimait pas le spectacle.

— Le toit s'est écroulé, expliqua mon père d'un ton fataliste. Enfin, juste un bout. Au-dessus de l'entrée. C'est un mal pour un bien.

— Ah bon ?

J'observai les gravats éparpillés sur le carrelage neuf, le trou dans le plafond, hérissé de bois qui soutenait la structure de la charpente. Je ne voyais pas où se trouvait le bien dans tout ça. Ces dernières semaines, les travaux avaient bien avancé et maintenant, tout était à refaire, ou presque. C'était plutôt un drame ! Mais papa ne se départait pas de son optimisme habituel.

— Évidemment ! Heureusement que c'est arrivé maintenant ! Tu te rends compte, si ça s'était passé avec des clients à l'intérieur ? Je n'ose pas l'imaginer ! s'emporta-t-il, troublant le silence de la soirée dont l'ombre veloutée tombait doucement sur la cime des arbres. Au moins, le bâtiment a montré ses faiblesses. Les assurances sont déjà sur le coup, on va tout réparer et, tel le phénix, les dépendances vont renaître, plus belles et solides que jamais !

Ce ne fut pas le spectacle de mon père qui me médusa littéralement sur le gazon perlé d'humidité, devant un mazet à moitié effondré. Ce furent ses paroles, qui me frappèrent comme un éclair dont les grondements résonnaient encore dans mon esprit. Je n'entendais plus rien et les bonds de joie de Rody en écho à l'optimisme de papa me semblaient faire partie d'une scène jouée loin de moi.

Je m'excusai et, tel un zombie, je montai dans ma chambre pour me jeter sur Internet. Connectée sur Google, je tapai avec des doigts fébriles le mot « phénix » dans le moteur de recherche et dévorai avidement la page Wikipédia.

« Le phénix, ou phœnix, est un oiseau légendaire, doué de longévité et caractérisé par son pouvoir de renaître après s'être consumé sous l'effet de sa propre chaleur. Il symbolise ainsi les cycles de mort et de résurrection. »

Soudain les mots « oiseau », « longévité », « flammes », « chaleur », « cendres », répétés dans le long article me sautèrent aux yeux, se superposèrent aux images d'Enry se changeant en immense oiseau de bronze aux reflets rouges, les couleurs supposées d'une telle créature, si elle devait exister.

La sensation de fièvre intérieure revint aussitôt, donnant l'impression qu'un brasier grondant s'allumait dans mon ventre. Je recommençai à bouillonner, mais cette fois encore, je n'en ressentis aucune gêne. Les images de mon rêve me revinrent aussi en mémoire, ce moment précis où je prenais feu, sans me consumer, sans brûler l'homme qui me serrait dans ses bras.

« Enfin », avait-il murmuré comme s'il attendait ce moment depuis toujours. Oui, c'était cela, il attendait que je m'embrase depuis longtemps, cela m'apparaissait clairement à présent, dans les intonations de sa voix, dans le soulagement et l'extase que j'y avais perçues.

En proie à la plus grande émotion, je me levai d'un bond, faisant chuter mon siège derrière moi et, sans prendre la peine de le ramasser, je m'agitai dans ma chambre, prononçant à mi-voix des mots incohérents, mais qui suivaient quand même ma ligne de pensée principale. Phénix, oiseau, feu.

« Tu as des cheveux de feu, Anaïa. »

Combien de fois avais-je entendu cette remarque, dans ma vie ?

La chaleur dans mes entrailles augmentait à chaque pas. Consciente de mon état, je regardai ma main gauche. Je n'eus besoin de compter mes grains de beauté qu'une fois pour en trouver quatorze, cette fois. Un de plus. Encore.

J'étais brûlante, et pourtant je n'avais pas de fièvre. C'est ce qu'avait découvert le père de Garance quand il était venu le dimanche où j'avais été malade. Je cuisais de l'intérieur, je me consumais, pourtant mon corps ne portait aucune trace de la moindre pathologie. Comme si j'étais faite pour supporter ces températures, comme s'il s'agissait d'un état parfaitement normal pour moi.

« Je veux ta chaleur. Je veux que tu brûles en moi, autour de moi. Réchauffe-moi, Anaïa, réchauffe-moi... J'en ai tellement besoin... »

La voix de la créature terrifiante dans mon rêve, ses doigts glacés comme des crochets autour de mon cou. Il voulait me la voler, se l'approprier, elle lui était indispensable.

« J'aime ta chaleur, j'en ai besoin », m'avait soufflé Enry au creux de l'oreille pendant le concert.

Lui aussi avait les mains froides, mais parce qu'il était épuisé, blessé. Il attendait que je partage ce que je possédais sans le savoir avec lui, c'est ce qu'il m'avait dit. Eidan aussi.

Dans la voiture, il m'avait expliqué, à demi-mot, après m'avoir dévoilé sa... différence.

« Il veut ton pouvoir, Anaïa.

— Pas toi ?

— D'une certaine manière, oui, je ne vais pas le nier. Mais pas pour les mêmes raisons. »

Un peu plus tôt, il m'avait confié ce qu'ils étaient, tous les deux.

« Des êtres anciens. Très anciens... »

Tout s'agençait dans ma tête, clac, clac, clac. Chaque pièce du puzzle prenait sa place, et l'image finale m'apparaissait soudainement plus clairement. J'avais tous les éléments devant mes yeux depuis des jours. Ce que mes rêves me soufflaient, les mystères du quotidien, les allusions de chacun, tout était là, et je n'avais pas compris. Mais aussi, comment comprendre ? Si c'était bien là la vérité, alors elle paraissait trop extraordinaire pour que je puisse la saisir au vol. Sans les paroles de papa, je n'aurais jamais…

Le Phénix. Était-ce ce dont je devais me souvenir ? Une histoire d'oiseau et de feu, d'immortalité ? Mais, selon la définition de Wikipédia, l'oiseau de légende était une entité, un être unique qui s'embrasait.

Je poussai un peu plus loin mes recherches, décortiquant les légendes concernant cette créature mythique qui, à ma plus grande surprise, possédait sa propre version dans de nombreuses cultures. Enfin, j'arrivai à celle concernant le phénix chinois. Le Fenghuang était la seule version à être sexuée. Constituée d'un mâle, le Feng, et d'une femelle, le Huang, qui se confondaient en une seule et même entité.

Une seule et même entité constituée de deux êtres, un mâle et une femelle, me répétai-je intérieurement. Une complémentarité indispensable, pour permettre à l'animal merveilleux d'exister.

« Et ses larmes, elles ne sont pas complètes », avait dit Enry, le soir du concert.

Je n'avais évidemment rien compris, à ce moment-là, mais encore une fois, la lumière se fit dans mon esprit, éblouissante, étourdissante. Je n'étais pas complète… Tout comme les initiales mêlées, le « e dans l'a », le « æ », j'avais besoin de retrouver ma moitié, mon âme sœur, mon complément pour être entière.

Je laissai cette idée faire son chemin, trouver les ramifications qui la relieraient au reste de mon histoire, à la transformation d'Enry, aux références à ma chaleur... Si le Fenghuang avait besoin de deux êtres pour se construire, alors Enry en était le mâle. Et il lui manquait un élément essentiel pour devenir complètement le Phénix : une femelle, moi. S'il en était l'oiseau, alors j'étais...

Le feu.

Cette conclusion, aussi improbable fût-elle, éclata dans ma tête comme la seule solution possible. Pourtant, je la repoussai aussitôt. Du délire total ! J'étais en train d'inventer n'importe quoi, de tenter d'expliquer des choses inexplicables et pourtant... Pourtant, Enry s'était bien changé en oiseau, non ?

La légende pouvait-elle être vraie ? Et si tel était le cas, en quoi consistait mon rôle à moi dans tout ça ?

Une angoisse sourde m'étreint, je devenais bel et bien folle... Tout tourna autour de moi. Un vertige intense me saisit le corps, l'âme. Espérant le faire cesser, je m'allongeai sur mon lit et tentai de respirer profondément, en fixant mon regard sur un nœud compliqué dans le bois sombre d'une poutre. En vain, tout tanguait encore, comme si j'étais sur un bateau en pleine tempête, une tempête énorme, aux creux profonds, aux sommets trop lointains pour que j'aie une chance d'apercevoir la terre ferme quelque part. La nausée me saisit et c'est en courant que je me rendis dans la salle de bains pour vomir une bile acide et brûlante.

Je restai assise longtemps sur le carrelage frais, la tête posée contre la faïence glacée du pied du lavabo, près de moi. Tout cela n'avait aucun sens. Je délirais complètement. Je devais être malade, c'était de saison. Une gastro, un peu de fièvre, et me voilà partie dans une dérive insensée. Les yeux clos, j'écoutai les bruits de la vie autour de moi. Les canalisations qui claquaient, pour une raison inconnue, dans le mur contre lequel je m'appuyais, le vent qui s'était levé et soufflait derrière la lucarne ronde contre laquelle la nuit s'écrasait, noire, oppressante, la voix de mon père qui mobilisait le téléphone, celle de ma mère qui parlait aussi sans doute depuis son portable à quelqu'un...

Je perçus même les grognements de Rody qui devait avoir faim, et qui réclamait un peu d'attention dans l'agitation ambiante du rez-de-chaussée, les grattements d'Arsène qui tentait d'ouvrir la porte de la salle de bains que j'avais fermée à clef, ayant certainement dû sentir que je n'allais pas bien.

Tout paraissait tellement normal, tellement banal. Sans succès, je tentai de puiser du réconfort dans cette routine rassurante. Mais il me fallait plus que des bruits, que des présences, il me fallait des explications. Enry ne serait pas celui qui me les donnerait, je le savais déjà, il attendait que je me souvienne. Or, même si je pensais saisir une piste, un début de fil à tirer pour arriver à la solution, je ne me souvenais pas plus de quoi que ce soit qu'une heure auparavant.

J'avais eu une révélation a priori farfelue, comme quoi Enry et moi étions les deux éléments du Phénix, l'oiseau qui renaissait de ses cendres, symbole de résurrection, de régénération, doté de nombreux pouvoirs. Il n'existait qu'en un seul exemplaire et, ne pouvant se reproduire, renaissait de son propre brasier. C'était complètement aberrant, mais maintenant que la graine de cette idée s'était implantée en moi, je ne parvenais plus à la chasser. Elle s'imposait à ma conscience, à ma logique qui tentait pourtant de la repousser, de la contrer par des arguments cartésiens, rationnels. Enry était l'oiseau, et j'étais le feu. Et ensemble nous formions le Phénix. Comme pour soutenir ce concept délirant, je me souvins d'un détail que j'avais lu dans Harry Potter : Fumseck, le phénix du professeur Dumbledore, avait le pouvoir de guérir toutes les blessures grâce à ses larmes. Enry avait goûté de mes larmes, par deux fois, le samedi précédent, et ses blessures avaient disparu instantanément, sous mes yeux. Encore une preuve, un élément auquel j'avais assisté qui étayait ma théorie, la rendait plus crédible, alors que je désirais plus que tout la mettre à mal et arriver à rire de ma propre imagination.

La boule que j'avais réussi à chasser légèrement gonfla de nouveau dans ma gorge. Je n'avais désormais plus chaud, mais froid, très froid.

Arsène grattait de plus en plus fort sur les tommettes du couloir, espérant certainement creuser un tunnel sous la porte pour me rejoindre ; en soupirant et en titubant légèrement, je me levai et allai lui ouvrir. Aussitôt, il se rua entre mes jambes, la queue dressée et vibrante d'un message d'amour et de soutien. Il dessina plusieurs huit entre mes mollets avant de se laisser caresser. Je le pris dans mes bras, déposai une bise sur sa tête chaude et douce, et descendis avec lui dans le salon.

Mes parents n'étaient que deux, mais j'avais l'impression que dix personnes se trouvaient dans la pièce. Il y avait des papiers partout, les plans des chambres d'hôte déroulés sur le tapis, des factures étalées sur la table, et, comme je l'avais soupçonné, ils étaient chacun pendu au téléphone, maman toujours avec les assurances, et papa avec le chef de chantier pour organiser un nouveau programme de travaux, prêts à démarrer dès que les interlocuteurs de ma mère seraient passés évaluer les dégâts et fixer les modalités de remboursement.

Rody suivait mon père qui faisait les cent pas avec agitation, bref, personne, ici, ne se doutait du bouleversement que je vivais, des affres par lesquelles je passais. C'était certainement mieux ainsi. De toute façon qu'aurais-je pu dire à mes parents ? « Vous savez quoi ? J'ai enfin un petit ami, et il se transforme en oiseau géant et un peu effrayant aussi. Et moi, je pense que je suis le feu et que je dois m'unir à lui pour former le Phénix, la classe, vous trouvez pas ? » Non, il valait mieux qu'ils soient occupés à leurs travaux et moi à mes pensées tumultueuses. Chacun s'en porterait mieux.

Je me rendis à la cuisine, nourris les animaux qui se ruèrent sur leurs gamelles comme des affamés et rédigeai un petit mot à ma mère : « Maman, je suis malade, certainement un truc de la cantine que je n'ai pas digéré, je vais me coucher sans dîner. »

Je lui brandis ma missive sous le nez, elle fronça les sourcils et interrompit sa conversation en posant une main sur le combiné du téléphone.

— Ça va aller, Ana ? Tu veux qu'on appelle le médecin ?

— Non, c'est bon. Je vais me coucher maintenant.

— D'accord, bonne nuit ma chérie.

Elle me fit un bisou sur la joue et reprit son dialogue avec je ne sais qui. Voilà, mes parents ne s'intéressaient même plus à moi. Ma mère me laissait me traîner dans ma chambre sans me proposer son aide… J'étais grande maintenant, je devais apprendre à me débrouiller sans eux. C'était effrayant, mais en fait, j'étais déjà seule. Seule face à mon mystère et à mon destin.

D'un pas languissant, je remontai me préparer pour ma nuit. Je savais ce dont j'avais besoin, là tout de suite : dormir et rêver de la tour, de son inconnu. J'avais l'intuition que lui seul pouvait m'aider. Chaque fois que je le retrouvais en songe, il m'apportait un indice supplémentaire, à condition que je lui pose les bonnes questions.

La forêt a disparu.

Il n'y a plus d'arbres, plus de branches crochues et dépouillées, plus de feuilles mortes ni d'épines de pin craquantes sous mes pieds nus.

Je marche sur un sol neutre, ni chaud ni froid ni doux ni dur. Tout est vide devant moi. Le néant ressemble à une nuit blanche, dans laquelle on écarquille les yeux pour ne rien voir. Pourtant, la tour apparaît, surgie de nulle part, comme si elle se dévoilait dans les sinuosités d'un chemin irrégulier.

Je suis rassurée. Dans ce néant insipide, j'ai douté de la retrouver, elle aussi. Cependant, elle se dresse là, identique aux fois précédentes : à moitié écroulée, rongée par les siècles, tachetée de mousse et de moisissures, couverte de feuilles noires, sèches, craquelées, cette fois.

Qu'est-ce que cela veut dire ? Pourquoi est-ce que tout est différent, une fois de plus ? Je presse le pas, inquiète. Cela n'est pas normal et j'ai peur de ce que je vais découvrir. Sans hésiter, je passe sous l'arche de son ouverture. Sous la plante de mes pieds, les escaliers sont aussi neutres que l'était la forêt un peu plus tôt. Pas de carrelage froid, pas de dalles disjointes ou fêlées. Je dévale les marches, et pour la première fois, en bas, je découvre une pièce. Je devine que c'est de là qu'émanait la lumière puissante qui me masquait les détails. C'est un salon confortable, chaleureux. Un canapé ancien se dresse dans un coin, recouvert d'une couverture de laine et de coussins multicolores. Devant lui, une table en bois sculpté, chargée de livres aux couvertures de cuir brun, enjolivées de dorures.

Au milieu de cette large salle au plafond haut et voûté, se trouve un magnifique piano à queue en bois sombre, brillant sous la lumière des bougies posées çà et là, qui distillent un éclat doré, joyeux, et feutré à la fois. À côté, contre le mur de pierres claires, rehaussées de tentures richement tissées, est posé le violoncelle que j'ai déjà rencontré dans un rêve précédent. C'est un instrument sublime, et j'imagine déjà la sonorité chaude et profonde de ses notes, les vibrations qu'il pourrait partager avec moi, si je le posais contre mon sein.

J'aime cet endroit. Il respire la sérénité, le confort, la douceur de vivre. Il me paraît familier, et pourtant lointain, comme une image que j'aurais déjà vue quelque part, sans savoir où exactement.

Cependant, je sais qu'il y manque quelque chose. Ou plutôt quelqu'un. Lui. Celui qui m'attend chaque fois, qui me serre contre son torse, qui fait naître en moi un bonheur incomparable, la sensation d'être rentrée chez moi. Je pivote sur moi-même, afin d'appréhender tous les détails de ce lieu : la bibliothèque croulante sous les ouvrages épais, anciens, usés pour certains, une pile inégale de partitions posée directement à terre, où des tapis épais, soyeux protègent les pas du froid de la pierre.

Sur le côté, une porte de bois entrouverte donne sur une autre pièce d'où point un bout de lit. Le cœur battant je m'avance, en me disant que cette fois, sans l'éclat éblouissant, je vais pouvoir découvrir son visage. La chambre est vide, à ma grande déception. Le cadre de bois du lit, large. Les couvertures épaisses, moelleuses, rejetées sur le côté comme si quelqu'un s'était levé brusquement. Dans le mur du fond, une large cheminée a été creusée. Son âtre est froid. Une épaisse couche de cendre tapisse son fond. Il y a une fenêtre à ma droite, et de l'autre côté du carreau au verre inégal, il fait jour. Le ciel est bleu, c'est une belle matinée qui brille dehors. Quand je m'approche, la vitre a disparu et je peux pencher ma tête à l'extérieur. À ma grande surprise, je suis en hauteur, au sommet d'un bâtiment et de là, je vois la tour dans laquelle je suis entrée un peu plus tôt, sauf qu'elle se dresse intacte, fière, vers l'azur infini.

Mais il n'y a toujours personne.

La vérité me frappe de plein fouet et, sous le choc de la révélation, mes jambes se dérobent, je chute sur le tapis de laine. Il est parti. Il ne m'attend plus ici, il n'est plus là pour me serrer dans ses bras, pour m'accueillir, m'apporter son réconfort et son amour.

Pourquoi ?

La question flottait encore dans mon esprit quand je m'éveillai au sein de ma chambre, dans le mas. Un vide immense avait creusé un trou en moi, un manque impossible à combler. Le froid qui se répandait dans mes artères avait pour source mon cœur, et il s'insinuait partout dans mon corps, comme un fluide malfaisant coulant dans mes veines. Il était parti… Sans lui, il n'y avait plus de lumière. Sans lui, il n'y avait plus de réconfort, de voix chaude, ni de main sur ma joue. Son absence était vertigineuse.

Malgré Enry et ses baisers, c'était l'autre, celui de mes rêves qui m'attirait, qui me faisait vibrer.

Je ravalai les sanglots qui enflaient dans ma gorge et tentai de comprendre le sens de sa disparition. Que s'était-il passé ? Qu'est-ce qui avait pu motiver son départ ? Jusqu'ici, il avait toujours été là. Il m'attendait, il me l'avait dit. Il m'avait attendu tout ce temps, or il avait laissé la maison vide.

J'eus envie de ricaner dans les ténèbres : la maison… J'en parlais comme s'il s'agissait de chez moi, et je chassai bien vite l'envie que ce fût en effet chez moi. Cela serait trop beau et trop douloureux.

Cette présence dans mes songes était, depuis la première fois, une source de bonheur, de bien-être et d'évidence. Ce qui me prouvait une chose : Enry n'était pas l'homme de mes rêves. À aucun moment je n'avais ressenti les mêmes impressions quand il me serrait contre lui, quand il me parlait à l'oreille.

Je ne reconnaissais pas le battement de son cœur quand ma joue se posait contre sa poitrine. Ses bras m'étaient étrangers.

En passant un doigt sur mes lèvres, je continuai à analyser mes émotions, celles qu'Enry faisait naître en moi et celles de l'homme dans la lumière aveuglante. Ce n'étaient pas les mêmes. Et alors ? L'un était vrai, et l'autre, qu'une production de mon esprit. Un être qui n'existait que dans ma tête. C'était certainement pour cela que ce que je ressentais à son contact s'avérait tellement puissant : parce que c'était la traduction de mes fantasmes inavoués, de ce que j'aimerais sentir en vrai. Mais la réalité était souvent moins satisfaisante que les rêves, et cependant, l'on devait s'en contenter. Pourtant... mon amour, dans mes songes, m'avait assuré qu'il existait dans le monde tangible. Je ne l'avais pas encore rencontré dans ma vie éveillée. Je commençais à évoquer des possibilités dérisoires, je m'accrochais à des filaments immatériels. Il fallait que je revienne au réel...

Je ne parvins pas à m'endormir. Je grelottai de froid sous l'épaisse couette en plumes qui avait appartenu à ma grand-mère, malgré la présence réconfortante d'Arsène dans mon dos. La chaleur m'avait quittée elle aussi. Plus de bouillonnement intérieur, bienfaisant. Non, je m'étais trompée, je n'étais pas le feu.

Le petit matin éclaira d'une lueur maladive ma chambre, et je tremblais toujours. Mes forces m'avaient quitté, me laissant faible et sans volonté, sans envie.

C'est ma mère qui vint frapper à ma porte, inquiète de ne pas me voir descendre pour le petit déjeuner. Sa présence m'extirpa légèrement de cette torpeur malsaine qui m'assommait.

— Je suis désolée de ne pas être montée avant. C'est un peu la folie, en bas. Comment te sens-tu ce matin, ma chérie ? Ton ventre ?

Sa voix douce, son visage penché vers moi, son parfum rassurant me firent monter les larmes aux yeux, m'évoquant un passé encore proche où tout paraissait facile. Il n'y avait pas si longtemps, ma mère était le rempart contre mes ennemis, mes cauchemars, mes tracas. Cette époque était révolue. J'étais trop grande, presque adulte, confrontée à un monde que je ne comprenais plus. L'avais-je seulement compris un jour ?

— Je ne me sens pas très bien, répondis-je d'une voix chevrotante.

Sa main légère vint se poser sur mon front, y resta quelques instants.

— Tu es glacée, tu es encore malade ?

— Je ne sais pas trop. Je crois que je suis très fatiguée.

Elle hocha la tête d'un air entendu.

— Tu as le droit, parfois. Tu n'as pas de partiel, aujourd'hui ?

— Non…

— Alors reste au chaud. Tu as besoin de quelque chose ?

— Non, pas tout de suite.

Elle déposa un baiser sur le haut de ma tête, remonta ma couverture jusque sous mon menton et promena une caresse sur ma joue.

— Tu m'appelles si tu changes d'avis, d'accord ? Je ne bouge pas d'ici, on a beaucoup de choses à régler à cause des dégâts.

— D'accord, merci. Bon courage.

Elle me sourit et ramena une mèche de mes cheveux en arrière.

— Ne t'en fais pas, tout sera réparé très vite, et ça met ton père en joie, d'avoir à fureter dans ses catalogues de peintures et d'enduits pour cette nouvelle mission, tu sais comment il est.

J'eus un petit rire. Il fallait que je me raccroche à ces menus événements de la vie quotidienne, à l'amour de mes parents pour ne pas sombrer dans le délire et la peur.

Maman m'embrassa une dernière fois et me laissa seule. Vraiment seule.

Anaïa Heche
Il y a 9 minutes
Les amis, je suis malade, je ne viens pas aujourd'hui. Mais ne vous inquiétez pas, un peu de repos et ça ira mieux dès lundi ! Bisous à tous !
J'aime • Commenter

Garance Dambë
Mince, rien de grave, j'espère. Tu veux que mon père passe te voir ?

Anaïa Heche
Merci, mais ça va aller. C'est un gros coup de pompe.

Enry Thor
Que se passe-t-il ? Tu as besoin de moi ? Tu veux que je vienne te faire un bisou ?

Anaïa Heche
Je te remercie, mais ça va aller. J'ai besoin de me reposer.

Enry Thor
Pas de problème. Prends le temps qu'il te faut, tant que tu es sur la bonne voie...

25.

M algré tout, le téléphone sonna quelques minutes avant l'heure supposée du premier cours de la journée et mon écran m'annonça qu'il s'agissait d'Enry. Je soupirai en décrochant. Est-ce qu'il comprenait le sens de l'expression « ça va aller » ? Immédiatement, je me morigénai. Il était mon petit ami, et c'était normal qu'un petit ami appelle sa copine pour prendre des nouvelles, non ? C'était mon attitude à moi qui n'était pas normale. J'aurais dû être contente, flattée, touchée de sa considération.

— Anaïa, ça va ? demanda-t-il sans préambule.

— Ça va, je te remercie. J'ai été patraque hier soir et je suis crevée aujourd'hui, rien de grave.

Je tentais de donner à ma voix une inflexion douce et tendre, mais je n'étais pas très sûre du résultat.

— Tu as eu des flashs ?

Qu'est-ce qu'il racontait ? Ah oui, me souvenir…
Il espérait que mes symptômes seraient ceux d'une
révélation prochaine.

— Euh, non, juste un malaise, répondis-je un peu
froidement.

Décidément, il paraissait obsédé par ma mémoire.
Mon agacement revint en force.

— Tu veux que je passe un peu plus tard, après
les cours ? Je m'inquiète pour toi, tu sais.

— Enry, j'ai besoin d'être seule. Ça va aller. Je…
dois digérer tout ce qui s'est passé ces derniers
jours. Tu veux bien ?

— Oui, bien sûr. Si tu changes d'avis, n'hésite
pas, d'accord ? Je volerai vers toi !

Il ricana et cela ne fit que m'énerver encore plus.

— Je dois te laisser, on entre en cours. Bisous,
ma belle. Porte-toi bien.

— Bonne journée.

Et je raccrochai en fronçant les sourcils. Je n'avais
pas vraiment l'attitude d'une petite amie énamourée, loin de là. Tout était allé trop vite. Je n'avais
jamais désiré avoir une relation plus intime avec
Enry. Je m'étais laissé faire, d'abord par surprise et
ensuite par soulagement : ouf, je pouvais plaire à
un garçon, je pouvais me retrouver dans les bras de
quelqu'un, être embrassée, être désirée. Finalement, j'étais comme tout le monde : j'avais un
amoureux, et pas des plus moches, en plus. C'était

un sentiment purement égoïste et qui n'avait rien à voir avec Enry en tant que personne. Je secouai la tête de dépit. Je n'étais vraiment pas normale, comme fille. Je craquais complètement pour un être chimérique que je ne voyais qu'en rêve alors qu'un être bien vivant, beau comme un dieu nordique, s'intéressait à moi.

Dès que la pensée de « l'autre » effleura mon esprit, mon ventre se serra de douleur. Il était parti. Des larmes perlèrent aux coins de mes yeux et d'un geste rageur, je les essuyai du revers de la main. Ah non ! Pas encore ! J'étais sotte au possible !

Je me rallongeai, m'enfouis sous la couette et tentai de me réchauffer, de me rendormir...

Je ne sais pas combien de temps il se passa avant que d'autres coups résonnent gentiment contre ma porte. Comme je ne répondais pas, maman passa sa tête dans l'entrebâillement et m'appela d'une voix douce.

— Anaïa, il y a quelqu'un qui s'inquiétait pour toi et qui est venu te voir.

Ma première pensée fut pour Enry. Je lui avais pourtant demandé de ne pas venir ! Mais quand je tournai un œil furibond vers l'entrée de ma chambre, prête à le rembarrer, c'est Eidan que je découvris planté tout droit à côté de ma mère. Il n'avait pas l'air dans son assiette.

— Salut Anaïa, murmura-t-il. Désolé de te déranger.

Sans que je puisse les contrôler, mes doigts se glissèrent dans mes cheveux pour les arranger, je tirai sur l'extrémité de mon pyjama pour lui redonner un semblant d'apparence et me raclai la gorge.

— Bonjour Eidan.

— Bon, je vous laisse, annonça ma mère avant de refermer à moitié la porte derrière elle.

Avec des gestes précis, silencieux, Eidan ramassa mon fauteuil qui était resté à terre depuis la veille, l'approcha de mon lit et prit place face à moi. Je ne l'avais pas vu depuis hier matin, seulement, et pourtant, il me semblait que cela remontait à une éternité. Son visage, rongé par la fatigue, portait les mêmes stigmates de lassitude et de manque de sommeil que moi.

— Comment vas-tu ? demanda-t-il d'une voix sourde.

— Pas terrible.

Il hocha la tête. Un frémissement de douleur passa sur son visage. J'avais l'impression que nous étions revenus au même point qu'au début de l'année, quand on se parlait à peine, quand je l'évitais. Tout ce que nous avions construit, notre confiance mutuelle, notre lien à travers la musique, notre amitié bancale, tout avait été balayé. Cela me rendit triste.

— Enry t'a-t-il fait du mal ? demanda Eidan en me scrutant avec attention.

— Hein ? Quoi ? m'écriai-je d'une voix rendue rauque par le long silence. Pas du tout ! Pourquoi… ?

Il haussa les épaules.

— Je voulais vérifier.

Un bref instant, je fus tentée de lui dire ce que je savais, pour les oiseaux, le feu, le Phénix, mais je ne savais pas si je pouvais. Si Enry disait vrai, Eidan était dangereux, et s'il s'énervait, il irait frapper Enry encore une fois. Eidan dangereux ? En jouant avec cette pensée, elle me parut ridicule à nouveau. Je n'avais jamais trouvé Eidan dangereux. Je n'éprouvais même pas le moindre frisson de peur, alors que je me trouvais seule avec lui dans ma chambre, à sa merci. Mais je préférai tenir ma langue et gardai pour moi toutes les questions que je voulais lui poser. Je ne savais pas tout de lui. Il ne m'avait jamais fait assez confiance pour m'avouer la vérité, et me confier qu'il était un oiseau, lui aussi. Il avait menti sur ses blessures, il avait caché tellement de choses… Et il était venu rôder dans mon jardin régulièrement, mettant Rody en alerte. Pour toutes ces raisons, je ne dis rien et me contentai de répondre poliment à ses inquiétudes.

— C'est juste que je suis exténuée, expliquai-je pour la millième fois, mais mon ton manquait cruellement de sincérité.

Il dut le sentir car il m'observa bizarrement et d'un coup, attrapa ma main entre les siennes.

— Tu es gelée.

Oui, j'étais gelée. La chaleur réconfortante qui circulait dans mes veines, qui me faisait sentir plus forte, n'était pas revenue. Elle était partie en même temps que l'homme de mon rêve. Il l'avait fait jaillir au fil de mes visites dans la tour, mais maintenant, il l'avait emportée avec lui. Mais ça non plus, je ne pouvais pas l'expliquer.

— La fatigue, marmonnai-je sans le regarder dans les yeux.

Nous restâmes sans dire un mot un long moment, et c'est moi qui brisai le silence, n'y tenant plus.

— Pourquoi es-tu là ? lui demandai-je d'une voix un peu plus cassante que je ne l'aurais voulu.

— Je m'inquiétais et puis…

Il pâlit, comme s'il ressentait une douleur physique provoquée par cette inquiétude. Enfin, il inspira longuement avant de continuer.

— Et puis je voulais t'avouer que j'ai été choqué de te voir avec Enry. Oh, bien sûr, enchaîna-t-il rapidement en me voyant prête à protester, tu fais ce que tu veux, Anaïa, je ne suis pas en mesure de te dire quoi que ce soit, sauf ce que j'ai ressenti. Je pensais qu'on avait quelque chose, à travers la musique, les moments de complicité que nous avions vécus et ça m'a fait un choc, oui, de te voir dans ses bras.

Je ne sus quoi répondre. Notre début d'amitié s'était brisé une première fois après le concert avec l'apparition d'Enry et une seconde fois quand il m'avait vue dans les bras de ce dernier.

Eidan contempla ma main toujours nichée entre les siennes, tièdes. Puis il releva la tête, aspira une nouvelle fois une longue goulée d'air.

Ses yeux, plus noirs que jamais, happèrent mon regard, et je restai hypnotisée par l'abîme de ses prunelles. Finalement, il cilla et se redressa, comme décidé à dire quelque chose. Abandonnant ma main, il se leva, fit quelque pas dans ma chambre puis reprit sa place sur le fauteuil et récupéra ma main entre les siennes.

— Je voulais aussi te dire... Je sais que ça ne changera rien, mais il me semblait important que tu saches que...

Sa voix mourut, il sembla hésiter. Je l'observai, attendant patiemment qu'il s'exprime. Allait-il m'avouer qu'il était un être fantastique lui aussi ? Allait-il se transformer dans ma chambre ? Il devait se douter qu'Enry m'avait tout raconté, au vu de la question qu'il m'avait posée un peu plus tôt. Je me sentis trembler intérieurement, attendant sa révélation avec impatience et appréhension. Un autre pas vers la vérité, peut-être la solution que j'espérais tant...

— Anaïa, reprit-il et cette fois, sa voix était vibrante d'émotion.

Le même timbre que celui qu'il avait eu sur scène en cours de théâtre, le jour où nous avions joué des amants trompés.

— Anaïa, je vais partir, je n'ai plus ma place ici. Je ne reviendrai pas à la fac, je vais retourner chez mes parents, en Californie. Ce sera mieux pour nous. Je ne veux pas m'interposer dans ta vie, gêner ta relation. Si c'est celle que tu souhaites...

Cette idée lui paraissait insupportable. Je vis ses yeux s'embuer d'un liséré de larmes et il déglutit avec force. Sa pomme d'Adam remonta, descendit. Il inspira profondément pour se ressaisir. Je ne voulais pas qu'il se mette à pleurer ici. C'était... non, pas ça. Il se reprit, finalement et parvins à continuer, la voix tremblante, les lèvres déformées par un petit sourire mélancolique.

— Mais avant cela, avant de partir, je veux que tu saches... que... Oui, j'ai besoin de te le dire, même si je sais que ça ne changera rien... Je veux te dire... que je t'aime.

Ses doigts se resserrèrent délicatement autour des miens.

Il abaissa ses paupières devant son regard insondable et, sur son visage, une expression de souffrance crispa ses traits. Quant à moi, je sentis mon cœur bondir dans ma poitrine, de surprise et d'émotion. Je m'étais attendue à tout, mais pas à cela.

Eidan venait de me dire qu'il m'aimait. Enry était peut-être le premier garçon à m'avoir embrassé, mais Eidan était le premier à m'aimer. Et moi, je n'aimais ni l'un ni l'autre...

Finalement, il me regarda de nouveau, ses prunelles prêtes à m'aspirer dans leur intensité, cherchant la réponse à son aveu sur mon visage.

Je me recroquevillai sur mon lit. Je ne voulais pas blesser les gens, et pourtant, il le fallait. Est-ce que cela faisait aussi partie du chemin vers la vie d'adulte ? Celle où les amants éternels n'existent pas, celle où les princes charmants ne trouvent pas l'amour de leur princesse en retour de leurs sentiments ?

Je ne pouvais pas lui faire croire que c'était réciproque. Mon cœur battait trop fort dans ma poitrine qui se comprimait sur mes côtes. J'étais au bord des larmes à l'idée de lui imposer la même douleur que j'avais ressentie face à l'absence de l'autre, dans mon rêve. L'abandon, le rejet, je venais de découvrir ces sentiments et malgré la détestation que j'éprouvais à leur encontre, j'allais les infliger à quelqu'un qui ne m'avait jamais fait de mal. C'est pourquoi les mots que je prononçai m'arrachèrent tellement les lèvres.

— Je... je suis désolée Eidan, mais... je ne t'aime pas.

Jamais il ne m'avait été aussi difficile de prononcer une si courte phrase. Je me sentis trembler encore et le froid envahit ma poitrine, s'écoulant à nouveau dans chacun de mes membres, plus violemment que précédemment.

Eidan eut un petit sourire tordu et ses traits exprimèrent, plus que de la tristesse, un déchirement insupportable. Il se leva d'un bond et, comme il tenait toujours ma main, il m'entraîna avec lui. Je manquai de tomber en quittant mon lit malgré moi. Il me rattrapa au vol, me remit d'aplomb sur mes pieds. Ses mains se posèrent sur mes hanches pour me garder debout, je sentais leur tiédeur à travers la toile de mon pyjama, un petit point chaud auquel j'avais envie de me raccrocher, mais je luttai contre cette tentation. Ça aurait été mal, après le refus que je venais d'exprimer. Je ne devais rien prendre de lui. Rien. Ce serait utiliser ses sentiments.

Il me contempla un moment, comme s'il voulait graver à jamais mes traits pâles, la couleur de mes yeux, le fouillis de mes cheveux, comme si j'étais la chose la plus précieuse dans sa vie. Un autre petit sourire triste incurva ses lèvres.

Alors, sans dire un mot, très doucement, il m'attira contre lui et me serra fort. Longtemps. Ses bras enroulés autour de ma taille me maintenaient fermement. Ses mains posées dans le bas de mon dos me plaquaient avec conviction contre son torse large, comme pour m'empêcher de m'échapper, s'il m'en prenait l'envie. Mais je n'en avais pas envie. Il méritait que je lui dise au revoir correctement, sans mouvement de recul, sans cette inexplicable gêne qui m'habitait depuis le premier jour. Pressée contre son corps, je fermai les yeux, découvrant son parfum familier dans le creux de son cou. Il sentait le savon, le pain chaud, le café, la forêt et la tristesse. C'était bon, réconfortant, et je me permis de l'inhaler profondément.

Le battement de son cœur était lent, rassurant, ses bras autour de moi puissants. Je ne sais pas combien de temps il me tint enlacée. Nous nous imbriquions l'un contre l'autre comme si nous avions été créés pour cela, et je ne comprenais pas pourquoi. Puis, après un temps qui me parut à la fois très long et trop court, il me lâcha, posa sa main sur ma joue quelques secondes. Sa chaleur imprégna ma peau, sa douceur me transperça le cœur. Et, toujours sans dire un mot, il me tourna le dos pour quitter ma chambre, les épaules voûtées, la tête baissée.

Quant à moi, je restai immobile, hébétée, debout, pieds nus sur la descente de lit trop fine pour empêcher la froidure des tommettes de la traverser et de remonter dans mes veines. Toutefois, je ne sentis pas le courant glacial car j'étais déjà gelée de l'intérieur. La seule chose à laquelle je pouvais me raccrocher, c'était ce point de chaleur qui restait posé sur ma joue, comme pour me rappeler quelque chose.

Et je me rappelai, je me rappelai...

Ces bras... cette main...

Cette sensation de vide maintenant qu'il était parti...

Le même vertige qu'après mes rêves, le même manque, le même élancement douloureux dans tout mon corps, contracté autour du néant qu'il venait de laisser derrière lui en refermant la porte de ma chambre.

Oui, je me rappelai.

Je connaissais le creux de ce corps protecteur. Je connaissais les battements de ce cœur derrière cette poitrine large. Je connaissais cette paume chaude contre ma joue...

Dans un éblouissement terrifiant, je compris, et me laissai tomber lourdement sur le tapis, comme je l'avais fait dans mon rêve, au milieu de la chambre vide, en appelant d'une voix faible :

— Eidan, reviens !

Qu'avais-je fait ? Mais qu'avais-je donc fait ? Les larmes brouillèrent ma vue et coulèrent sur mes joues. Un gémissement incohérent s'échappa d'entre mes lèvres figées.

C'était trop tard, il était déjà parti, je l'avais chassé, et je demeurais seule, envahie par le vide et le froid.

Mon feu intérieur venait de s'éteindre. En moi, il ne subsistait que des cendres froides, les cendres que mon oubli avait provoquées. J'avais oublié que c'était Eidan qui m'aimait. J'avais oublié qu'il était à l'origine de mon feu intérieur, qu'il m'aidait à l'animer. Comment avais-je pu rayer tout cela de ma mémoire ? Mon âme ressemblait à la cheminée que j'avais vue dans mon songe. Un âtre glacial, éteint depuis longtemps, empli de cendres, symbole d'une fin tragique.

Ma maison était devenue silencieuse.

Pourtant, sans le savoir, pendant quelques instants précieux, j'étais revenue chez moi.

Le temps qu'Eidan me serre contre lui, qu'il souffle sur les cendres de l'oubli pour ranimer les braises, trop brièvement, trop tard, et me fasse réaliser que c'était lui, l'homme de mes rêves. C'était lui, l'oiseau, ma moitié. Il existait et je l'avais vu presque tous les jours pendant trois mois sans savoir, sans deviner.

Il était trop tard à présent.

Je l'avais blessé, je l'avais chassé loin de moi. Et il était parti pour toujours en emportant mon feu.

Je n'avais plus de chez-moi.

Si j'en avais eu la force, je serais descendue seulement vêtue de mon pyjama, pieds nus, j'aurais couru après lui, hurlé sur la route pour lui demander de revenir, mais à cet instant, je demeurais incapable de bouger. Je restais aussi molle qu'une poupée de chiffon sur le tapis de ma chambre. Mais je n'étais pas morte. Je respirais, mon cœur battait encore et, tant que ce serait le cas, je pourrais me battre et rejoindre celui qui me manquait depuis toujours.

Demain... Demain, j'aurais recouvré ma force. Demain, je me relèverais et j'irais retrouver Eidan. Je lui dirais que je savais. Je lui demanderais d'être patient avec moi, de me laisser le temps de me souvenir, de l'aimer, et de ranimer le feu qui devait brûler en moi.

Demain...

ÉPILOGUE

La forêt est sombre, plus sombre que jamais. C'est comme si le ciel avait disparu, qu'il n'y avait plus d'étoiles, plus d'univers en dehors des branches tordues, poussées par un vent venu de nulle part. Tout a été aspiré par un vide glacial. Il ne peut pas m'atteindre, j'ai tellement froid en moi que la bise qui souffle paraît tiède sur ma peau.

J'avance lentement. Les troncs se resserrent autour de moi, s'alignent les uns derrière les autres pour former une allée de fûts énormes, immenses, dont je ne peux m'échapper. Je n'ai pas le choix, il me faut aller tout droit, là où ce chemin me guide. Tout au bout, il y a de la lumière.

Je marche longtemps, cernée par ces palissades. La tour n'est plus là. Peut-être se trouve-t-elle encore dans une autre partie de la forêt, cachée derrière ces murs de bois infranchissables. Je ne sais pas. Je ne peux pas le savoir. Quoi qu'il en soit, je n'ai aucun moyen de m'y rendre.

C'est interdit, maintenant. J'ai fait quelque chose de mal qui m'a fermé les portes de mon foyer, de mon chez-moi.

Enfin, après ce qui me semble être des heures, j'arrive au bout de ce sentier. Je débouche sur un plateau inondé de soleil. C'est le matin, et il est encore bas sur l'horizon. Je comprends que je suis sur un promontoire rocheux, et en bas, la lumière se reflète sur une mer lisse et calme. Un parfum de fleur flotte dans l'air. Du laurier-rose. J'aime le laurier-rose. Il envahit le jardin en été. C'est l'odeur des vacances. Pourquoi suis-je ici, perchée au bord de la Méditerranée, sur les falaises de Cassis ? Je ne me souviens plus. Je sais pourtant que c'était important. Essentiel. Mais j'ai tout oublié. Tout. Je ne sais même plus qui je suis exactement...

D'un seul coup, je ne suis plus là-haut. Je suis au bord de la mer. Sur un banc de sable étroit, en forme de croissant. Je suis tombée, je crois. Mais je n'ai pas mal, pas cette fois. Des vaguelettes clapotent à mes pieds. Elles sont fraîches, et leur senteur salée emplit mes poumons.

Il faut que je me rappelle quelque chose de vital... Je crois que ça va être long, alors je m'assieds au bord de l'eau. Je plonge mes doigts dans le sable. Il a une consistance étrange, très douce, légère. En y regardant de plus près, je me rends compte que ce n'est pas du sable. Ce sont des cendres. Froides.

Je ne sais plus pourquoi je suis là, qui je suis, et pourquoi je suis assise sur une plage de cendres. J'ai oublié...

Mais si je me concentre, si je fais un effort, je vais finir par me souvenir. Et alors, enfin, il viendra, il jaillira des cendres, il me sauvera et tout prendra un sens. Tout.

Playlist du roman

Chapitre 2

— « Prélude » de la *Suite n° 1 pour violoncelle* de J.-S. Bach (1717 à 1723).

Chapitre 3

— « Allemande » de la *Suite n° 5* de J.-S. Bach (1717 à 1723).

Chapitre 4

— « Roxanne », auteur : Sting, Police, Universal Music, 1978 (album *Outlandos d'amour*).

Chapitre 5

— « Meaning », auteur compositeur : Cascadeur, Universal Music, 2010 (album *The Human Octopus*).

Chapitre 6

— « Whole Lotta Love », auteurs compositeurs : Willie Dixon, John Bonham, John Paul Jones,

Jimmy Page, Robert Plant, Led Zeppelin, Warner Music, 1969 (album *Led Zeppelin II*).

— « I Was Made for Lovin' You », auteurs compositeurs : Paul Stanley, Desmond Child, Vini Ponica, Kiss, Electric Lady Studios et Record Plant Studios, 1979 (album *Dynasty*).

– - « Still Loving You », auteur : Klaus Meine, compositeur : Rodolf Schenker, Scorpion, Warner Music, 1984 (album *Love at First Sting*).

Chapitre 9

— *Song of the Birds*, Pablo Casals, arrangement pour violoncelle, 1945.

Chapitre 10

— *Nocturne n° 20*, Chopin, 1830.

Chapitre 11

— « Breathe Me », auteur : Sia Furler, compositeur : Dan Carey, Universal Music, 2004 (album *Color the Small One*).

Chapitre 12

— « I'm in Here », auteur : Sia Furler, compositeur : Dixon Samuel Donald, Sia, Universal Music, 2010 (album *We Are Born*).

— *Lettre à Élise*, Beethoven, vers 1810.

Chapitre 13

— « Dumb », auteur : Kurt Cobain, compositeur : Dave Grohl, Nirvana, EMI Music, 1994 (album live *Unplugged in New York*).

— « La Bombe humaine », auteurs compositeurs : Jean-Louis Aubert, Louis Bertignac, Richard Kalinka, Corinne Marienneau, Téléphone, EMI Music, 1979 (album *Crache ton venin*).

— « Heartbreaker », auteurs : John Bonham, John Paul, Jimmy Page, Robert Plant, compositeur : Jimmy Page, Led Zeppelin, Warner Music, 1969 (album *Led Zeppelin II*).

— « You are Mine », auteurs compositeurs : Paul Meany, Darren King, Greg Hill, Roy Mitchell-Cardenas, Mute Math, Warner Music, 2006 (album *Mutemath*).

Chapitre 14
— « Après un rêve », *Trois mélodies*, Op. 7, Fauré, 1870-1878.

Chapitre 18
— « Encore un matin », auteur compositeur : Jean-Jacques Goldman, Sony Music, 1984 (album *Positif*).

Chapitre 19
— « Dumb », auteur : Kurt Cobain, compositeur : Dave Grohl, Nirvana, EMI Music, 1994 (album live *Unplugged in New York*).

— « U-Turn », auteurs : Elisabeth Valletti, Jean Reusser, compositeur : Elisabeth Valletti, Aaron, Discograph, 2007 (album *Artificial Animals Riding on Neverland*).

— « Volcano », Damien Rice, Warner Music, 2003 (album *O*).

— « Breathe Me », auteur : Sia Furler, compositeur : Dan Carey, Sia, Universal Music, 2004 (album
Color the Small One).

— « Stop », Lizz Wright, Universal Music, 2005
(album *Dreaming Wide Awake*).

— « Stars », Nelly Furtado, Universal Music, 2010
(album *The Best of Nelly Furtado*).

Chapitre 23

— *Sonate pour violoncelle seul*, Zoltán Kodály, 1915.

Remerciements

Écrire un livre, c'est un travail plutôt solitaire : de longs mois passés seule devant un écran, à laisser sortir les mots pour construire une histoire. Mais pour que le livre existe réellement, qu'il soit autre chose qu'un fichier enfoui dans la mémoire d'un ordinateur, il faut en réalité une équipe qui y croie.

C'est grâce à cette équipe que vous tenez ce livre aujourd'hui entre vos mains, et c'est elle que je voudrais remercier.

Il y a deux personnes en particulier qui ont toute ma gratitude et, galanterie oblige, je vais commencer par Constance Joly-Girard. Je lui avais confié l'idée de ce roman il y a quelques années, alors que nous travaillions encore sur *La Quête des Livres-Monde* toutes les deux. Complètement sous le charme de *Phœnix*, d'Anaïa et d'Eidan, elle avait décidé que ce serait notre prochaine aventure, et elle a tenu parole, malgré les embûches.

Puis il y a le magique Glenn Tavennec, le directeur de la collection R. Grâce à Constance, il a découvert mon projet et l'a aussitôt adopté, puis rangé soigneusement dans ses valises afin de le défendre à la première occasion. Quand il a créé la collection, il a tout de suite pensé à l'y intégrer. Je le remercie du fond du cœur pour sa confiance, son enthousiasme et l'opportunité extraordinaire qu'il m'a offerte en m'ouvrant les portes des éditions Robert Laffont.

Comme toujours, de gros bisous à ma famille : mes parents et mon fils qui me soutiennent toujours à cent pour cent et supportent mes humeurs, mes doutes et mes délires. Merci à mon oncle Jacques, à ma tante Élisabeth qui m'ouvrent régulièrement les portes du coin de paradis qu'est leur mas, dans le Var. Toutes les images de la maison d'Anaia viennent de là...

Mes bêta lectrices, qui m'ont accompagnée durant le processus d'écriture de ce roman : Ruthy, Alice, Delphine, Sylvie, Emma, Karen. Merci à vous pour votre patience et votre motivation.

Et enfin, merci à mes lecteurs de la première heure qui me suivent depuis toutes ces années et me transportent avec leur enthousiasme, et aux nouveaux qui auront succombé au *Phœnix*...

En attendant de découvrir
Le Brasier des souvenirs,
le second volet de **Phænix**
début 2013…

Entrez
dans un
nouvel

avec d'autres romans
de la collection

www.facebook.com/collectionr

LA FILLE DE BRAISES ET DE *Ronces*

de Rae Carson

Le Destin l'a choisie, elle est l'Élue, qu'elle le veuille ou non.

Princesse d'Orovalle, Elisa est l'unique gardienne de la Pierre Sacrée. Bien qu'elle porte le joyau à son nombril, signe qu'elle a été choisie pour une destinée hors normes, Elisa a déçu les attentes de son peuple, qui ne voit en elle qu'une jeune fille paresseuse, inutile et enveloppée... Le jour de ses seize ans, son père la marie à un souverain de vingt ans son aîné. Elisa commence alors une nouvelle existence loin des siens, dans un royaume de dunes menacé par un ennemi sanguinaire prêt à tout pour s'emparer de sa Pierre Sacrée.

La nouvelle perle de l'*heroic fantasy*.
Le premier tome d'une trilogie « unique, intense... À lire absolument ! » (Veronica Roth, auteur de la trilogie *Divergent*).

Tome 2 à paraître début 2013

de Lissa Price

Vous rêvez d'une nouvelle jeunesse ?
Devenez quelqu'un d'autre !

Dans un futur proche : après les ravages d'un virus mortel, seules ont survécu les populations très jeunes ou très âgées : les Starters et les Enders. Réduite à la misère, la jeune Callie, du haut de ses seize ans, tente de survivre dans la rue avec son petit frère. Elle prend alors une décision inimaginable : louer son corps à un mystérieux institut scientifique, la Banque des Corps. L'esprit d'une vieille femme en prend possession pour retrouver sa jeunesse perdue. Malheureusement, rien ne se déroule comme prévu... Et Callie prend bientôt conscience que son corps n'a été loué que dans un seul but : exécuter un sinistre plan qu'elle devra contrecarrer à tout prix !

Le premier volet du thriller dystopique phénomène aux États-Unis.

« Les lecteurs de *Hunger Games* vont adorer ! », Kami Garcia, auteur de la série best-seller, *16 Lunes*.

Second volet à paraître en novembre 2012

LA SÉLECTION
de Kiera Cass

35 candidates, 1 couronne, la compétition de leur vie.

Elles sont trente-cinq jeunes filles : la « Sélection » s'annonce comme l'opportunité de leur vie. L'unique chance pour elles de troquer un destin misérable contre un monde de paillettes. L'unique occasion d'habiter dans un palais et de conquérir le cœur du prince Maxon, l'héritier du trône. Mais pour America Singer, cette sélection relève plutôt du cauchemar. Cela signifie renoncer à son amour interdit avec Aspen, un soldat de la caste inférieure. Quitter sa famille. Entrer dans une compétition sans merci. Vivre jour et nuit sous l'œil des caméras... Puis America rencontre le Prince. Et tous les plans qu'elle avait échafaudés s'en trouvent bouleversés...

Le premier tome d'une trilogie pétillante, mêlant dystopie, télé-réalité et conte de fées moderne.

Tome 2 à paraître en avril 2013

de C.J. Daugherty

Qui croire quand tout le monde vous ment ?

Allie Sheridan déteste son lycée. Son grand frère a disparu. Et elle vient d'être arrêtée. Une énième fois. C'en est trop pour ses parents, qui l'envoient dans un internat au règlement quasi militaire. Contre toute attente, Allie s'y plaît. Elle se fait des amis et rencontre Carter, un garçon solitaire, aussi fascinant que difficile à apprivoiser... Mais l'école privée Cimmeria n'a vraiment rien d'ordinaire. L'établissement est fréquenté par un fascinant mélange de surdoués, de rebelles et d'enfants de millionnaires. Plus étrange, certains élèves sont recrutés par la très discrète « Night School », dont les dangereuses activités et les rituels nocturnes demeurent un mystère pour qui n'y participe pas. Allie en est convaincue : ses camarades, ses professeurs, et peut-être ses parents, lui cachent d'inavouables secrets. Elle devra vite choisir à qui se fier, et surtout qui aimer...

Le premier tome de la série découverte par le prestigieux éditeur de *Twilight*, *La Maison de la nuit*, *Nightshade* et Scott Westerfeld en Angleterre.

Tome 2 à paraître en novembre 2012

de Myra Eljundir

SAISON 1

C'est si bon d'être mauvais...

À 19 ans, Kaleb Helgusson se découvre empathe : il se connecte à vos émotions pour vous manipuler. Il vous connaît mieux que vous-même. Et cela le rend irrésistible. Terriblement dangereux. Parce qu'on ne peut s'empêcher de l'aimer. À la folie. À la mort.

Sachez que ce qu'il vous fera, il n'en sera pas désolé. Ce don qu'il tient d'une lignée islandaise millénaire le grise. Même traqué comme une bête, il en veut toujours plus. Jusqu'au jour où sa propre puissance le dépasse et où tout bascule... Mais que peut-on contre le volcan qui vient de se réveiller ?

La première saison d'une trilogie qui, à l'instar de la série Dexter, offre aux jeunes adultes l'un de leurs fantasmes : être dans la peau du méchant.

Déconseillé aux âmes sensibles et aux moins de 15 ans.

Saison 2 à paraître en janvier 2013

de Heather Anastasiu

L'amour est une arme

Dans une société souterraine où toute émotion a été éradiquée, Zoe possède un don qu'elle doit à tout prix dissimuler si elle ne veut pas être pourchassée par la dictature en place.
L'amour lui ouvrira-t-il les portes de sa prison ?

Lorsque la puce de Zoe, une adolescente technologiquement modifiée, commence à glitcher (bugger), des vagues de sentiments, de pensées personnelles et même une étrange sensation d'identité menacent de la submerger. Zoe le sait, toute anomalie doit être immédiatement signalée à ses Supérieurs et réparée, mais la jeune fille possède un noir secret qui la mènerait à une désactivation définitive si jamais elle se faisait attraper : ses glitches ont éveillé en elle d'incontrôlables pouvoirs télékinésiques...

Tandis que Zoe lutte pour apprivoiser ce talent dévastateur tout en restant cachée, elle va rencontrer d'autres Glitchers : Max le métamorphe et Adrien, qui a des visions du futur. Ensemble, ils vont devoir trouver un moyen de se libérer de l'omniprésente Communauté et de rejoindre la Résistance à la surface, sous peine d'être désactivés, voire pire...

La trilogie dystopique de l'éditeur américain des séries best-sellers *La Maison de la Nuit* et *Éternels*.

Tome 2 à paraître début 2013

Retrouvez tout l'univers de
Phænix
sur la page Facebook de la collection R :
www.facebook.com/collectionr

Vous souhaitez être tenu(e) informé(e)
des prochaines parutions de la collection R
et recevoir notre newsletter ?

Écrivez-nous à l'adresse suivante,
en nous indiquant votre adresse e-mail :
servicepresse@robert-laffont.fr

Cet ouvrage a été imprimé
en août 2012 par

FIRMIN-DIDOT

27650 Mesnil-sur-l'Estrée
N° d'édition : 52523/01
N° d'impression : 113510
Dépôt légal : septembre 2012

Imprimé en France

*Composé par Nord Compo Multimédia
7, rue de Fives, 59650 Villeneuve-d'Ascq*